Les Éditions du Boréal
4447, rue Saint-Denis
Montréal (Québec) H2J 2L2
www.editionsboreal.qc.ca

AUGUSTINO
ET LE CHŒUR
DE LA DESTRUCTION

ŒUVRES DE MARIE-CLAIRE BLAIS

ROMANS

La Belle Bête, Boréal, coll. « Boréal compact », 1991.

Tête blanche, Boréal, coll. « Boréal compact », 1991.

Le jour est noir suivi de *L'Insoumise*, Boréal, coll. « Boréal compact », 1990.

Une saison dans la vie d'Emmanuel, Boréal, coll. « Boréal compact », 1991.

David Sterne, Boréal, coll. « Boréal compact », 1999.

Manuscrits de Pauline Archange, Boréal, coll. « Boréal compact », 1991.

Vivre ! Vivre !, tome II des *Manuscrits de Pauline Archange*, Boréal, coll. « Boréal compact », 1991.

Les Apparences, tome III des *Manuscrits de Pauline Archange*, Éditions du Jour, 1970 ; Boréal, coll. « Boréal compact », 1991.

Le Loup, Boréal, coll. « Boréal compact », 1990.

Un Joualonais sa Joualonie, Boréal, coll. « Boréal compact », 1999.

Une liaison parisienne, Boréal, coll. « Boréal compact », 1991.

Les Nuits de l'Underground, Boréal, coll. « Boréal compact », 1990.

Le Sourd dans la ville, Boréal, coll. « Boréal compact », 1996.

Visions d'Anna, Boréal, coll. « Boréal compact », 1990.

Pierre – La Guerre du printemps 81, Boréal, coll. « Boréal compact », 1991.

L'Ange de la solitude, VLB éditeur, 1989.

Soifs, Boréal, 1995 ; coll. « Boréal compact », 1996.

Dans la foudre et la lumière, Boréal, 2001.

TEXTES RADIOPHONIQUES

Textes radiophoniques, Boréal, coll. « Boréal compact », 1999.

THÉÂTRE

Théâtre, Boréal, coll. « Boréal compact », 1998.

RÉCITS

Parcours d'un écrivain, notes américaines, VLB éditeur, 1993.

L'Exilé, nouvelles, suivi de *Les Voyageurs sacrés*, BQ, 1992.

POÉSIE

Œuvre poétique, 1957-1996, Boréal, coll. « Boréal compact », 1997.

Marie-Claire Blais

AUGUSTINO ET LE CHŒUR DE LA DESTRUCTION

roman

Boréal

Le poème de Georgette Gaucher Rosenberg en page 11
est reproduit avec l'aimable autorisation des Éditions Trois.

Les Éditions du Boréal remercient le Conseil des Arts du Canada
ainsi que le ministère du Patrimoine canadien et la SODEC
pour leur soutien financier.

Les Éditions du Boréal bénéficient également du Programme
de crédit d'impôt pour l'édition de livres du gouvernement du Québec.

Diffusion au Canada : Dimedia

Données de catalogage avant publication (Canada)
    Blais, Marie-Claire, 1939-
    Augustino et le chœur de la destruction
    ISBN 2-7646-0317-7
    I. Titre.

PS8503.L33A93   2005   C843'.54   C2005-940337-3
PS9503.L33A93   2005

Je remercie Francine Dumouchel et
Marie Couillard pour leur constant et
solidaire appui, de même que Claude
pour son immense confiance.

À Christiane Teasdale

Pour le plus long voyage, point n'est besoin de malles,
et je veux tout donner.
Prends mon pauvre regard, riche de sa grande pauvreté,
je l'ai fait de ciel, d'air tiède et d'eau fraîche,
pour que les choses laides puissent un jour se laver.
Prends mes mains, elles sont vives des caresses,
des révoltes qui y ont germé.
Prends mes cheveux,
indociles
ils ont toujours crié,
prends mon silence, mon vertige... le reste
est pour la vague haute,
la première de la première marée.

GEORGETTE GAUCHER ROSENBERGER,
Océan, reprends-moi

Petites Cendres sentait avec dégoût l'haleine de l'homme ivre sur ses lèvres, dans son cou, elle disait, pendant que l'inconnu l'étreignait contre le mur d'un bar, allez-vous cesser, vous m'étouffez, que pouvait-elle dire pour se défendre, personne ne la respectait, l'homme lui avait déjà donné rendez-vous à son hôtel ce soir à huit heures, il y avait dans cet homme à l'accent étranger une violence lourde, un poids de chair dont elle devinait l'oppression, elle n'aimait pas cette tête chauve, les yeux plissés de l'inconnu sous ses lunettes à monture d'argent, laissez-moi, répétait Petites Cendres, songeant qu'il lui fallait vite passer au Saloon Porte du Baiser, où elle dansait, tous les jours, pour des clients aussi médiocres que celui-ci, qui lui serrait la taille en l'écrasant contre le mur, elle voyait les maisons de bois peintes en rose, éclairées par le soleil, de la rue Esmeralda, de la rue Bahama, un chien reniflait en vain les traces du maître qui l'avait abandonné, pourquoi n'allait-il pas droit vers la mer où tomberait bientôt un peu de fraîcheur, ce chien, pensait Petites Cendres, n'avait sans doute pas mangé depuis quelques jours, lui aussi, sa couleur était comme celle de Petites Cendres, ni noire ni brune, mais si Petites Cendres ne mangeait pas, c'est qu'elle n'avait pas faim, elle était nourrie d'ombre et de cet air ventilé du Saloon, nourrie aussi de ce qui était maintenant son état de manque, oui, ce chien avait cette couleur de l'ocre foncé de la rouille, nul ne serait attendri par lui, comme Petites Cendres, il était trop vieux, quarante ans, ils le disaient tous, trop tard, l'homme entraînait Petites Cendres dehors, vers la rue, et elle pensait avec honte que tous la voyaient maintenant, on l'entendait qui gémissait, laissez-moi, eux qui étaient plus jeunes, car c'est ainsi qu'ils l'appelaient, Ashley, hé, Petites Cendres, quarante ans, tu marches vers ton trépas, eux riaient tout en annonçant les spectacles de la soirée au Saloon, ils portaient leurs tenues de soirée, leurs talons aiguilles, des hommes baraqués, pensait Petites Cendres, mais ils se moquent bien de mon sort, ils verront plus tard, à cet âge nul ne nous respecte plus, l'un des garçons qui ne portait pas de perruque et qui bâillait sur le trottoir, pas de perruque, que des boucles d'oreilles et des cheveux courts peignés à l'arrière, observa Petites Cendres, s'amusait à voir le bras tatoué du client qui barrait la gorge de Petites Cendres, il dit en tapotant l'épaule de l'homme ivre, hé, desserre ton étreinte, tu ne vas pas nous le tuer quand même, et l'homme se secoua comme s'il se réveillait et rejeta Ashley sur le trottoir comme un chiffon, n'oublie pas, huit heures à mon hôtel, fille, dit-il, prouve-lui que tu es un homme, criait le garçon à la tête nue, sans perruque, es-tu un homme, je suis l'homme que je suis, c'est ainsi que le créateur m'a fait, dit Petites Cendres en regardant s'éloigner d'elle le méprisable individu, oui, c'est ainsi qu'il

t'a fait, dit le garçon sans perruque, tu n'es pas un peu prétentieux, Ashley, dans ton jeans qui colle à ton sexe dou-
teux, ta gaine noire, tes boutons sur la figure, tes seins en
plastique, tu n'as pas un peu de poudre céleste à me prêter,
pendant que tu es là, c'est une gaine en soie noire, dit
Petites Cendres, et je suis ce que je suis, vous n'obtiendrez
rien de moi, le garçon sans perruque poursuivit, méfie-toi
de ton client qui ressemble à un lutteur dans l'arène, tu
n'as pas vu sa grosse nuque gonflée de sang, il va te tabas-
ser, as-tu peur, Ashley, tu devras prouver que tu es un
homme, et ils recommencèrent tous à rire, Petites Cendres
ne savait plus s'ils étaient oisifs, dans leurs tenues de soirée,
méchants ou féroces, il voyait rutiler la mer sous un soleil
incandescent, à l'extrémité de la longue rue étroite, sur les
rives du boulevard de l'Atlantique, ce soleil éclaterait dans
quelques instants en une boule de feu, c'était ce brasier qui
étouffait le cœur de Petites Cendres, il lui semblait que son
âme saignait ainsi à vif, se liquéfiant, au fond de lui-même,
dans une mer pâle et froide, ou était-ce ce navrant état de
manque qui lui creusait, comme d'un feu éteint, la poitrine, ce chien n'aurait pas dû être là, rue Esmeralda, rue
Bahama, chancelant de faim sur ses pattes, rôdant la nuit,
près du Saloon Porte du Baiser, là où Petites Cendres s'en-
têtait à vivre ; et dans la foudre et la lumière larguant sa
barque de pêcheur le long du quai, Lazaro pensait qu'il
valait mieux travailler en mer que d'étudier et vivre chez sa
mère, Caridad, parmi ses frères et sœurs, tous nés dans ce
pays et d'un homme qui n'était pas son père et ne professait pas la religion islamique, n'estimait-il pas que sa mère
l'avait trahi, elle qui pardonnait à Carlos son geste meurtrier envers son fils, tous ils ignoraient qui était Lazaro,

couvant sa vengeance, sa haine de Carlos, s'apprêtant à l'abattre dès qu'il sortirait de prison, à moins que la Justice ne le fasse pour lui, ah ! la Justice serait juste et tuerait peut-être Carlos, Lazaro serait recruté pour une mission plus grande, pas seulement Carlos disparaîtrait, mais tous les autres aussi, Caridad, la charitable, professait mal la foi des ancêtres, ce pardon était une caricature de la pitié, il ne fallait avoir pitié de personne, ni de Carlos ni des autres, de pêcheur irascible, ravalé à travailler en mer de ses mains, d'étudiant sans diplômes, Lazaro deviendrait quelqu'un, qui sait ce qu'il serait, il lui fallait un rôle sans pitié, un rôle pour allumer le feu sur toute la terre, il avait écrit aux oncles, aux cousins, recrutez-moi, il serait candidat, un envoyé pour quelque œuvre sombre, ne savait-il pas depuis l'enfance qu'un jour la terre ne serait habitée que par des peuplades de militants ou de soldats, il n'y aurait plus de femmes, aucune comme sa mère Caridad, changeant de pays afin de montrer son visage et de conduire une voiture, on ne les verrait plus, il n'y aurait sur cette planète hargneuse, sans faiblesse, sèche et assoiffée, que des jeunes gens en colère, des envoyés au martyre dans de délicates missions, par milliers tous innommés, tous innommables, des candidats au suicide, tant de confusion dans leurs rangs qu'ils foisonneraient partout, en tout lieu germeraient leurs attentats, que ce soit dans les supermarchés de Jérusalem ou dans des hôtels de New York, on entendrait sans pouvoir y croire, car ils auraient dans le meurtre tant de grâce, on entendrait le glas de leurs ceintures actionnant des explosifs, tous ils dissimuleraient dans leurs vêtements, leurs sacs, jeunes filles rompant avec leurs fiancés leur promesse, recelant sous le pli d'une écharpe, dans un sac, à l'entrée d'un magasin, d'une gare, ce qu'elles tenaient si près de leurs entrailles, l'obus de mortier, la terre ne serait occupée que par ces brigades innombrables, innommées, la présence de ces bombes logées à l'intérieur même de personnes jeunes et saines ferait régner une terreur sacrée, religieuse, oui, dans toutes les villes, et sur les tuiles d'une cafétéria, dans une université hébraïque, la brigade des infirmiers se pencherait sur ces cercles de sang, ici sept personnes avaient perdu la vie, il faudrait envelopper les morts dans des draps vite ensanglantés, l'infirmier aurait des mains gantées, il irait au volant de sa voiture, vers sa famille le soir, les doigts encore tachés de la matière adhérente, il dirait, ah, que Dieu ait pitié de ce sang ; dans toutes les villes, tous les villages, on verrait sur les murs des maisons, des écoles, ces portraits des kamikazes sous des couronnes de fleurs, la brigade des pieux volontaires, des infirmiers sans cesse appelés et mobiles sur des scènes de massacre, gantés les uns comme les autres, de leurs gants de chirurgiens, diraient que c'est dans le sang que réside l'âme, tels les kamikazes, ces nouveaux anges de la mort seraient des héros se pliant aux exigences d'un rituel familier, ici, dans cette cafétéria, sept personnes avaient perdu la vie, il fallait recueillir les corps empilés, dans des débris de verre, de tables cassées, demain ce serait ailleurs, dans un bar, une femme serait encore assise sur sa chaise, le coude appuyé au comptoir, ses yeux seraient ouverts, elle tiendrait un verre à la main, tous statufiés dans le marbre de la mort soudaine, demain y aurait-il encore des rues, des maisons, partout des tanks auraient crevassé le sol des villes, en marchant on poserait le pied sur la poussière fumante des maisons explosées, tel était ce monde que contemplait Lazaro depuis l'enfance, ou était-ce plutôt quand son père Mohammed frappait sa mère, lorsqu'il n'était pas encore né, les coups provenant de très loin, lorsque sa mère avait dit, il faut fuir l'Égypte, ce pays, cet homme, y aurait-il encore des rues, des maisons, ou ces odeurs gazeuses, ces fumées que cracherait le ciel, ce Carlos, je l'aurai bien un jour, se répétait Lazaro, il déambulait boulevard de l'Atlantique, le soleil était rouge, sur le point de disparaître dans la mer, l'air était si doux qu'on avait la sensation de le boire et de s'en enivrer, Lazaro pataugeait dans la mer, pieds nus, son corps frissonnait de rage pendant qu'il trempait son visage, ses cheveux, dans l'eau salée, se rappelant Carlos, il entendit un lourd frôlement d'ailes, c'était le passage prompt, tourbillonnant d'un pélican à l'aile blessée, l'oiseau affolé tentait de capturer de son bec les poissons qui l'alimenteraient, tout en continuant sa course boiteuse sur l'eau, il ne semblait atteindre de son bec que la dure surface des vagues, dans un fracas de son aile valide se déployant vers le ciel, Lazaro gravit l'escalier d'une terrasse et demanda de l'aide pour l'oiseau blessé, il pensait avec ressentiment que sa mère aurait agi ainsi, elle qui parlait sans cesse du respect de la nature, de la terrasse Lazaro vit l'oiseau qui semblait se diriger vers la proximité des rives, cherchant un abri sous un pont, dans un affolement accru et battant de l'aile, le pélican affaibli s'éloigna brusquement de la protection du rivage et s'embarqua seul sur l'océan, lorsque Lazaro ne vit plus le plumage jaune et or de la tête de l'oiseau, comme si une sinistre fatalité lui avait ravi le pélican en danger, il éprouva un sentiment d'angoisse, ce monde des oiseaux de petite et de grande taille, celui que l'on voyait dans le sillon des barques, des bateaux, des voiliers des pêcheurs, n'était-ce pas le dernier monde de Lazaro qui était encore capable de le séduire par sa vitalité, sa diversité, son courage devant l'incertitude de l'océan, un monde qui n'était pas encore porteur d'une lumière funeste et noire comme cette mission à laquelle ne cessait de penser Lazaro, celle de se venger de Carlos, ou l'autre, celle d'une activité de militant à laquelle il voulait se livrer, quand cette pensée de Lazaro devant son avenir était souvent touffue et encombrée de présages ataviques, ce monde des oiseaux de Lazaro, de leur majesté, n'allait-il pas s'évanouir, pensa-t-il, et Mère dont on célébrait l'anniversaire entendit sa fille Mélanie qui disait aux parents de Jermaine, oh, mais Jermaine ce n'est plus le compagnon de jeux de Samuel, d'autrefois, non, c'est un beau jeune homme qui ressemble de plus en plus à sa mère asiatique, ne gâchait-il pas tout, pensait Mère, avec ses cheveux qu'il avait teints en blond, lesquels tenaient droit sur la tête, comme s'il en avait collé les pointes, que disait Mélanie, les femmes devaient apprendre à gouverner les pays, c'est une femme qu'on attendait à la présidence, quand les hommes régnaient, il n'y avait que des guerres, mais Tchouan répliqua que les femmes, lorsqu'on leur accordait le pouvoir de gouverner, pouvaient être aussi cruelles et ambitieuses que les hommes, pensez à ces « despotes éclairés », dit la mère de Jermaine, qui comme Catherine de Russie ont écrasé d'un joug féodal toute une population de serfs et de paysans, elles étaient impassibles devant la détresse de leur peuple, et ce fut souvent ainsi, même aujourd'hui, je ne parle pas de vous, ma petite Mélanie dont on entendait trop peu la voix sincère au Sénat, mais mon mari, qui fut l'un des premiers sénateurs noirs à être élus, refuse que nous parlions de politique dans cette maison, depuis qu'il est à la retraite, il proteste désormais par ses écrits, il est souvent seul dans ce cottage que vous voyez près de la mer, lequel communique avec notre maison par un sentier où poussent les hibiscus, de là, il me téléphone et me parle souvent, plusieurs fois par jour, là où mon métier de designer m'envoie, à Paris, à Milan, à Hong Kong, son foyer est ici dans cette île, auprès de sa famille, Olivier n'est pas un nomade comme moi, Mère dit à Tchouan combien sa maison, et tout ce qu'elle créait dans son style de décoration, la ravissait, Tchouan savait concevoir le dépouillement des formes, ses maisons, en République dominicaine et ici, face à l'océan, avaient la légèreté de petits cottages thaïlandais sur l'eau, on y voyait refléter la lumière de l'eau sur les stores blancs du salon, l'air, le vent y passaient dans une allée de palmiers du jardin, c'est d'une luxuriance sans poids, disait Mère, quand Mère ne pensait ni à sa fille ni à Tchouan à qui elle s'adressait en ces termes polis, il lui semblait qu'elle se posait quelques questions imprécises, ou avait-elle peur de se les poser, à près de quatre-vingts ans avait-elle réussi sa vie et qu'était-ce pour une femme que de réussir sa vie, Marie Curie avait dit à sa fille, Ève, en mourant d'une anémie pernicieuse : « Qu'est-ce que vous allez me faire, je ne veux pas. Je veux qu'on me laisse tranquille », et Mère pensait aussi, que me feront-ils lorsqu'ils verront que tremble ma main droite, que certaines choses ne sont pas normales, que me fera Mélanie qui voit tout, je veux qu'on me laisse tranquille, il fallait que ses derniers mots soient comme ceux de la grande apôtre de la science pure, « Je ne veux pas », mais ce ne serait pas aujourd'hui ni demain, vous ne changez pas ma chère Esther, lui disait-on pendant que Mère se délectait de son cocktail dans la brise chaude, bien sûr, j'ai encore bien du temps pour penser à cela, ou peut-être encore quelques années, « Dormir », avait dit Marie Curie, en fermant les yeux, dormir. Mais Marie Curie était une femme illustre, elle était le Mozart de la science, pensait Mère, mais étant née femme, n'aurait-elle pas pensé, elle aussi, que sa vie n'était pas réussie, n'aurait-elle pas quitté le monde dans le doute, répétant à sa fille qu'on la laisse tranquille, qu'on ne vienne plus la déranger, cette vie, c'était trop, tant d'épreuves, peu de grandeur, c'était trop, elle allait mourir sans qu'on connaisse la dimension de son œuvre, qu'on la laisse dormir enfin, une vie réussie pourrait-elle être l'envers d'une réussite, l'enfance polonaise de Maria Sklodowska était bien peu prometteuse, frères et sœurs mouraient autour d'elle, de la tuberculose, du typhus, toute jeune, Maria devint agnostique, il fallait être économe de tout appui qui ne fût pas solide comme la science, la disparition de Dieu, la perte des parents, rendaient l'esprit libre et clair, Maria le savait, il n'y aurait de récompenses que celles de la pensée, dans toute sa droiture, aucun jeu dans la plaine neigeuse, aucune promenade en traîneau pour cette petite fille, l'aimable présence d'un chien, dans la salle d'étude, peut-être, les insurrections, les guerres avaient anémié le monde, mais émergeait de la noirceur la pensée de celle qui ne savait pas encore qui elle était, Maria ne disait pas avec sûreté comme ceux qui l'avaient dit avant elle, je suis Darwin, je suis Mendeleïev, leurs théories et concepts avaient pénétré sa conscience, avant même qu'elle sache qui elle était, qu'était-ce qu'une vie réussie, naître comme Marie

Curie dans une Pologne qu'opprimaient les Russes, quand aucun droit n'avait encore été voté pour les femmes, ni en Angleterre ni ailleurs, découvrir en grandissant qu'on emprisonnait en Sibérie universitaires et intellectuels, être séduite plus tard par une ère de positivisme où serait justifiée l'émancipation des femmes, ou mourir assassinée comme son amie Rosa Luxembourg, pour ses activités révolutionnaires, jeune femme dont on recueillit le corps à la dérive, dans un canal à Berlin, qu'était-ce qu'une vie réussie, pensait Mère, savoir dessiner, planifier, construire d'harmonieux sentiers en pierre de corail, comme l'avait fait Tchouan, devant sa maison, ou être Rosa Luxembourg, les insuccès, les échecs s'ingéraient dans la vie de Maria, qu'elle soit institutrice ou maîtresse de maison, sévissait partout la pauvreté, ne récoltait-elle pas que la médisance d'autrui ou son ingratitude. Isolée dans sa mansarde, si loin, dans ce village de Pologne, on y montait en hiver par un escalier extérieur, elle se passionnait pour la littérature, les sciences naturelles, lisait en français, en russe, ou se levait à cinq heures par des aubes grises, s'acharnant avec persévérance sur ses livres de physique, de mathématiques, sans savoir qui elle était, une institutrice qui avait connu l'échec, un être effaré par la concentration de toutes ses facultés, sous le toit d'une mansarde, qui attendait que son père lui envoie de l'argent de la maison, quand rien ne venait, c'est elle, Maria, qui envoyait son salaire pour les études de son frère, Maria écrivait à sa famille, dans cet éloignement, qu'elle n'avait pas de plans pour l'avenir, ou ces plans étaient si ordinaires qu'il valait mieux ne pas en parler, elle se débrouillerait autant qu'elle le pourrait et un jour, ces mots, elle les écrivit, elle dirait

adieu à ce bas monde, et le dommage serait petit, elle
n'était ni Darwin ni Freud, un être tout à fait ordinaire,
écrivait-elle, c'était une période où tout était glacé, le ciel,
la terre, quelque répulsion pour tout contact physique,
oui, cela aussi, elle l'éprouvait, mais à qui plaire quand vos
vêtements auraient besoin d'être reprisés, les nerfs seuls
remuaient sous cette glace, les vêtements, le corps, l'âme,
tous sans soins dans l'impérissable hiver, l'étincelle vint en
apprenant la chimie, bien qu'elle ait écrit à son frère qu'elle
avait perdu cet espoir de jamais devenir quelqu'un, l'échec
oui, pensait Mère, l'insupportable échec de toute vie qui
est réussie, au visage ascétique de Maria Sklodowska s'in-
clinant sur ses travaux s'adjoignaient tant d'images et de
voix que Mère ne s'y reconnaissait plus, Tchouan avait pris
son bras et l'invitait à rencontrer ses hôtes qu'elle appelait
son groupe d'Européens, écrivains, artistes fraîchement
débarqués dans notre île, c'étaient Valérie et son mari, Bernard, Christiensen et Nora, qui venaient de plus loin
encore, de l'Europe du Nord, certes l'arrivée à Paris aurait
dû être plus stimulante, pour Maria, que la stagnation vil-
lageoise, pensait Mère, Tchouan avait tort de lui présenter
ces charmantes personnes, pensait-elle, elle aurait trop peu
de temps pour faire leur connaissance, l'éteignoir de la
nuit approchait, rien ne subsisterait de ces serrements de
mains, de ces regards que l'on posait sur elle, en disant, on
m'a beaucoup parlé de vous, chère Esther, quant à votre
fille Mélanie, à ses merveilleux enfants, Mère pensait qu'on
aurait dû la laisser tranquille dans ce reste de séjour de vie
qui lui paraissait si peu durable, ou bien Paris choquait-
elle Maria dans son austérité, elle si peu frivole dans une
ville louant alors après bien des incendies la légèreté de

vivre, ou eut-elle peur, il y avait aussi, cela était fort déplaisant, ce déclic de l'ordinateur d'Augustino, ces images à leur écran d'une centaine de dauphins, leurs carcasses renversées par les vagues, sur les sables blancs d'une île au Venezuela, que s'était-il passé pour qu'il y ait en quelques heures cette masse suicidaire ou quel poison du fond des eaux avait trompé toutes ces vies, Mère disait à Augustino, referme cet ordinateur, je n'en puis plus, tu ne sembles pas comprendre, Augustino, qu'une vieille dame ne peut pas tout voir, qu'il y a des choses que je ne puis plus voir, Augustino avait regardé sa grand-mère sans la comprendre, c'était la première fois qu'ils ne se comprenaient plus, ne disait-elle pas constamment, je t'en prie, ne me dérange pas, Augustino, quand hier il la dérangeait sans cesse et elle ne s'en plaignait pas, qui sait, dans quelques années, tu seras peut-être savant ou philosophe et moi, ta grand-mère, je lirai avec fierté tes pensées dans un livre, sur combien de doigts de la main se compteront ces années, ou sur combien de mains à plusieurs doigts, demandait Augustino, l'œil soupçonneux sous de longs cils, pour l'instant tu n'as que seize ans, disait-elle, comme si elle lui en voulait d'être si jeune, leur instinct social et leur psychisme étant presque plus développés que les nôtres, comment n'ont-ils pas pu se repérer à l'aide d'ultrasons, pourquoi ce naufrage par centaines sur les sables blancs de l'île de la Tortue, autrefois elle aurait dit à Augustino, peux-tu m'expliquer, Augustino, elle fixait désormais Augustino d'un regard bleu voilé qui semblait signifier, surtout ne dis rien, à quoi bon, je ne veux plus savoir, ce sont de pauvres dauphins parmi d'autres espèces qui bientôt ne seront plus, et Augustino pensait, elle ne répond pas à ma question, si je lui demande pour combien de doigts de la main il y a d'années, c'est que ma grand-mère doute même de l'existence de ces années, elle qui a pris tout son temps pour être vieille un jour, quand moi j'ai peut-être peu de temps pour devenir jeune, les dauphins souffleurs sont très intelligents, avait dit Augustino, mais ils ne se méfient pas assez de nous et sont ainsi facilement les cibles de nos erreurs, qui sait, un jour je lirai peut-être tes pensées dans un livre, avait répété Mère, se disant qu'elle ne pouvait pas espérer plus haute destinée pour Augustino, ce que les parents de Jermaine n'auraient jamais pu dire à leur fils qui ne lisait jamais un livre et en écrirait moins encore, Jermaine n'ayant de goût que pour les voitures de sport, ce que déplorait Olivier son père, les voitures de sport et ces malfaisants jeux vidéo, dont ils disposaient tous, lesquels, disait Olivier, développaient de telles capacités d'indifférence, de désintérêt devant le maniement excessif de machines de guerre, d'engins de destruction auxquels nos enfants n'étaient plus même sensibles, Augustino, pensait Mère, lui, méprisait ces jeux, plus pudique que Jermaine, il ne s'élançait pas le matin dans le bureau de son père, le cabanon secret de son écriture, en disant, les yeux humides, papa, je t'aime, peux-tu me prêter un peu d'argent, ou ta voiture, ou les deux, papa, Olivier, résistant peu à ces demandes, exigeait une parole de plus, répète que tu m'aimes, disait-il à son fils, est-ce bien vrai, cela, tu ne m'as pas écrit de l'université, c'est Tchouan qui racontait ces menus événements à Mère, mon mari est très attaché à sa famille, disait Tchouan à Mère, mais il s'enferme beaucoup trop avec ses chiens, refuse de sortir, ce que je crains le plus pour lui, c'est la pensée débilitante, cette dépres-

25

sion, vous savez, Tchouan se taisant soudain, Mère crut entendre le roulement du monde, dans son silence, c'était un fracas sans mystère qui s'agrippait à vous, toute porosité de la chair à l'écoute lui était offerte, bruits et mensonges, Mère dit à Tchouan, je comprends ce que ressent votre mari, mais pourquoi ne dansez-vous pas pour nous, comme l'an dernier, cette année je n'ai pas osé faire cette chose défendue, dit Tchouan, emprunter à mon fils un peu de cette ecstasy que je lui reproche de consommer, Mère pensait en écoutant Tchouan combien la vie de Marie Curie avait été dépourvue de moments de repos, de détente, même lorsqu'elle n'avait que vingt-cinq ans, Maria redoutant les amphithéâtres, les salles d'examen où elle serait reçue première, quel jour était-ce, pour Maria, une femme, quel jour était-ce lorsqu'elle avait été reçue première à la licence ès sciences physiques, comment cette femme réservée, atteinte de troubles nerveux, avait-elle manifesté sa joie, n'avait-elle pas déjà cette peur obstinée de la réussite, du succès trop facile, oui, Mère avait cru entendre dans ce silence de Tchouan le roulement du monde, avec ses frappes, ses chocs, on aurait pu parler, par ces temps que nous vivons, pensait Mère, pour la terre et ses habitants, qu'elle fasse acte de reddition ou de mort, on savait peut-être qu'une infime partie de notre terre était massivement anéantie, mais il fallait continuer de vivre, et même Tchouan aurait dû éprouver que c'était pour elle un devoir de danser cette nuit, on devait continuer de chanter, de danser, si lourd que fût ce tracas, retournant la terre contre elle-même, ou était-ce juste et sain de penser ainsi, sous un déluge de gigantesques explosions dont un être humain sensé avait pris l'habitude, aussi ennuyé par ces

opérations que l'était Jermaine devant l'écran de jeux
démoniaques, des territoires entiers disparaissaient, ces
spectacles d'effondrements, à force de les voir, ne nous
rendaient plus mal à l'aise, ces plans orchestrés par un
chœur invisible ne nous concernaient plus, n'étions-nous
pas devenus massivement acquis à notre propre dévastation, ces pensées n'étaient pas celles de Mère mais les pensées sombres d'Olivier dont elle avait lu tous les articles,
dans le journal de l'Île, que cherchions-nous pour nous-
mêmes, la reddition ou la mort ? Oui, je danserai cette
nuit, dit Tchouan, de ce sourire jumeau qui appartenait
aussi à son fils Jermaine, je me désole de ce que mon mari,
depuis qu'il vit retiré ici, partage avec des lecteurs ces si
tristes pensées, mais que faire, je ne puis l'inciter à être
autrement, Tchouan allait danser encore, et Mère se délecter, lorsqu'elle serait seule, de ses opéras de Puccini, même
si sa fille Mélanie ne cessait de lui rappeler que Mère aurait
pu s'initier aux symphonies de César Franck, aux opéras
de Benjamin Britten, pourquoi fallait-il pour Mélanie que
toute loi classique soit rompue, qu'on entende dans des
œuvres monumentales de sons d'acier des chants d'une
intolérable douleur où la voix humaine serait déformée,
parfois tue, vers quels dieux absents s'élevaient ces cathé-
drales, ces forteresses du son moderne, ces lamentations
du poète Owen, dans ce *Requiem de guerre* de Britten, vers
quelle colombe d'une paix à jamais perdue ? On entendait
partout dans l'Île, comme dans la maison de Daniel et
Mélanie, ce requiem de Britten que Franz, rebelle chef
d'orchestre vieillissant, ne dirigeait plus dans des églises,
mais sous le soleil dans des espaces verts, sur des terrasses,
des pavillons, près de la mer, le *libera me* du chœur s'envo-

lant vers les eaux, vers quels abîmes ou résurrections, et Mère pensait, qu'on me laisse tranquille, comme l'avait dit Marie Curie à la fin de sa vie, Puccini serait toujours son enchantement, Tchouan n'était plus là, elle courait, dans sa robe d'un rouge vif, ses sandales de cuir noir, vers la vaste cuisine, qu'elle avait peinte de ce rouge carminé, elle disait que l'architecture cubaine de la maison commandait ces couleurs de soleil brûlant sur les murs, son mari avait accueilli par l'ouverture du jardin un jeune homme vêtu d'un tablier noir sur un maillot, un pantalon très blancs, immaculés, ce jeune homme porteur d'un plateau de poissons disait à Olivier que ce plateau avait été commandé par sa femme, chez le traiteur, mais notre table est déjà très abondante, dit Olivier, d'un ton renfrogné, déposez cela, c'est trop lourd pour vous, comment vous appelez-vous, mon garçon, c'est Lazaro, il vient souvent ici, dit Tchouan, en se rapprochant de son mari, et Lazaro levant un regard impénétrable au-dessus de la tête d'Olivier, de sa femme Tchouan qu'il tenait contre lui, aperçut Jermaine, qui riait, Jermaine et ses amis, tous enfants de familles aisées, riant et buvant autour de la piscine, pendant que l'eau verte, irisée par l'éclairage du soir, balayait leurs visages de lueurs fauves, tous n'avaient-ils pas les blonds cheveux teints de Jermaine, les mêmes colliers à leurs cous, dans ce cercle festif, ils n'étaient pas plus disparates, moins insolites, pensait Lazaro, que ces parents de Jermaine, lui, un Africain américain au caractère ombrageux, un géant dans cette maison auprès de sa délicate femme orientale dont il ne pouvait définir si le sourire était frondeur ou gentil, ces gens avaient tant d'assurance, ils vivaient en bordure de la vie, loin des tracas de subsistance de Lazaro, qu'il ait à partir en mer pendant plusieurs jours avec des hommes rudes, qu'il soit commis de traiteur ou serveur dans un restaurant, rien ne les contraignait ni ne les ligotait, pensait Lazaro en serrant les dents, il dit à Tchouan qui le regardait, étonnée, voyez ces jeunes gens, ils ne peuvent s'amuser sans consommer de l'alcool, quand on peut s'amuser en buvant du thé et des jus de fruits, l'alcool est interdit dans ma religion, on dit que c'est un poison, Olivier s'irrita en disant, on ne parle pas de religion chez moi, la religion détruira le monde, qui était ce jeune homme d'esprit sectaire que sa femme traitait comme un fils, sans doute, pensait Olivier, par bonté, afin que se dissipe le gouffre des classes, quand nous étions tous égaux et tous aussi malheureux les uns que les autres, les uns portaient des masques, mais ces masques pouvaient bien couvrir des âmes striées de sang qui avaient connu la mutilation ou l'esclavage, Tchouan en naissant au Japon où pendant longtemps il aurait mieux valu ne pas naître, attendre la tiédeur des cendres qui longtemps resteraient chaudes, quant à lui, Olivier, autrefois l'un des rares Noirs élus sénateurs, avait-il mis fin à la ségrégation dans son pays, si seulement Jermaine l'avait aimé avec sincérité, le bonheur serait cette sincérité de Jermaine venant dans son bureau le matin en disant, papa, tu le sais bien, je te le répète souvent, je t'aime, à l'écart de la vie, pensait Lazaro, ils le sont tous, avec leurs boissons alcoolisées et leurs banquets de fruits de mer, que Jermaine et ses amis s'amusent bien, dit Tchouan, car ce sera bientôt la fin du congé universitaire, et nous ne verrons plus nos enfants pendant plusieurs mois, oui, que savaient-ils tous de cette autre zone de la ville, pensait Lazaro, la zone de Lazaro, de Carlos, des batailles de gangs, rue Bahama, rue Esmeralda, et soudain Lazaro eut cette vision des violeurs exécutés à Téhéran, cette vision qui ne pouvait surgir que des hontes du passé, peut-être avait-il assisté à des exécutions publiques avec sa mère qui lui avait dit, il nous faut partir, ferme les yeux, ne les ouvre plus, était-il parmi ces dix mille Téhéranais d'une aube maudite, engourdi dans une stupéfaction, une fascination compulsives, comme eux tous, regardant les cinq condamnés de vingt ans que l'on pendait à l'aide d'une grue, accusés de viols et de racket, de quelle longue agonie allaient-ils mourir, au bout de cette corde qui les avait hissés à l'arrière d'un camion, la foule disant en chœur, voilà qui est bien, ils sont punis, que pensaient les victimes des violeurs qui étaient dans cette foule, aucune voix n'intervint, criant pitié, une aube annonçant une journée brumeuse, un ciel rose déjà trempé de pluie, cinq vautours noirs, comme ils s'appelaient eux-mêmes, la bande des cinq vautours noirs, pendus à l'arrière de camions-grues, un journaliste avait compté les minutes de leur agonie, de cinq à six minutes, et l'avait inscrit sur un carnet, à Lavizan, place Lavizan, violeurs, oui, mais si ces accusations étaient fausses, si ces jeunes hommes n'étaient pas de vrais violeurs, trompant la confiance de jeunes femmes qu'ils dévalisaient dans des parcs, si cela n'avait été qu'une conspiration de femmes, car c'étaient des femmes qui avaient exigé, par leurs appels, qu'on les pende en public, et toutes ces femmes, ne les avait-on pas revues, auprès de leurs enfants, place Lavizan, pendant l'exécution avant le lever du jour, femmes, hommes et enfants, tous spectateurs avides, les uns grimpés à des clôtures, à des poteaux électriques, quand passait entre les rangs le marchand de gâteaux secs, si cela n'avait été qu'un complot, pensait Lazaro, les cinq vautours noirs n'auraient-ils pas été pendus pour rien ? C'est un homme, pourtant, l'exécutant de l'ignoble cérémonial qui avait fait couler le nœud autour de la tête des condamnés, dans un murmure ultime, deux d'entre eux n'avaient-ils pas dit, je suis innocent, un autre, que l'on me pardonne, l'un qui ressemblait à Lazaro avait résisté, avant que les corps ne soient élevés vers le ciel, on le vit qui se tenait droit, les mains et le cou liés, il contemplait l'aube naissante, dans ses brumes de rougeurs, le regard défiant, ses lèvres pulpeuses remuant à peine dans un visage impassible, c'est ainsi que Lazaro aurait agi, pensait-il, croyant qu'on le pendait par erreur, par quelque complot, qu'y a-t-il, demandait Olivier à Lazaro, vous avez sans doute soif, laissez-nous quand même vous offrir une boisson aux fraises, avant que vous ne repartiez sur votre motocyclette, mais Lazaro s'était brusquement enfui vers le boulevard de l'Atlantique, il marchait à grands pas, son tablier noir battant l'air, ce garçon me fait une drôle d'impression, dit Olivier à Tchouan, je vais danser ce soir, dit Tchouan, toi qui es toujours trop sérieux, ne me le reproche pas, demain, cette musique que Jermaine a choisie me rendra sourd, dit Olivier, impatient, c'est une musique délicieuse, dit Tchouan, criarde et tapageuse, dit Olivier, Mélanie dit que la musique de Benjamin Britten illustre l'inquiétude de notre temps, pensait Mère, serait-ce par cette fugue d'une énergie ahurissante que l'on entend et qui évoque le martèlement des bottes des jeunes soldats marchant joyeusement, impétueusement vers le combat, cette jeunesse européenne d'autrefois, et son ardeur au combat, n'est-elle pas la nôtre aujourd'hui, c'est ce qui m'effraie dans cette

musique, pensait Mère, il aurait mieux valu que le musicien ne soit que mélodique et doux, et que l'on n'entende
pas ces canons qui suivraient la marche des jeunes soldats,
que l'on entende comme dans les jours printaniers le
chant hâtif, les rapides roucoulements des colombes,
pigeons blancs au temps de l'amour, que l'on sente la joie
de leurs accouplements, si pressés de s'unir, ces colombes,
ces pigeons, qu'il leur arrivait de se cogner les uns sur les
autres, de leur poitrine bleutée en plein vol, ou bien Mère
aurait mieux fait de dire comme Mélanie que ce *Requiem
de guerre* de Britten était avant tout le contraire, une solen-
nelle messe de paix, c'est là l'exclamation du chœur après
tout qui s'écrie « Donne-leur, Seigneur, le repos éternel et
que la lumière brille sur eux à jamais », mais ce repos,
hélas ! dans l'œuvre de Britten ne peut venir que pour ceux
qui ne sont plus vivants, les voici enfin couchés sous leurs
armes, au repos, quand prient autour d'eux des officiants
qui tiennent des cierges, il aurait mieux valu que cette
musique ne soit que mélodie et douceur, tel le chant pro-
longé des tourterelles ou ce chant cosmique que concevait
le compositeur ornithologue, Olivier Messiaen, dans une
notation nuancée de chants d'oiseaux, on aurait dit en
entendant les oiseaux à leur réveil que le monde venait de
renaître, celui qui avait signé une œuvre qui s'intitulait
Réveil des oiseaux, pour piano et orchestre, pensait Mère,
n'avait-il pas eu la sensation un instant d'être l'auteur, le
créateur d'un jardin de merveilles, celui du paradis origi-
nel, avec tous ses arbres et toutes ses bêtes, le lieu initial de
la naissance de la musique, le premier chant d'oiseau,
lequel nous parviendrait de son lointain écho encore cristallin, comme jailli d'un noir tunnel, à travers l'assimila-

tion de nos rythmes à nous et les sonorités qu'utiliserait le musicien, surprenantes et diverses, variant des cuivres aux ondes Martenot, dans plusieurs de ses œuvres où seraient présents les sifflements, les gazouillis des oiseaux, des oisillons, ainsi le compositeur avait un instant recréé le monde, ne l'avait pas décomposé, comme l'avait fait Britten, dans son requiem en nous montrant qui nous étions vraiment, incapables de changer, toujours cet agaçant tableau de nous-mêmes, violents et en guerre ; dans son adoration concrète de la nature, Messiaen disait, écoutez ce chant qui nous sauve, jailli si pur du noir tunnel, c'était un musicien pieux, croyant, un emporté de la foi, ce que ne pouvait comprendre Mère, il aurait mieux valu qu'il en soit autrement, qu'il ne soit que ce compositeur magnifiquement doué, que son lyrisme ne soit que ce souffle de la beauté brève mais ce n'était pas là la croyance ou ce qu'il pressentait de notre passage, au chant de l'oiseau se réveillant dans le bruissement des feuilles, à ce sifflement éclaté de la joie, le compositeur osait insinuer, insistant parfois, qu'il y avait un au-delà, des cités, des couleurs, un royaume divin, quelque part, il allait jusqu'à décrire dans ses prophéties harmoniques des couleurs, des aubes qui n'existaient que dans ces cités du ciel, où étaient ces cités, sans crimes, sans vilenies, par quel prodige un musicien pouvait-il en rêver encore, quand il y a à peine quelques décennies, dans un camp de la mort, à Terezin, un chœur d'hommes, de femmes émaciés chantaient pour des bourreaux très connaisseurs de la musique un autre requiem, de Verdi ou de Mozart, le requiem de leur propre ensevelissement, une musique dans laquelle ils seraient inhumés, ensevelis vivants, les femmes, les hommes de ce chœur avec leurs voix, ces voix soudain suspendues, coupées, tranchées, vers quelles migrations, semblables à celles des oiseaux, iraient ces voix, ces notes du requiem, vers quel retour à cette cité sans péril dont témoignait le musicien, Mère avait raison de préférer à tout Puccini, un musicien sentimental qui avait si bien compris les femmes, partout l'on entendait dans l'Île ce requiem de Britten que dirigeait Franz, dans des bruits d'océan et plus bas, et non des bruits inaudibles car on les entendait bien, dans des bruits plus sourds de carnages télévisés, tamisés, ces bruits, Franz ne venait plus ici se reposer comme autrefois de ses tournées européennes, avec femme et enfants, s'attardant la nuit dans des bars scabreux, il lui semblait maintenant qu'il était tard et qu'on aurait dû l'entendre répandre sa colère, cette colère du *Requiem de guerre* de Britten, il se réfugiait hier dans des maisons louées auprès d'une maîtresse, quand aujourd'hui il était seul, errant d'une pension à l'autre, près de l'océan, jadis on pouvait naviguer jusqu'à La Havane et être plus seul encore, personne ne cherchant plus à vous atteindre, ni téléphone ni courrier, là-bas, il écrirait sa sonate pour clarinette et piano, à peine de retour d'une tournée de concerts à Vienne, Londres, Mexico, Franz repartirait, c'était un homme instable, une nature sauvage, pensait Mère, un homme qui avait tout et qui voulait toujours davantage, il accumulait le savoir autant que le doute, attirait l'amour et la déception, où était ce cortège qui le précédait, hier, lorsqu'il arrivait triomphant dans l'Île, sa femme, ses enfants, sa sœur Lilia, musicienne elle aussi, ses amis, ses assistants, une bonne ou deux, une incessante fièvre d'amitiés sûres autant que de liens de hasard le poussait à rôdailler sur les plages, à s'associer à des artistes fraudeurs et marchands de drogues qui le volaient, le même jour il jouait au tennis avec ses illustres amis poètes, dînait dans de superbes restaurants dont les portes s'ouvraient sur l'océan, que de rires et d'enivrements teintaient l'air de ces nuits-là, bien que pour ceux qui connaissaient Franz il y eût toujours en lui cette part obscure, quelque irrépressible désir dont il ignorait la force, il irait mettre au lit femme et enfants tout en songeant à ce visage d'une étrangère qu'il lui faudrait cette même nuit absolument embrasser, ce visage serait celui de Renata ou, plus tard, d'une autre femme, pour qui le connaissait, pensait Mère, il y avait toujours autour de Franz un parfum de scandale, comment pouvait-il composer une sonate, souvent un opéra qui lui avait été commandé, tout en s'étourdissant de whisky jusqu'à l'aube dans des bars de marins où il citait les poètes Milton et Blake, connaissant par cœur ces œuvres, *Les Chants d'expérience, Le Paradis perdu*, l'anarchie de sa pensée, s'emparant de tout jeu de la mémoire, comme si ses longues mains, aussi capables de mémoire, étaient posées sur le clavier d'un piano, c'était un homme dont l'esprit, les sens baignaient sans doute dans un bassin d'eaux obscures, pensait Mère, mais il était désormais dépouillé et seul, naviguant seul également, lorsqu'il ne dirigeait pas son orchestre, amarrant seul au port son bateau solitaire, il y avait toujours sur ses lèvres quelques chants latents, c'était le premier acte d'un opéra, dont il connaissait tous les mots, les voix, souvent après de longues années, cette musique, ce chant, il en avait bercé son premier petit-fils en pleurant, oh, il les reverrait tous, mais l'heure était venue, l'heure du *Requiem de guerre* de Britten, de ne rêver qu'à eux tous, toutes ces femmes, tous ces enfants, les chants et fruits de son expérience, son paradis perdu, illimité, son bonheur, sa condamnation, l'heure était venue de leur taire à tous la musique d'un requiem trop intime, cachée sous l'immense *Requiem de guerre* de Britten, en même temps que s'en irait la vie, demain qui sait comment, d'une attaque arrêtant le cœur, ou de façon plus sournoise, il fallait que lui, Franz, né pour la musique, puisse étendre sur les siens ses grands bras, les protéger tous du chœur redoutable et inéluctable, car les guerriers avaient franchi l'enceinte où dormait le petit-fils que berçait Lilia, la sœur musicienne, il fallait que l'on entende le requiem de Britten, ces voix se déroulant comme les vagues de la mer, Mère croyait entendre ce chant latent, languissant sur les lèvres de Franz, n'entrez pas chez nous, laissez nos enfants dormir, pendant que Franz naviguait seul vers le port, où son imagination était trop vive, elle n'était elle-même bien que sans troubles, sans les ombres obscures de Franz, elle-même tout autant que Franz, elle percevait ce que Franz serait dans dix ans, serait-il affligé comme Mère de ce gênant tremblement de la main droite, Mélanie, sans rien dire, avait observé cette anomalie chez sa mère, elle qui observait tout, Mélanie qui était soudain si prévenante, avançant dans la nuit de sa mère avant que Mère y soit entrée, Mélanie, Esther flairant les mêmes présages, le symptôme que traçait dans l'air le tremblement de la main droite, et Mélanie disait à sa mère, il ne faut pas tant s'exténuer, se fatiguer, maman, Augustino, pendant qu'il est à la maison, peut porter les paquets, jardiner, son jardin, on lui enlèverait même son jardin, ses roses, ses massifs d'acacias, on l'obligeait déjà au renoncement, et

Mère se souvint de ce rêve qui était plus qu'un signe, mais une prescience, dans ce rêve Mère tendant à Mélanie une coupe de vin, avant même que Mélanie ait pris la coupe de la main de sa mère, cette coupe se fracturait en deux parties égales, les doigts de Mère, ces doigts de la main droite saignaient sur le cristal de la coupe, elle se réveillait dans une peine aiguë comme si on lui avait arraché avec cette cassure Mélanie, sa fille, c'était donc vrai qu'un jour elle ne verrait plus Mélanie, ne serait plus près d'elle, le joyau de sa vie, bien qu'Esther et sa fille fussent si différentes, Mère n'avait jamais éprouvé comme Mélanie un tel désir d'enfanter, Mai n'avait que six ans et c'était une enfant difficile, ses disparitions fréquentes inquiétaient sa mère, serait-elle un jour complètement disparue comme ce nom, Mai, d'une petite fille disparue, qu'elle portait, Mélanie aurait beaucoup de soucis à cause de cette enfant qu'elle avait tellement désirée, une fille, maman, Esther, j'aurai une fille, on ne pouvait plus réparer la fracture de la coupe, l'augure était là, dans le tremblement de la main droite, la fissure du deuil pliait l'étoffe de la vie, on devait attendre et ne pas s'enfuir, les doigts entaillés par la coupe, les doigts de Mère ne lui faisaient pas mal qu'en rêve, Mélanie était là auprès de Daniel dans cette cour fleurie de Tchouan, et Mère n'osait pas la regarder de peur de trop l'aimer, ils ne parlaient tous que du succès de Samuel, à New York, dans la plus récente chorégraphie de son maître Arnie Graal, il était répréhensible que Mère ait plus d'amour pour sa fille que pour les autres, même Samuel et Augustino qu'elle adorait, c'est que toutes ces jeunes existences, Mère ne pouvait plus les toucher au cœur, c'était un monde qui ne lui était plus contigu, penser à Mai, c'était aussi vertigineux qu'un espace lunaire, on ne savait de quoi cela serait rempli, tous les dangers de vivre s'additionnant autour de cette petite tête qui n'obéissait à personne, quand Mélanie aurait tant aimé une enfant caressante et douce, Mélanie avait remarqué, elle qui voyait tout, le tremblement de la main droite, mais elle ne disait rien, elle avait senti l'effritement de la coupe, mes doigts saignaient à torrents sur les bords de la coupe, pensait Mère, comme elle aurait voulu dire à Mélanie, c'est à torrents que mes pensées allaient vers toi, c'étaient là peut-être aussi des larmes de reconnaissance de t'avoir mise au monde, ces mots, Mère ne les prononçait pas, ils ne parlaient tous que du succès de Samuel à New York, dans un autre rêve, était-ce dans des temples anciens, ou un château en Écosse, les proportions de ces lieux étaient écrasantes, on voyait des chambres mortuaires alignées, Mère allait vers l'une d'elles dans des vêtements en fourrure, se dépossédant ainsi de ses fourrures, de ses bijoux, tout en prenant conscience avec effroi qu'elle ne pouvait plus ressortir de ces lieux, temples ou nefs morbides, Mère s'y trouvait emmurée, dans un autre rêve, elle allait à la recherche de Mai, avec Augustino, Mère et Augustino se perdaient eux-mêmes, au large des côtes polaires, que faisaient-ils si loin, appelant Mai qui ne leur répondait pas, Mai, où es-tu, criait Augustino, c'était le jour des cendres de Jean-Mathieu, dans l'Île qui n'appartient à personne, quand Mai avait disparu après que Caroline l'eut photographiée, on l'appelait le long de l'océan, elle ne répondait pas, on ne l'avait retrouvée que le soir sous les pins australiens, et dans ce rêve, Mai refusait encore de répondre, ils avaient nagé, dans les eaux glaciales, Mère et Augustino, nagé sous des amas de glaces jusqu'à une banquise, sur cette banquise, Augustino vit une armoire, Mai est dans cette armoire, dit Augustino, mais nous n'avons aucune clef pour l'ouvrir, et soudain ils entendaient une voix d'enfant qui suppliait, grand-mère, Augustino, je suis ici, laissez-moi sortir, Mère s'éveillait de la lourdeur de ces songes en pensant qu'elle ne serait plus là, pour éduquer Mai, lorsque Mélanie séjournait à Washington, Marie-Sylvie, la gouvernante, ne ressentait d'affection passionnée que pour Vincent, et déjà Daniel avait dû lui interdire d'amener Vincent en mer, même par des jours sans vents, Marie-Sylvie serait-elle responsable des crises répétées de Vincent, c'était ce bateau de Samuel, à la marina, *Lumière du Sud,* qui les affriolait vers les vagues, *Lumière du Sud,* disait Vincent, *Lumière du Sud,* et qui sait si Vincent n'aimait pas Marie-Sylvie plus que sa propre mère, ils ne se quittaient pas au détriment de Mai, et Mère pensait encore, oui, c'est bien vrai, un jour, une nuit, n'ouvrant plus les yeux, je ne verrai plus ma fille Mélanie, j'aurai tant de regrets, et surtout le regret d'être si peu parfaite, je la regretterai, elle si attentive, je me dirai, j'ai fait tout ce qu'il y avait ici à faire, pourtant tout ce que j'ai pu, mais était-ce assez, tout se poursuivra sans moi, des manœuvres, des combats, des villes décimées, sous des pluies de missiles, des généraux, des ministres, se réfugiant des sons de ces bombardements sur des femmes, des hommes, des enfants, dans leur maison de campagne pour le week-end, la vie est une habitude bien incrustée chez les bons et les méchants, je ne pourrai plus en discuter avec ma fille, qu'était-ce qu'une vie réussie, Marie Curie l'avait-elle jamais su, l'intègre et misogyne Pasteur vieillissait, une jeune femme qui aurait pu être éclatante se ravageait à acquérir des connaissances, mais elle s'affinait aussi dans sa dévotion à la science, elle aurait bientôt un mari brillant dont l'esprit serait aussi désintéressé que le sien, comme si ces âmes mitoyennes devaient se fondre, se souvenait-elle que le jeune homme qu'elle avait rencontré avait un jour écrit qu'il existait peu de femmes de génie, ou plutôt n'avait-il pas dit, écrit ou affirmé, les femmes de génie sont rares, cette phrase, l'entendait-elle dans l'enlacement des noces, l'abandon du mariage, mais la jeune Marie Curie s'inclina et ne dit rien, il lui fallait surtout agir, ne pas interrompre sa pensée, son discours intérieur, être aussi très méfiante en compagnie des hommes, de longues traditions de préjugés, elle ne serait ni la rivale de son mari Pierre ni celle des autres, tout sentiment de rivalité serait banni, il fallait se gouverner soi-même, quel bienfait dans cette vie de rigueur, d'autodiscipline ininterrompue, de mettre au monde deux filles, deux Mélanie, l'une d'elles aussi dévorée par sa découverte des sciences pures que l'était sa mère, une réplique ardente et attrayante, un être tout aussi indépendant, aussi droit, désintéressé, qui comme sa mère serait embrasé, sacrifié trop tôt par la radioactivité, toutes deux travailleraient tard le soir, dans des hangars où elles seraient inconfortables, souffriraient de l'humidité des murs ; Marie, toujours grave, habillée d'une robe terne, absorbée par sa réflexion sur les rayons uraniques, ordonnée, minutieuse, c'est dans ce hangar que le radium serait considéré comme à part, quand en même temps, la première petite Mélanie, la première fille de Marie Curie percerait ses dents, celle qui deviendrait plus tard la collègue de sa mère, qui à son tour hanterait de sa studieuse silhouette le hangar, les laboratoires, mais en attendant d'être grande, Marie, sa mère, comme l'avait fait Mère avec sa fille, écrivait un journal remémorant la cinquième, la sixième dent qui perce la gencive du bébé, son bain dans l'étang, les cris de l'enfant refusant de boire son lait, Irène crie aujourd'hui, j'espère qu'elle cessera de crier, mais il semblait plutôt à Mère que Mélanie criait peu, du moins, cela n'avait pas été inscrit dans le journal de Mère, avec l'étude des nouveaux rayons, Marie avait daté ses malaises de santé, c'était peu de temps après la naissance d'Irène, soudain ce fantôme d'une lésion dans le poumon que l'on avait diagnostiquée, c'était ce hangar dont les murs suintaient d'humidité, en automne, en hiver, l'opiniâtreté du travail, mais Pierre étant à ses côtés, il y avait tant d'allégement à le sentir là, tout près, jusqu'au jour très avancé, un ami, un compagnon, avec qui l'on revenait vers sa maisonnette, le soir, à pied ou à vélo, l'observation avait été écrite dans le journal, en même temps que les premières dents du bébé, ses pleurs et ses cris, ces quelques mots d'une écriture solide, cent cinquante fois plus actif que l'uranium, c'était écrit là, pour toujours, cent cinquante fois plus actif que l'uranium, il y avait le fantôme, l'ombre de la lésion, le poumon atrophié, et les doigts, que se passait-il dans les doigts soudains gercés, enflés, ces doigts qui maniaient des substances assassines, si Irène était l'enfant chérie de sa mère, la recherche l'était aussi, tout autant, la radioactivité, c'est ma vie, c'est mon enfant, et quel sera donc son avenir, ne vais-je pas y consacrer toute ma vie, c'était là une des confidences de Marie Curie, elle si discrète, à une disciple, une jeune fille qui serait son élève, elle était mère de son travail, d'une création lente à naître, qui sait si l'élève n'avait pas remarqué la mine exsangue de son professeur, dans ce hangar, cette usine où chauffaient des matières empoisonnées, ce hangar sans air, en été, équipé en hiver d'un poêle en fonte, que penser de cette femme chétive, s'activant en silence sur ses opérations chimiques, une odeur toxique émanant des brûleurs à gaz, sa création n'était-elle pas sur le point de la consumer, quand sa petite fille Irène aurait eu besoin que sa mère soit près d'elle à la maison, l'enfant des premières dents qui ne cessait de pleurer, plus tard sa mère lui dirait, je ne tolère aucun cri de joie ou de peine, je veux que mon mari, mes enfants soient silencieux, non, aucun bruit, et Mère pensait que si Mélanie avait peu pleuré, peu crié, c'est parce que Mère était toujours près d'elle, non, Mère se trompait, Mélanie avait pleuré le jour du divorce de ses parents, de l'enterrement de sa grand-mère, quand l'écart, la séparation des parents s'étaient manifestés si sauvagement, soudain, dans leur hostilité, ses parents ne se voyaient plus, ne se parlaient plus, même ce jour-là, le jour des funérailles de sa grand-mère, et Mère se souvint que Mélanie avait versé des larmes contenues, retenues ce jour des communiantes, dans les Pyrénées, quand une enfant se détachant d'un défilé de communiantes au bord d'une autoroute avait été terrassée, en un éclair, par un car, l'éclair du fil blanc de la robe de communiante s'insérant dans les roues du car, pourquoi, maman, avait demandé Mélanie, ses longs cheveux embrouillant son visage en pleurs, elles avaient le même âge, la communiante et Mélanie, ce qui était inexpliqué, ne s'expliquait ce qui était indéfinissable, indéfendable, et surtout le mot qu'il ne fallait pas prononcer devant Mélanie, Mère avait su se déprendre de toutes ces embûches, tu vois, c'est comme un papillon de nuit, il est venu, et il s'envole ailleurs, la communiante était ce papillon blanc, le reflet du sang sur la neige, maman, explique-moi pourquoi, ne te retourne pas, ma chérie, avait dit Mère, dans la vie il faut apprendre à ne pas se retourner, je ne peux rien t'expliquer, Mélanie, sinon que quand une enfant est ainsi foudroyée, c'est un crime, un crime de Dieu, c'était une façon de distraire Mélanie de sa douleur, Mère ne lui ayant jamais parlé de Dieu, Mélanie se tut, Mère ne la verrait jamais plus pleurer, oui, peut-être le jour du départ de Samuel pour New York, mais c'est son fils qui s'arrachait de lui-même à sa chair, ne s'y attendait-elle pas, la gloire n'avait pas corrompu Marie Curie, avait dit Einstein, mais comment cette gloire aurait-elle pu corrompre une femme qui se jugeait si ordinaire, qui jamais n'avait pensé à l'existence de cette gloire pour elle-même? La notoriété était une affaire d'hommes, une dérisoire ambition qui ne la concernait pas, dans son han-gar, son ombreuse salle de laboratoire, quand ses mains engourdies, sous les enflures, la contraignaient tant, aurait-elle le temps de finir, d'achever, c'était cette femme simple et endolorie que verrait Albert Einstein plus tard, quelqu'un qui avait pensé d'elle-même autrefois qu'elle n'était qu'un être ordinaire, creusé par le doute, la priva-tion, puis Mère se rappela la question de Tchouan, pour-quoi vos fils ne sont-ils pas venus pour votre anniversaire, Esther, je les avais invités, oh, ils ont peu de temps pour rendre visite à leur mère, avait répondu Mère prestement, mes fils ont suivi la voie de leur père, la chirurgie esthé-tique, ils n'ont plus de temps pour moi, Mère se dérobait à la question de Tchouan, à son intervention dans sa vie familiale, laquelle lui semblait si complexe, en réprimant plus encore dans ses profondeurs clandestines la honte que lui avaient fait subir ses fils, eux qui s'étaient rangés du côté de leur père, au temps où son mari la trompait, elle revoyait les garçons assis sur la banquette arrière de la limousine blanche, ils l'avaient mortifiée, mais pourquoi ne leur pardonnait-elle pas, c'était l'heure de l'effacement des fautes, ces garçons étaient jeunes et déjà réussissaient bien leur vie, elle aurait dû parler d'eux avec fierté à Tchouan et à Olivier, eux qui se sentaient si comblés par leur fils, oui mais Jermaine était charmant, il ne dédaignait pas sa mère parce qu'elle était une femme, si on pouvait dire qu'une vie est réussie quand il ne s'agit que de réussite matérielle, pensait Mère, avec amertume, aucun de ses fils n'était sensible comme Mélanie, mais en réalité elle ne pouvait pas se plaindre d'eux, qu'elle fût humiliée ou non, les garçons étaient aussi sa réussite, comme l'était Mélanie, ils avaient une place estimable dans la société, même s'ils avaient peu de temps pour venir voir leur mère, et puis ils vivaient si loin, en Californie, ils téléphonaient souvent, plus courtois qu'autrefois, ce n'était pas comme ce fils d'une amie de Mère dont ses parents n'avaient reçu aucune nouvelle pendant des années, et soudain cette amie apprenait par hasard que son fils était mort du sida dans un hôpital de Los Angeles, ou l'apprenait-elle par un messager, une lettre, sa mère avait souvent dit de Thomas, ce fils, il ne nous dit rien de sa vie, nous ne savons rien de lui, pourquoi ces parents bourgeois avaient-ils conclu ce pacte du mystère quand ils devaient bien se douter de la manière dont vivait leur fils, ils ne voulaient rien savoir, c'était le rejet qui avait fait fuir le fils, la bourgeoisie dont Mère faisait partie avait cette façon de rapiécer ses hontes, le rejet, ils avaient su tout ce temps ces parents où était Thomas, comment il vivait, mais ils ne voulaient pas le savoir, le rejet, le renvoi leur convenait davantage, on camouflait Thomas tel un fils clochard vivant dans la rue ou sous les ponts, mécréant et seul il allait mourir avec ses infections de la peau, sa cécité galopante, dans un hôpital de Los Angeles où il était venu pour soigner une pneumonie, et là sans trop comprendre ce qui lui arrivait, il était mort du rejet radical qui s'était abattu sur lui, si déprimé qu'il n'avait espéré aucune guérison, qui sait si la mère de Thomas n'avait pas reçu un dernier appel de son fils la suppliant de le reprendre chez elle, qui sait si elle n'avait pas répondu à cet appel en disant, non, Thomas, tu ne peux plus revenir parmi nous, la bourgeoisie rapiéçait ainsi les fautes, toutes plus honteuses les unes que les autres, comme ces plaies sur le visage de Thomas, en niant tout, ne voyant rien, ainsi, lorsqu'elle pensait à ce pauvre Thomas, Mère n'avait pas à se plaindre de ses fils, elle dirait à Mélanie combien elle éprouvait de fierté de les savoir si bien établis dans la vie, si elle ne leur pardonnait pas maintenant le jour de son anniversaire, quand le ferait-elle, on ne sait jamais lequel de ces anniversaires sera le dernier, avec cette main droite qui tremble de plus en plus, et Mère se souvint encore de ces rêves, chacun de ces rêves n'était-il pas le symbole raffiné jusqu'au sadisme d'une grimpante fin de vie, quelque indice de santé défaillante, ne fallait-il pas craindre plus que tout la sournoiserie de ces rêves, dans l'un d'eux, Mère dormait dans sa chambre, ce sommeil, sieste de fin d'après-midi dans la chaleur languide, aurait été une félicité, si soudain Mélanie n'avait envahi la chambre, puis le lit de Mère avec une suffocante brassée de

lys, Mélanie ne les répandait-elle pas autour du visage de
Mère, de sa main, avec délicatesse, je ne fais que me reposer eut voulu dire Mère, ne vois-tu pas Mélanie que mes
yeux sont ouverts, il est trop tôt pour ces fleurs, elles m'as-
phyxient, ne pourraient-elles pas mieux éclore près de la
Méditerranée, qu'ici où elles vont étouffer avec moi, dans
cette chambre, c'est pour toi, maman, avait dit Mélanie,
non, non, aurait voulu crier Mère, mais ses lèvres n'émet-
taient aucun son, et à son réveil, Mélanie n'était plus là,
c'était le jour où elle accompagnait Vincent chez le médecin, comment aurait-elle pu être dans cette chambre,
auprès de sa mère, la suffocante odeur des lys tigrés, origi-
naires d'Asie, semblait persister, parfois dans les rêves, cette
putréfaction dérobait un autre corps que le sien, celui de
l'un de ses fils revenant défiguré d'une guerre, se penchant
vers lui, elle s'apercevait que ce fils était elle-même, la couleur de ses yeux était la sienne, les balbutiements du fils
devant la douleurs étaient les siens, là encore il semblait
ardu de s'exprimer par la parole, pour Mère, elle aurait
voulu dire à son fils qu'elle avait toujours refusé d'envoyer
ses enfants à la guerre, que ce n'était pas elle qui avait fait
cela, mais elle demeurait muette, avertie seulement qu'un
malheur disproportionné et louche rôdait autour d'elle, et
Mère se rappelait l'histoire du petit sac de Caroline, c'était
un sac à main, plat, en toile que Caroline avait égaré ce
jour-là, le jour des cendres de Jean-Mathieu, sur l'Île qui
n'appartenait à personne, l'histoire du sac était une absurdité, Caroline demandant à chacun s'il n'avait pas vu son
sac, quand, quelques instants plus tôt, les cendres de Jean-
Mathieu avaient été parsemées dans la mer, mais cet événement était encore à l'état fantasmagorique, pour Caro-

46

line qui ne croyait pas que son ami fût vraiment mort, il lui semblait qu'il rentrerait le soir même d'Italie comme il l'avait fait tant de fois, Caroline dit que ce sac lui avait été donné par Jean-Mathieu comme si son ami avait pu la gronder le soir même, aussi, lui reprochant d'avoir perdu l'ancien cadeau, un tout petit sac renfermant son poudrier, les clefs de sa maison, il ne fallait pas se soucier de ses clefs de voiture, son chauffeur l'attendait au port, à l'heure du soleil couchant, Mère avait remarqué la soudaine disloca-tion mentale de Caroline, d'habitude si froide et digne, la voici qui demandait à chacun, où est mon sac en toile, vous ne l'avez pas vu, on voyait peu le visage de Caroline sous son chapeau à large bord, mais Mère entendait l'accé-lération de son souffle, et Mélanie, qui, très soucieuse, pen-dant ce temps demandait à l'assemblée si on n'avait pas vu sa fille, Mai, oui Mai s'était encore enfuie, le regard de Mélanie toujours rivé sur le siège vide de la balançoire où Mai, oui on l'avait bien vue là, Mai, se balançant, mais où était-elle, c'est Mélanie, exténuée par l'inquiétude, qui avait dit à Caroline, voici votre sac, Caroline, vous l'aviez oublié dans ce fauteuil d'osier sur le patio, et tous avaient peut-être méchamment souri lorsque Caroline avait évo-qué avec confiance la présence de son chauffeur, car ne savaient-ils pas tous maintenant que ce chauffeur, Charly, était une toxicomane ou bien avait-on pensé comme Mère, comment procéder à l'enlèvement d'une personne aussi scabreuse autour de Caroline, qui sait si Charly ne la drogue pas, Caroline n'est plus la même depuis quelque temps, il faut l'aider vite, Caroline, exprimant une grati-tude enfantine, avait repris le sac des mains de Mélanie en disant, merci, merci ma chère jeune dame, ce mot dame, étant compassé, désuet, quand on s'adressait à Mélanie, Mélanie, mère de deux grands fils, ne sut comment réagir, les yeux toujours fixés sur la balançoire d'où Mai s'était enfuie, où était-elle encore, ce serait bientôt l'heure de rejoindre le bateau, murmurait Mélanie, et Caroline répétait, ma chère jeune dame, si je vous appelle ainsi, Mélanie, c'est parce que je vous ai vue naître, et vous voici lancée vers cette effrayante chose, la politique, avec le sac recouvré, la contenance de Caroline s'était raffermie, protectrice de Mélanie, elle devint plus rassurante, ne vous tourmentez pas, Mélanie, votre petite-fille n'est jamais très loin, savez-vous que je voulais ainsi échapper à ma gouvernante, à son âge, tous avaient peut-être vu sous le chapeau à large bord une enfant aussi peu raisonnable que l'était Caroline, vieille adulte s'alliant à de mauvaises fréquentations telles que Charly, cela parce que Caroline s'imaginait encore jeune et aimant la jeunesse, mais l'attitude des amis de Caroline avait été respectueuse, on savait qu'elle était aujourd'hui, avec la perte de Jean-Mathieu, le plus misérable, le plus délaissé des êtres, Caroline aurait repoussé cette pensée qu'on avait pitié d'elle, et Mère avait pensé, Caroline, c'est moi, cette soudaine dislocation, c'est moi, qui sait, et cinq ans plus tard, quand on célébrait l'anniversaire de Mère dans les jardins de Tchouan, aujourd'hui, Mère aurait aimé savoir où était Caroline, pourquoi sortait-elle si peu, si elle était encore dans cette ville, bien sûr, c'étaient des racontars, de la médisance, ceux qui disaient avoir vu affleurer dans la nuit la silhouette de Caroline, se promenant autour d'un pâté de maisons, et ne reconnaissant plus la sienne, son chien trottant devant elle, rien de tout cela n'était vrai, pensait Mère, des ragots, de vicieux cancans, mais pourquoi Caroline n'était-elle pas à la fête, elle qui autrefois n'aurait jamais manqué une soirée, oui, mais c'était aux côtés de Jean-Mathieu, si attendrissant ce couple, voyageant ensemble, érudits de peinture et d'opéras, d'incomparables amis, une vie réussie, la vie de Caroline, dont on connaissait les photographies partout dans le monde depuis les dernières expositions à Paris et à Londres, une vie réussie, Jean-Mathieu, poète renommé dont Adrien disait être jaloux, comment ce pauvre garçon, ce marin du port de Halifax, avait-il acquis une telle maîtrise de son art, l'amour d'une femme, Caroline, l'avait conquis, sans Caroline, aurait-il autant écrit et voyagé, car, que Jean-Mathieu soit né très pauvre, Caroline l'avait toujours ignoré, elle avait appris à ne plus parler devant Jean-Mathieu de sa modeste fortune, sans qu'il se rende compte qu'elle la partageait avec lui, où étaient-ils désormais, Jean-Mathieu, Caroline, qu'est-ce qu'une vie réussie, c'était la vie de doutes de Marie Curie, elle était là, sur la grisaille d'une photographie qui parlait avec Einstein, ils étaient à Genève, près d'un lac, drapée dans un châle, on voyait une femme prématurément vieillie, qui frissonnait de froid, on aurait dit une vie sans triomphe ou une vie dont ne triomphait que le mot solitude, solitude au lac Léman pendant qu'elle parlait à Einstein, l'écoutait-il, tout pesant dans son manteau, fumant sa pipe, il était l'immuable empire du savoir et de la distraction, car il ne l'écoutait pas, elle le savait, elle n'était qu'une femme diminuée aux mains engourdies, dans son châle, plus seule près de cet homme qu'elle ne l'était dans son laboratoire à l'Institut, seule elle avançait partout, entre deux hommes, visitant une usine de radium ou au bras d'un président américain à la Maison-Blanche, seule, aucune femme jamais, seule à des commissions internationales, seule auprès d'Einstein comme à la droite de Bergson et de ses mâles collègues, seule siégeant à des congrès, édifiante personnalité dont on remarque l'austérité du visage, de la tête aux cheveux blancs, parmi toutes ces têtes d'hommes, jamais elle ne sourit, et triomphe ultime, ce mot solitude, pensait Mère, au seuil de la mort, quand Marie Curie contemple, de ses yeux ravagés par les brûlures du gaz, de l'uranium, de son laboratoire, cela qui vient vers elle et qu'elle attend sans compromis, la mort, la fin d'une vie qu'elle juge encore trop ordinaire, car toute vanité lui répugne, elle n'aura qu'une exigence, qu'on la laisse tranquille, et Mère marchait parmi les hôtes de Tchouan, de son mari Olivier, en se demandant pourquoi Caroline qui disait l'aimer n'était pas venue, ou si elle avait été là, Mère l'aurait embrassée avec joie, lui aurait-elle dit ce qu'elle pensait vraiment, ma chère Caroline, vous et moi nous voici ensemble devant la même traversée, peu importe le passé que nous avons vécu, ni vous ni moi, pourrait-on dire, n'étions faites pour la maternité, j'ai eu des enfants, plusieurs, vous, aucun enfant mais une fructueuse carrière et dans votre vie, dit-on, tant d'amours, d'aventures, et enfin Jean-Mathieu qui vous combla de sa charmante compagnie, et vous avez su, dans votre art d'arrêter le temps, par l'action de la lumière, sur tant de visages d'écrivains, de poètes, dans chacune de vos photographies, reproduire un lieu, une époque où une âme d'élite s'est immobilisée, de façon immortelle, pourrait-on croire, tel ce poète anglais à la tête de crucifié, ressortant des treillis, comment avez-vous pu en saisir la torturante posture, l'atelier de l'artiste, le cabinet de travail ne vous plaisaient pas, il vous fallait partir, voyager, toujours intriguée par la complexité de vos sujets, portraitiste aventurière, seule au bras de Jean-Mathieu, vous alliez parcourir le monde quand moi, longtemps auprès des enfants, je serais sédentaire, et soudain, vous vous tournez humblement vers nous, et demandez où se trouve-t-il, oui, mon petit sac en toile, c'est que le temps a passé, oui, si vous étiez parmi nous ce soir, Caroline, je vous embrasserais avec joie, car qui sait ce qu'il adviendra de vous, de moi, qui le sait vraiment, pensait Mère, et la simulation, le mensonge sont les dons épineux que font les parents à leurs enfants, pensait Daniel, Vincent passerait l'été au camp de vacances, tout lui serait offert si haut là-bas, dans les montagnes, l'équitation, le vélo, des sentiers pédestres aménagés dans la forêt, pourquoi si loin, papa, si loin de toi, maman, Marie-Sylvie, loin des plages, de la baignade et du bateau de Samuel *Lumière du Sud*, pourquoi, papa, il y aura des chambres, des dortoirs, tu sais que là-bas, l'hiver on peut se balader en traîneau tiré par des chiens, pêcher, ce qu'on appelle la pêche blanche, les repas seront savoureux, des crêpes aux fruits sauvages le soir, mais pourquoi si loin, papa, c'est une vaste auberge, un château, tu verras, tu seras de retour avant l'automne, car Vincent, tu dois apprendre à mieux respirer et il n'y a que la montagne, alors pourquoi ne pas dire la vérité, papa, ton auberge, ton château, c'est pour les enfants malades, docile, Vincent n'avait rien dit, se laissant mener par son père vers son camp dans les forêts du Vermont, et Daniel pensait avec honte qu'il n'avait pas dit la vérité, oui des campements sous la tente, des chalets, des pavillons, des dortoirs, l'équitation, la pêche, le vélo, c'était vrai, les deux lacs, la vue sur les tourelles et la rivière, ce qui n'avait pas été dit, c'est qu'aucun de ces jeunes campeurs ne savait comment expulser l'air, on entendrait dans la nuit des bruits, des sifflements provenant de leurs étroites poitrines soulevées par des convulsions, sous les draps, l'asthme bronchique causant tant de spasmes, de contractions, les pneumologues iraient d'un enfant à l'autre, sans pouvoir alléger la gêne respiratoire de la nuit, allons, il faut dormir, diraient-ils, guettant la montée de la brume sur les sapins, par la fenêtre ouverte, mon Dieu, avec une telle qualité de l'air, leur sang ne pourrait-il être régénéré, dans les dortoirs, les chambres, ces bruits, ces sifflements que Daniel ne voulait plus entendre, confiant son fils à des spécialistes pour une cure, quand jamais Vincent n'osait se plaindre, les crispations, les spasmes, n'était-ce pas son père qui les éprouvait, ce père qui obligeait son fils à des séjours lointains, car soudain Vincent était cet oiseau de Madrid voletant dans une prison de câbles, ce couple d'abeilles, de taons ou de mouches, Daniel les avait vus tant de fois, gelés dans les premières mues de l'hiver, et Daniel pensait qu'il avait menti à Vincent, cette fois encore, ne révélant jamais ce qui devait être dit, et que disait Tchouan à Mère, au sujet de Caroline, oui, si elle n'est pas avec nous ce soir, c'est qu'on ne la laissera pas sortir, car il a fallu l'astreindre à cette résidence, quelle résidence, demandait Mère à Tchouan dont la forme s'était évanouie, elle avait tant à faire auprès de ses amis qui la réclamaient, son mari, son fils, quelle sorte de résidence, insistait Mère, une résidence pour femmes artistes de sa compétence, de son rang social, des cancans, des calomnies, pensait Mère, rien de tout cela ne peut être vrai, des propos pernicieux, qu'on me laisse tranquille, voilà ce qu'avait exigé Marie Curie, un peu de paix, et Caroline dit, voici mon chapeau, mes gants, je veux sortir, on m'invite à dîner, une voix répondit, non, Madame, vous ne sortirez pas ce soir, c'est elle, j'en suis sûre, c'est ma gouvernante noire, pensait Caroline, elle est revenue dans cette maison où je vivais avec ma mère quand j'étais petite, c'était en Louisiane et pas ici en Nouvelle-Angleterre, mon chauffeur, Charly, m'attend dans sa voiture, plutôt c'était ma voiture dont je lui ai fait cadeau, et de tous les dons que l'on fait aux autres, de tous les présents découle une perte, pensait Caroline qui avait l'impression de ne plus disposer de sa vie comme autrefois, car que faisait-elle dans une maison dont on lui disait qu'elle ne pouvait pas sortir, mais une voix répétait, c'est la voix de Harriett, la gouvernante noire, Caroline en reconnaissait le timbre chaud, mélodieux, oui, si l'on rapproche votre fauteuil, Madame, vous verrez la baie, vous entendrez le chant des mésanges dans les pins, à quoi bon si je ne peux sortir, dit Caroline, si je ne peux pas jouer avec mon cousin et promener notre poney le long des dunes, il s'appelait Beauté, c'était le nom de notre poney, vous vous souvenez, Harriett, que mon père, mon grand-père étaient d'excellents navigateurs, ainsi nous avons toujours vécu près de la mer, c'est sans doute la raison pour laquelle je me retrouve ici, près de l'océan, pouvez-vous me dire exactement où nous sommes, ma chère, les murs n'étaient pas aussi élevés autrefois et on me permettait de jouer avec mon cousin, bien que mon éducation fût toujours trop rigoureuse, à l'heure où ma mère recevait ses amants, le matin, on m'interdisait tout, ainsi nous allions nous perdre sur les dunes avec notre poney, mon cousin et moi, Beauté, c'était le nom de notre poney, et Caroline savait qu'elle répétait une seule longue phrase dont les mots allaient en s'obscurcissant, une phrase vague, nébuleuse, éclairée parfois par des souvenirs, des images vives insaisissables, cette phrase, il fallait la formuler jusqu'au bout, cette phrase qui martelait le cerveau, le cœur, Charly, où est Charly, je n'aime pas ces jeunes gens qu'elle fréquente, Madame, ne prononcez pas le nom de cette personne, dit la voix, je ne m'appelle pas Harriett mais Désirée, Miss Désirée, je me souviens de vous, pourquoi toujours me contredire, dit Caroline, soudain irritée, je vous ai connue il y a longtemps, souvenez-vous, le Mississippi, mes photographies du Sud sont célèbres, souvenez-vous de cette mère et de ses deux enfants, c'était vous, Harriett, vous étiez debout, si fière auprès de vos enfants, le visage presque hautain, je vous ai photographiée ainsi, femme pauvre et majestueuse debout sur cette véranda aux planches pourries, et cette autre photographie, qui ne s'en souvient pas, car ce fut notre honte, on y voit sur la façade d'un restaurant, d'un café, ces mots, inscrits dans le bois, la pierre, ici ne viennent que les Blancs, réservé aux Blancs, un passant noir qui porte une casquette s'arrête pour lire ces mots, vous vous souvenez, Harriett, je suis l'auteur de cette photographie, quel étrange engourdissement était le mien, on aurait dit que je filmais, photographiais sans rien éprouver, il était parfois écrit sur les toits des cabanes de ces pauvres gens, qui chassaient les mauvais esprits au moyen de bouteilles vides ornant les branches de leurs arbres dénudés, il était écrit, où passerez-vous l'éternité, je ne savais pas que nous étions ces mauvais esprits, où était-ce une façon d'invoquer les morts, de solliciter leur aide, n'est-ce pas curieux, où passerez-vous l'éternité, c'était comme le doigt d'un prêcheur vous menaçant, le ciel était bas, le vent plaintif claquant dans le verre des bouteilles avait un son de balles, à mes oreilles, quel son aigu, je me souviens, il valait mieux, je vous assure, Harriett, ne rien ressentir, surtout lorsque je photographiais la chasse à la gazelle, dans le désert, nous étions dans la voiture décapotable de mon premier mari, cela nous grisait tant, tuer des gazelles pendant que la voiture roulait dans des tourbillons de sable, il a toujours été plus prudent de s'étourdir, nous n'étions pas les seuls à éprouver ces grotesques appétits de chasse, je me souviens des cruels fauconniers dans le désert et des faucons dressés, des aigles traquant le busard ou était-ce un oiseau couleur de sable se cachant dans de rares buissons, lorsque l'oiseau n'avait pas la gorge tranchée par les aigles et les faucons, les fauconniers le tuaient en poussant ces cris aigus, très aigus, dont je me souviens encore, tel le son des balles, allez, faucons, tuez, tuez, nous avons mangé cet oiseau qui avait la saveur d'un faisan, des dindonneaux, les fauconniers qui n'avaient pas droit à la chair de l'oiseau sacrifié pour Allah, le miséricordieux, le compatissant, ils priaient, je les entendais prier, offraient la gorge ouverte du gibier à leurs faucons, à leurs aigles, ces faucons qui avaient tant de prix, on les avait dressés pour le goût du sang, il se pourrait bien qu'un jour les fauconniers, les faucons découpent notre gorge à nous aussi, et que nous ne nous attendions à rien de tout cela, et de nouveau aux côtés de Mère dans le froufrou de sa robe rouge, Tchouan ne la rassurait pas, s'il faut astreindre Caroline à cette résidence, dit Tchouan, vous vous en doutiez bien, ma chère, c'est pour son propre bien, sa désintoxication, de quoi parlez-vous, Tchouan, demanda Mère, vous vous doutiez bien, oui, qu'à son insu notre amie devenait chaque jour un peu plus morphinomane, on ne sait jamais ce qui peut survenir dans les existences les plus calmes, celles qui sont en apparence les plus rangées, l'attention de Tchouan fut aussitôt détournée vers son mari qui parlait très fort, Tchouan rougit comme si cela l'importunait, mon malheureux mari tient son discours, je lui avais dit de ne pas aborder certains sujets, d'être plus léger, mais la voix d'Olivier semblait redoubler de force, nous sommes les jouets de faux religieux, disait-il, qui veulent dicter notre conduite, attention à ceux qui s'accrochent à leur terre de rédemption, tout en nous oppressant de leurs prophéties et avènements bibliques, ils bâtissent dans des déserts où ne cessera de couler le sang, attention à ces fous messianiques, nous ne sommes plus sous le règne de la raison, mon Dieu, qu'il se taise, dit Tchouan, entendez bien que cette flèche tendue se retournera contre nous, disait Olivier à ceux qui l'écoutaient encore, dispersés autour de la piscine, Mélanie seule semblait écouter ces paroles d'Olivier d'un air de gravité absolue, elle connaissait la fougue oratoire de l'ancien sénateur s'adressant à la foule, mais ces mots, nous ne sommes plus sous le règne de la raison, n'étaient-ils pas empreints de vérité, quel serait donc l'avenir de ses enfants, pensait-elle, ulcérée que cela ne soit que trop vrai, n'étions-nous que des jouets entre les mains des fous, serait-ce donc notre dérisoire destin, oui, les faucons, les fauconniers pourraient bien se délecter de notre pourriture, pensait Caroline, d'un ton exigeant, elle avait demandé qu'on rapproche son fauteuil de la fenêtre et qu'on mette sur ses genoux son chat angora dont on ne l'avait pas séparée, un

présent de Charly, ma Charly, il y eut un jour à Lima cette
corrida que j'ai filmée, photographiée en détail, ces cris
enthousiastes, délirants, je me souviens, devant les spectacles tauromachiques, ces cris à mes tempes brûlaient, des
femmes, des hommes, à la mise à mort des taureaux, nous
voici aussi corruptibles que la bête, lui survivant dans les
cris, la joie, il y a cette image, arrêtée pour toujours, un
attelage de trois chevaux et dix hommes, ouvriers de la
dernière heure, traînant le taureau vaincu, le tirant avec
des cordes de son arène de poussière, comme on me dépla-
cera un jour, ma tête sur le sol, ouvriers de la dernière
heure, ils viendront avec leurs attelages, et je ne voudrai
pas les suivre, les rires, les cris étaient contagieux, la danse
du torero pendant le rituel, toujours une fin semblable, je
m'attardai à une image, celle du taureau que l'on menait
vers son ensevelissement, couché sur le côté dans la poussière, les pattes encore levées, eux criaient, ces cris aigus,
je me souviens, où sont mes gants, mon chapeau, Harriett,
je veux sortir, ne plus entendre ces cris, et il y eut ce voyage
d'été, en Italie, était-ce bien en 1946, qui donc m'y accompagnait, était-ce lui, Jean, quels étaient donc son nom, son
visage, lorsque je voulus le revoir il y a peu de temps, on me
dit que ce fut sa dernière destination, l'Italie, était-ce lui
qui était près de moi, pourquoi défit-il ses liens, se déta-
cha-t-il, aucune missive ni lettre, ce brouillard lorsque je
téléphonais, aucune transmission, voix, les cris de Charly
qui n'aimait pas cet homme, qui était-il, lorsque son corps
fut en cendres, je voulus le garder près de moi, ils vinrent
tous me l'enlever par la force, c'était au Palazzo Vecchio,
j'avais acheté un nouvel appareil, vous auriez dû voir la
mise en route du flash, les clichés, ma fièvre à saisir, à cap-

ter l'énergie des ombres, des statues, sculptures, chevaux de bronze ou tours érodées des horloges, Palazzo Vecchio, nous étions seuls, lui et moi, sa finale destination, me dit-on, bien que je me souvienne peu de lui, on dit que je fus là moi aussi à l'Île de personne, l'Île qui n'appartient à personne, ce qui n'est pas vrai, mes gants, mon chapeau, ils m'ont vue, disent-ils, ceux qui me l'ont enlevé par la force, mais ce n'est pas vrai, ce mot « il » éprouvait avec fatigue l'esprit de Caroline, c'était un pronom qui ne désignait qu'un visage vide ou une prompte absence de visage, oui, mais je l'ai bien connu, pourtant, se répétait Caroline, le tissu léger de ses foulards, de ses écharpes, des parfums de citronnelle, « il » quelle irrésolution de l'esprit, quel embarras de ne plus savoir qui définir par ce pronom « il », les préraphaélites, ne nous étions-nous pas disputés dans ce musée de Paris, il n'y a pas de réels prédécesseurs de Raphaël, ce ton catégorique des hommes, lorsqu'ils s'affirment, mes joues s'empourpraient de colère, oui, j'en avais capté toute l'énergie, toute la fermeté de l'ombre de cette sculpture de Michel-Ange, et « il » qui était là, près de moi, m'avait dit, déposez l'appareil photo, ma chère amie, que nous nous parlions un peu, voyez, l'ombre de la sculpture est pleine, il bougeait près de moi, impatient, cette marche m'a éreinté, disait-il, une lacune de mémoire, « il », un trou, un creux d'air, une perforation dans le cœur, je tenais le coffret, ils me l'ont enlevé par la force, une perforation, ouvrez la boîte où gisent ses cendres, peu importe, je l'oublierai, c'était une remarque d'Adrien à l'oreille, Caroline, l'embarcation attend Caroline, nous allons ainsi tous glisser dans cette mer hasardeuse, un mot, une remarque, au sujet de « il », je comprends combien vous l'avez aimé, par la force ils ont enlevé de mes mains la boîte, le coffret, c'était « il » qui allait déraper vers l'eau, la mer, l'océan « il » insensible, s'échappant accidentellement de mes mains, et je n'y pouvais rien, l'été 1946, j'avais fui un mari ennuyeux pour « il », des yeux à peine enfoncés sous un front trop vaste, quel épuisement que tout fût si conforme, exact, la proportion de l'ombre de la sculpture, la stimulation de mon regard derrière l'objectif, et qu'il y ait soudain ce trou autour d'une tête, était-ce une tête belle, excentrique, la voici se jetant hors de son cadre de chair, inutile, déraciné, le corps de la tête, de « il » jusqu'à son nom désormais introuvable, est-ce ma faute, « il » n'était plus disponible depuis quelque temps, perforés, les méninges, le cœur, il vaut mieux se représenter l'architecture de la Renaissance italienne, oublier « il », ne plus y songer car on ne voit aucun horizon par la trouée, les écoles, les collègues étudieraient mes photographies, je n'avais aucun assistant, montant seule vers cette tour, la tour de Giotto, ils avaient pensé à tous ces ingénieurs de la Renaissance, là-haut soudain, on aurait dit que la lumière obstruait ma vue, se bloquait en un voile, comme maintenant je perdais la faculté de percevoir la lumière du visage, de la tête de « il », ce que je sais, c'est que « il » avait eu raison de voir cette ombre, ce voile, sur le visage d'un jeune peintre londonien, quand mes yeux, dépourvus de conscience, se suspendaient avec avidité à ce voile, à cette ombre, d'un visage, d'une tête dans leur transhumance du côté de la mort, « il » dit, j'ai peur, ne photographiez pas ce jeune homme, ce n'est plus la vie qui passe à travers lui, ce que vous photographiez ici, c'est la main qui tient le crayon, la craie, dans le cahier ouvert, du jeune suicidé de demain, dans quelques heures cette main sera inerte, inerte la sueur perlant sur son front sous les cheveux noirs recouvrant l'oreille gauche, et je ne voyais ni l'ombre ni le voile me bloquant la vue, tant était adhésive à mes yeux la lumière de ce soleil noir, cette lumière se condensait particulièrement sur la main droite du peintre tenant le crayon sur le cahier, on y voyait la saillie des veines et la carrure des ongles, qui aurait senti là quelque décret mortel du corps qui respirait, transpirait, il en fut ainsi lorsqu'on me demanda de photographier un groupe de soldats, après une mission qui leur fut presque fatale, je voulus réprimer ce que je voyais sous ces fronts lourds, hallucinés, en relâche dans quelque maison de repos, on aurait dit que venait de sévir sur eux la main du Tortionnaire, qu'on avait encagé tous ces hommes dans leurs postures tourmentées, ils étaient comme ces Allégories du peintre Max Beckmann, leurs têtes, leurs corps sadiquement tenaillés, ou avais-je le pouvoir de lire dans leurs yeux caves ce qu'ils ramenaient d'eux-mêmes de la ligne de tranchées, eux qui se sentaient coupés, décapités, bien qu'ils fussent encore imprimés là comme sur le canevas du peintre, vivant, respirant encore, telle une marche de fantômes, Max Beckmann, celui qu'on appelait le dégénéré et qui dut fuir, l'Allemagne qui le bannissait avait enclavé pour l'avenir tous les monstres, les démons de l'Europe sombre, et ils étaient là devant moi, hors des panneaux des triptyques du peintre lui-même broyé, peintre ou poète de cette boue des tranchées, je me disais, est-ce ainsi que nous ferons face à demain et plus tard à notre destinée, et je voulus réprimer tout ce que je voyais, car j'étais jeune en ce temps-là, sortant à peine des stages de formation de mon université, puis ce même jour, en cette

Europe sombre, ruinée, j'entendis un chœur de voix d'une
telle intensité jubilatoire que je m'immobilisai, dans cette
rue où il faisait si obscur et froid, je vis par l'antre d'un
immeuble détruit un escalier qui menait à une Académie
de musique, le maître de musique était une femme, elle se
laissait irrésistiblement emporter tout en souriant à ses
élèves, les guidant de sa baguette d'une main volontaire,
c'était une répétition générale de *Così fan tutte* par de très
jeunes gens dont les voix semblaient déjà rondes, parfaites,
des notes de joie s'écoulaient dans cette nuit glaciale, au
rythme de cette main qui orchestrait, dirigeait, on en
oubliait la platitude du livret de l'opéra, quelques drames
d'infidélité, pour n'entendre que ces chants d'amour et
de désir, on aurait dit parfois le sifflement d'un oiseau ou
d'un enfant moqueur vous prévenant des pièges de
l'amour, ceux qui avaient brûlé la terre par la haine, la vengeance, n'étaient plus, chacun, chacune bondissait joyeusement sur la scène, exprimant dans de délicieux fracas sa
sensualité de vivre, ce fin psychologue qu'était Mozart
n'avait-il pas tout compris, qu'il ne faut qu'aimer sans plus,
on aurait dit, oui, que toute lutte ne fût que vain combat,
stupide entêtement, des voix, des notes d'une telle pureté,
comment parvenions-nous tous dans notre humeur belli-
queuse à ne plus les entendre, des notes de joie dans cette
nuit glaciale, sans pitié, et j'écoutais en me disant, oui, je
ferai face à ma destinée, mais comment, il aurait fallu que
demeure l'extase, que ne cessent de me précéder partout
ces voix, leur envoûtement, et demain ce jeune homme
que j'avais photographié, son crayon de peintre entre les
doigts, l'œil morne et ombreux, aurait eu le temps de
mettre fin à ses jours, laissant vides son atelier, sa maison,

et j'aurais été incapable d'interrompre son acte trop réfléchi, incapable de lui dire, venez avec moi entendre cette musique, *Così fan tutte,* envolée d'oiseaux ou d'anges rieurs frôlant vos ténèbres, ce halo froid autour de votre corps, venez, suivez-moi, et pourquoi ne pouvais-je transmettre cette connaissance de la joie, puisque ce n'était pas pour moi seule, vous m'entendez, Harriett, Désirée, Miss Désirée, en plein désarroi il faut chanter, dit Désirée, lorsqu'on cire les chaussures des Blancs ou lave le carrelage dans les aéroports, les lieux publics, il faut chanter, disait ma mère, car le Seigneur est là qui écoute, je ne sais si ma mère avait raison de dire cela, il faut chanter entre les dents, ou très haut, ne pas se taire, prier, disait-elle, laissez-moi avec vos prières, dit Caroline, bourrue, comment cette simple fille, une servante noire, pouvait-elle la rappeler à l'existence de Dieu, s'y résigner, vous m'ennuyez, je vous ai dit de rapprocher mon fauteuil de la fenêtre, comment aimer un Dieu de froideur, disait Frédéric, c'est bien ce que je pense, oh! je ne souhaite pas, dit Mélanie à Olivier, elle respirait la nuit parfumée, ivre de musique, qui entrait dans les jardins, jusqu'à la maison aux portes ouvertes de Tchouan, non, je ne souhaite pas, disait Mélanie, que cette flèche se retourne contre nous, il lui semblait qu'Olivier avait oublié sa fierté d'orateur, pour l'écouter avec prévenance, il avait posé sa main sur l'épaule de Mélanie, je pense souvent à vous, dit-il, vous êtes une femme très active, une combattante, vous visez le bien de l'humanité, et vos enfants hériteront de ces valeurs, mais attention à ceux à qui vous déplaisez, leur exaspération devient vite intolérance, irresponsable fureur, je lis chaque jour dans les journaux la triste histoire de ces activistes tuées par des déments anonymes, l'une d'elles avait fondé deux hôpitaux en Somalie, pendant plus de trente ans elle avait soigné les tuberculeux, soyez prudente, ma chère Mélanie, comme vous êtes sérieux, dit Tchouan, venez danser avec. moi, ou vais-je danser seule, cesse, Olivier, d'accabler Mélanie de tes conseils, la robe rouge de Tchouan les effleurait telle une vague, cette âme tout en légèreté de Tchouan, soudain, reposait Mélanie et Olivier, scellés l'un à l'autre par le poids de leurs pensées : qui sait si Samuel n'a pas choisi la véritable voie de l'engagement, avec la danse, dit Mélanie, nos enfants iront plus loin que nous, ils accompliront davantage, Mélanie revoyait cette nouvelle création du chorégraphe Arnie Graal, il lui semblait que cette œuvre, où Samuel représentait son école de danse, était un défi à la cruauté, ou ne pensait-elle pas un peu lourdement à cette surabondante cruauté dans le pillage de ses scènes et de ses tableaux, jusqu'aux pas de danse qui semblaient éclatés, déformés ? Soudain, les normes musicales se cassaient, ce spectacle auquel on assistait, debout, toute une nuit, aucune passivité, aucun siège, disait l'inflexible chorégraphe, et cela qui pouvait se comparer à une musique électronique de couleur abstraite ne l'était plus, comment ce spectacle exhibant un tel inconfort éveillait-il tant de popularité, pensait Mélanie, aux textures et aux sons des synthétiseurs et séquenceurs se nouait le bruit d'une fanfare funeste, celle des incendies, la lenteur excessive des danseurs, surgis tels des revenants des murs de béton, de l'asphalte brûlé, certains sur des planches à roulettes, des véhicules-jouets, attaqués dans cette position par le feu, ne pouvait qu'accroître en nous cette sensation de malaise, oui l'insistante et intenable lenteur de ces corps chutant dans le vide allait en vous oppressant, on y verrait ce qu'on ne voulait pas voir, le géant écroulement d'une ville, une multitude de ses habitants fuyant les uns vers les autres, telles des abeilles dont on aurait enfumé la ruche, était-ce la chorégraphie d'Arnie Graal qui était trop suggestive ou le spectateur de cette chorégraphie qui devenait suggestible, façonné dans cette argile des pas de danse et des images qu'il voyait, on ne pouvait se méprendre sur la terreur qu'inspirait encore cet événement dont Arnie et ses danseurs avaient fait une création presque trop vivante, il faut penser, disait Arnie, à l'effondrement d'une cathédrale en des temps plus anciens, quand ses artisans, ses sculpteurs s'accrochent aux pierres des tours, leurs outils à la main, toujours à l'ouvrage, attachés à la pierre translucide des murs, des vitraux, au grand fenêtrage, luminescent à cette heure du matin, d'où tous ces corps penchés ou écartelés sous la violence du choc plongeront dans une lenteur accentuée par la stupéfaction, dans le vide, à cet instant où bouge dans ses oscillations sismiques la cathédrale de verre, le fondement de sa construction, Mélanie pensait qu'elle n'aimait pas que Samuel soit l'un de ces danseurs, telle une figure dominante, isolée, chutant tête première le long d'un mur, la jambe gauche s'avançait, lamentable mouvement de révolte contre le ciel, tout cela n'était que trop vrai, pensait-elle, horrifiée, il lui semblait que son fils aurait, pendant cette chute sur un sol pierreux, elle en oubliait la scène sur laquelle rebondirait Samuel, tant Arnie en avait masqué la ligne de visibilité, la colonne vertébrale rompue, les reins, la nuque cassés, quand pendant trop longtemps sa tête serait intacte, son cerveau, toutes ses facultés, son centre de la mémoire n'auraient que trop de

temps, même si ce n'étaient que deux secondes, pour penser, souffrir d'ultimes souffrances, dans une pensée trop
agile, bien des mères avaient ainsi perdu leurs fils, et des fils
leurs mères, lui aurait dit Arnie, elle aurait dû ajouter que
dans cette part inconsolable d'elle-même, elle était près de
ces mères, de ces fils, mais Arnie Graal détournait aussi
l'attention du public, ces corps qui tombent dans une lenteur exacerbée, par l'artifice d'une chorégraphie, disait-il,
sont des corps qui ont été lancés à la mer, par centaines,
d'un hélicoptère de généraux dictateurs, un seul homme
qui peut accomplir toutes les vilenies, avec les appareils de
son armée, détenus politiques ou prisonniers, furent-ils
jetés respirant encore au-dessus des eaux du Pacifique, ces
opérations continuent-elles encore tous les jours, que ressent-on quand on est le pilote, le mécanicien de ces hélico-
ptères d'où seront jetés à la mer des ballots humains venus
de Santiago et d'ailleurs, on sait que se tairont les disparus
des eaux, mais que ressent-on quand un à un avec une lenteur mesurée, concentrée, tombent les corps, Tchouan dit
à Mélanie, demain, vous vous souvenez, dès l'aube ce sera
la parade des bateaux, des voiliers, pour les fêtes de l'été,
des quais, la nuit, ils brilleront de toutes leurs lumières
ondoyantes, on verra l'exquise chaîne des bateaux blancs,
sous les banderoles, les décorations, je me lèverai à l'aube
afin de voir qui remportera la victoire de la course, *Le Tan-
gueur* ou *Le Compas de la rose*, sans doute ne dormirons-
nous pas de la nuit, que ma femme est d'une infatigable
activité, pendant que je perds la force, pensait Olivier,
admirant chez Tchouan cet intense appétit de vivre, la nuit
commence et elle parle déjà du lendemain, fallait-il l'ap-
prouver qu'elle ait choisi avec Jermaine cette musique for-

cenée qui emplissait la maison, et puis c'était si ennuyeux et surtout très bruyant ces courses de bateaux sur l'océan, j'ai tant de mal à écrire mes articles, pendant cette période de l'année, dit Olivier à Mélanie, mais je vois davantage mon fils qui, comme sa mère, aime trop les fêtes, le maître de Samuel à New York, reprit Mélanie, est notre Balanchine noir, dit mon fils, dommage que tout ce qu'il crée soit si près de la vie, il faut tout de même un peu respecter la tradition, dit Olivier sur un ton distrait, s'avouant ne rien comprendre aux ballets scandaleux du chorégraphe que citait Mélanie, n'est-il pas trop innovateur, ne lui reproche-t-on pas de repousser trop loin les limites du corps? Faut-il briser ces jeunes danseurs, pensait Mélanie, au tout début de leur répertoire, puis Mélanie se souvint qu'elle avait vu sa mère en rêve pendant la nuit, c'était encore l'un de ces rêves, obsédants, rampants, signifiant peut-être pour Esther la difficulté, l'écueil, Mère invitait Mélanie à dîner dans son pavillon, sur la nappe, les couverts d'usage avaient été remplacés par deux gants de cuir noir, la difficulté, l'écueil, pensait Mélanie quand le visage de sa mère lui apparaissait souriant, serein, parmi les hôtes du soir, Esther s'animant toujours pour quelque discussion où elle était compétente, non, la mère de Mélanie ne manifestait aucune défaillance, sinon ce tremblement de la main droite, lequel était à peine apparent, l'un de ces rêves à oublier, bien que le tableau des deux gants soit inopportun, que Mélanie ne parvienne pas à le dissiper, pourquoi n'attendrait-elle pas l'aube avec Tchouan, l'arrivée des voiliers sur l'eau calme, auprès de Tchouan ses impétueux sentiments de joie, d'étonnement, tout présage s'évanouirait sur la plage, le visage, les cheveux mouillés par le sel de l'air, comment négliger Augustino, l'eau transparente à l'aube, l'air salin, et Caroline dit, je vous remercie, Désirée, je suis enfin à l'aise près de la fenêtre, le chat de Charly sur mes genoux, je ne veux pas qu'on me l'enlève, c'est bien là, cette bête affectueuse, tout ce qui me reste de Charly, il y eut aussi Charles que j'ai beaucoup aimé, lorsque l'homme au front dégarni, celui dont le nom m'échappe, me visitait encore, avant que toutes et tous se mettent à s'éloigner de moi, Charles qui me fit un jour des confidences, vous seule, chère Caroline, pouvez me comprendre, disait-il, parce que vous êtes une femme, et un grand esprit, ne devais-je pas admettre que cette merveilleuse essence d'un esprit grand que rien ne pouvait assouvir appartenait davantage à Charles qu'à moi, ce noble ascète de la poésie n'avait peut-être avec moi que cette affinité, par amour, il consentit à perdre son âme, si l'âme est la chair qui se soumet aux tortures de l'amour, si l'âme est aussi le corps qui marche en aveugle, qu'en savons-nous, Charles avait en Frédéric un loyal compagnon, Charles a loué dans ses livres la splendeur de leur vie en Grèce, bonheur lointain déjà, tant de livres lus et écrits, et soudain ces rides aux commissures des lèvres de Frédéric, ses premiers vertiges, sa chute, quand il fumait au bord de la piscine, Charles pensa que s'abaissait sur eux, sans qu'ils en soient avertis, le rideau gris de leur mortalité, il crut soigner ses réticences à l'écriture, dans sa chambre aux volets clos, d'où montaient dès qu'on les écartait les émanations du jasmin, de l'acacia, mais plus dense que ces parfums était la mélancolie qui serrait la poitrine, il crut bien faire en se retirant, si inaccessible cette fois, on connaissait la misanthropie de l'inabordable poète, tous les ans il partait ainsi on ne savait où et toujours seul, Edouardo, en jardinant, redressait contre la clôture la verte bicyclette des promenades du dimanche qui rouillait au soleil, Charles préférant les dimanches dans la ville déserte, de ma voiture, je feignais de ne pas reconnaître celui qui allait au fil de l'eau bien que ce cou, cette tête de l'homme délicat me fussent familiers, je les avais si souvent photographiés, en parcourant depuis de précoces débuts toutes les étapes de la vie littéraire de Charles, je le connaissais si bien qu'il aurait pu être mon enfant, un adolescent rêvé que le temps changeait peu, si impénétrable cette fois que nul ne viendrait le traquer, il irait en Inde, là serait sa forteresse, un ashram à Delhi, où il pourrait méditer, écrire. Il ne savait pas qui l'attendait là-bas, sous quel soleil il allait fondre, cuire, être terrassé, ne se rappelait-il pas, dans ces ténèbres de la spiritualité qu'il recherchait, la pratique de la méditation, le dépassement de la conscience individuelle, une concentration mentale dénaturée, comment Charles pouvait-il oublier qu'au-delà de cette pensée de fer soutenue par l'orgueil se tenait l'autre Charles, celui qui était encore un homme charnel, soumis, comme tous les autres, à la tentation. On ne sait pas quand l'astre se détachera de la voûte du ciel pour vous faire tituber. Je peux dire que je n'en savais rien, moi pour qui l'amour était facile, avant de rencontrer l'homme dont les cendres dorment maintenant au fond de la mer, dans cette Île qui n'appartient à personne, quant à Charly, vous m'interdisez de prononcer son nom, comme si vous en aviez le droit, Harriett, n'a-t-elle pas téléphoné hier, n'a-t-elle pas demandé à me parler ? Pourquoi ne puis-je la voir, vous conspirez tous contre moi ici, mon chapeau, mes gants, je veux sortir, vous me dites que je pourrais tomber, me perdre dans les avenues pluvieuses, avec mon chien, je vous assure que c'est mon chien qui m'avait alors égarée, ne me donnez pas de ces médicaments, dites à Charly de venir me voir, je peux vous indiquer ce club où elle va, la nuit, ce n'est qu'une histoire de chèques et de biens volés, je suis prête à tout lui pardonner, c'est vous, Harriett, Miss Désirée, qui la jugez mal, vous êtes une femme dévote, toujours à l'église à prier quand vous n'êtes pas avec moi, et si je décidais de ne plus m'alimenter, que feriez-vous, me laisseriez-vous mourir en paix, il suffit qu'une étoile se détache du ciel et on ne voit plus rien. Je ne crois pas que ce soit bon pour vous de tant prier, heureusement que vous chantez aussi à l'église, et que je m'endors parfois en écoutant votre voix, mais j'y sens trop d'implorations, de prières, comme si vous récitiez des psaumes pour faire sursauter mes nerfs, oui, comme si vous faisiez exprès, Désirée, souvenez-vous combien j'aimais entendre la musique des guitaristes dans les rues de La Nouvelle-Orléans, le rythme des blues, et ces fêtes du Mardi gras, souvenez-vous, Harriett, ma mère me disait que ces rythmes me déchaînaient, déjà je me sentais endiablée, refusant d'obéir à toute loi, bien que tout vous fût confié, Harriett, ma famille ayant peu de temps pour m'éduquer, vous deviez donc tout décider pour moi, comme cette fille de Mélanie, Mai, j'étais intraitable, et vous verrez combien Mélanie aura du mal avec cette enfant déjà fugueuse, et Charles rencontra à Delhi son ange dévastateur et ne le reconnut pas, la profession de Cyril était-elle de jouer au théâtre, était-ce vrai ou faux, ou Cyril était-il un acteur de comédie, oisif, sans travail? Il est certain que le jeune homme possédait l'art de bien réciter les poètes d'une voix grave, ainsi, vous aimez comme moi, dit Charles, les poètes contemplatifs, Milton, Blake, comment être placide devant ce garçon de trente ans, que tout soit vrai ou faux, et Cyril dit à Charles, n'était-ce pas comme la promesse d'un fiancé, et Cyril n'avait pas la modestie de Charles qui, lui, était vraiment grand, je lirai vos poèmes dans le monde entier, ici à Delhi, plus tard en Hollande où vous êtes invité, non sans vanité Charles se vit rayonner de cette belle trouvaille, Cyril était excessivement long, ce qui ne plaisait pas à Charles, sans être filiforme, son dos, ses épaules étaient musclés, il serait suave de voyager, poursuivre ces voyages professionnels auxquels Charles avait annoncé à tous qu'il avait mis un terme, mais la rencontre de Cyril modifiait tout, aller demain vers des salles de conférences, ce qu'il détestait, avec ce double dont les yeux clairs, si clairs qu'on n'y voyait rien, on s'y perdait, ces yeux couleur d'azur, pourtant, ce double récitant, lyrique, la poésie de Charles, elle aussi contemplative, recueillie, comme l'œuvre de Milton à qui la comparait la critique, Charles qui était réservé, n'offrant à ses admirateurs que des relations épistolaires, oublia sa réserve, accepta la désinvolture de Cyril, qui ne tarda pas à enrober le poète de ses cajoleries, combien ceux qui entretiennent surtout avec les gens des relations discrètes, presque froides, peuvent-ils ainsi ne jamais se méfier de ces corps câlins si menteurs ? Peut-être à cet instant Charles regretta-t-il la sécurité, la quiétude de ses échanges de lettres, pendant des années, avec le jeune poète russe Vladislav, l'un de ses adorateurs passionnels dont Charles, le ciel en soit béni, n'avait jamais vu le visage, ni senti près de lui la fougueuse chaleur. Cyril était là, ne demandant pas à Charles s'il voulait oui ou non de lui, il était là qui attendait qu'on le prenne dans ses bras, à la fois abandonné et très compromettant. Et plus lourd, volumineux que Charles ne l'avait imaginé, quand Charles ne cessait de sentir l'attrait des yeux si clairs, oui peut-être regrettait-il à ces instants la gratuité de Frédéric, les mots subtils de Vladislav, la langue russe que Charles savait traduire, déconcerté, Charles se demanda ce qui survenait ainsi dans sa vie, c'était dorlotant, affligeant, où comme son amie Caroline avait-il trébuché, dans quel piège? Il se souvint de Jacques, que Tanjou avait tant aimé, ces choses-là, qui sait, étaient peut-être aussi brèves qu'incontournables, il écrirait à Frédéric, lui téléphonerait ce soir de Delhi pour lui dire qu'il serait bientôt de retour, ne se sentait-il pas indigne, lui le prisonnier de ses sens, de cette tradition hindoue qu'il avait voulu adopter? Auprès de Frédéric n'était-il pas compris? Il venait tout juste d'écrire à Frédéric, lui recommandant la prudence financière et de ne point laisser s'introduire dans leur maison tous ceux qui venaient mendier de l'aide à sa porte, le point faible de Frédéric étant de ne jamais résister à une demande des êtres les plus farfelus, marginaux. Lorsque Charles ne le surveillait pas, ne donnait-il pas tout son argent sans discrimination à qui en avait besoin, c'était un défaut de Frédéric qui semblait incorrigible, pensait Charles, exhortant son ami à la prudence, et surtout à ne pas sortir seul le soir, pour les sessions de jazz, qu'il veille, avec sa santé diminuante, à ce qu'Edouardo soit toujours près de lui. Puis Charles omettait, dans ses lettres à Frédéric, le nom de Cyril, il valait mieux ainsi sans doute, Charles se répétant que de cette brûlure de l'Inde il serait bientôt guéri. Ma chère Caroline, m'écrivait-il, à vous je peux tout dire, quoi faire, je ne sais plus quoi penser. Les soucis que j'avais avec Charly, ses désobéissances, ses méchancetés, m'empêchèrent de répondre à Charles. Je dirais que tout cela a commencé par Jacques qui nous a tous quittés avant sa cinquantième année, lui, Jacques, l'homme juste, le spécialiste de Kafka, l'impartial, l'exubérant, comment avait-il pu être frappé par le malheur comme le fut le patriarche Job sur son lit de fumier, plaies, bassesses, etc., c'est ainsi que nous le représente la peinture, Jacques, le premier d'une vague, dans l'océan qui n'en finirait pas ? La première lame, avant tant d'autres ? Ce départ fut si brusque que nous nous sentions tous partir avec lui. Nous en étions hagards, incapables même de verser des larmes, comme le faisait Tanjou, à qui Jacques avait promis de revenir chaque soir, à l'heure du soleil couchant sur la mer, la couleur de son arrivée assidue serait le rose, et ainsi on se souviendrait de l'exultation de vivre de Jacques, et Tanjou attendit et attendit et jamais Jacques ne revint, ou parfois, oui, telle une brise, c'était le souffle de l'été sur la bouche de Tanjou. Cela devrait nous inquiéter lorsque nous changeons totalement nos habitudes et élaborons nos fantasmes, Charles n'en fut pas inquiété, il marchait dans les avenues verdoyantes de Delhi, la main de Cyril dans la sienne, il lui semblait avoir l'audace de son partenaire, sa témérité sans bornes, la tempérance qui avait été sa vertu ne l'était plus, la vie était tempétueuse, exaltante, dès qu'il se retrouvait seul dans sa chambre, sur les berges d'une rivière, Charles écrivait ces vers nouveaux, loin de lui désormais la sécheresse, l'aride règlement, il n'y avait aucune règle pour les poètes, ses vers avaient soudain une qualité volcanique, étaient d'une ardeur, d'une sensualité que son écriture avait peu connues, lui qui n'avait jamais aimé les débordements, cela ne l'inquiéta pas, tant de métamorphoses. J'écrivis enfin à Charles que le poète Jean, son ami, m'avait beaucoup déçue, il n'avait jamais accordé une réponse à la lettre que lui avait transmise Charly de ma part. Jamais. Je ne voyais pas venir le moment des cendres dans l'océan, à l'Île qui n'appartient à personne. Je croyais que nous avions tous beaucoup de temps, et Charles le croyait aussi. C'est Jacques qui fut la cause de tout ce désordre, Harriett, Miss Désirée, c'est lui qui nous ébranla tous, il avait froid en été lorsque je l'ai photographié pour la dernière fois, je le sentais qui frissonnait dans son pantalon de velours, le lainage turquoise, proche de la couleur de ses yeux, vous savez ce que me dit Tanjou, Caroline, que je ne l'aime pas assez, est-ce vrai, Caroline, je ne suis pas détaché, ni impassible, ou est-ce ma nature, cette feinte frigidité, et il pleure le pauvre enfant, et me répète, vous ne m'aimez pas assez, que faire, mon Dieu, dites-lui demain, plus tard, que Jacques l'aimait bien, beaucoup, n'oubliez pas, et de mon objectif, comme si j'avais été un peintre, je saisissais de Jacques l'ironie du regard, la pâleur des joues, tout en lui disant adieu. Était-ce ce souvenir de la perte du petit sac en toile de Caroline, ou cette déperdition de la mémoire dont Caroline avait été affectée, à l'Île qui n'appartient à personne, il semblait désastreux à Mère d'avoir rêvé à deux sacs de voyage de teinte opaque, que quelqu'un avait entreposés dans la cour de son jardin sur une pelouse rude d'automne, d'hiver qui depuis longtemps n'avait pas été coupée, qu'était-ce que ce chiffre deux esquivant quelques présages, ou ce face à face de Mélanie et sa mère, deux femmes prises en une seule quand surgirait la mort, l'état fané du jardin, de la cour avait incité Mère à appeler Julio, Jenny, Marie-Sylvie, afin qu'ils puissent l'assister dans le débroussaillage, où étaient-ils tous, pourquoi ne répondaient-ils pas, craquait aux fenêtres un vent glacé, ils se sont tous enfuis, même ma fille, et m'ont laissée seule, avait pensé Mère, quand apparut Augustino, l'un de ses oiseaux sur l'épaule, ce n'était pas le perroquet de Samuel, mais une perruche bizarre qui remuait étrangement sur l'épaule d'Augustino, tu m'as appelé, Grand-Mère, demanda Augustino, regarde notre jardin, d'où viennent ces pluies, ce givre sur les feuilles de nos palmiers et pourquoi sont-ils si courbés, lorsque Mère et Augustino sortirent dans la cour, la perruche s'envola de l'amical perchoir, mais on aurait dit qu'elle avait désappris à voler, Grand-Mère, ne la laisse pas partir, criait Augustino, où va-t-elle ainsi, elle pourrait se briser les os, à qui serviront ces sacs de voyage, demandait Mère à Augustino, deux, toujours ce chiffre deux, en se réveillant de sa sieste, Mère avait vu près d'elle Augustino, la perruche assagie sur l'épaule, je sors me baigner, dit-il, peux-tu veiller sur elle, Grand-Mère, le temps n'est-il pas trop frais, dit Mère encore dans l'atmosphère du rêve, Mère avait senti contre sa joue le plumage de l'oiseau, sauvée, cette fois encore, pensait-elle, elle avait été sauvée, ces sacs de voyage étaient prêts, pour la visite à ses fils, en Californie, il était rassurant qu'Augustino l'ait réveillée avant l'heure du dîner, elle aurait le temps de s'habiller pour le repas du soir, Augustino ne sortait-il pas dès que sa grand-mère exigeait que chacun s'habille pour le dîner, Mère remettrait la perruche dans sa cage, cet oiseau ne chérissait qu'Augustino, tous les autres, elle les mordillait de son bec pointu, oui ces deux sacs de voyage seraient utiles, pensait Mère, si jamais elle décidait de rendre visite à ses fils ; quelle somptueuse nuit dans les jardins de Tchouan, pour la célébration de l'anniversaire de Mère, que s'enfouisse le souvenir de ces vilains rêves, cauchemars, Mère parlait et souriait à chacun, se préoccupant de ce que Caroline n'était pas parmi ses amis, y en avait-il, très peu de son âge vénérable, certains ne semblaient subir aucune altération du temps, ainsi Adrien, Suzanne, Adrien vêtu d'une veste noire sur un pantalon blanc écoutait avec une froideur polie Daniel, sur quoi conversait-il encore, sur la suite très longue de son roman *Les Étranges Années,* ah oui, disait Adrien de sa voix de professeur, je suis très curieux de vous lire bientôt, un mensonge, mais Daniel n'y prêtait aucune attention, songeant qu'il s'isolerait dans son monastère en Espagne, épuisé par ces mondanités, il avait consenti à cette fête afin de ne pas déplaire à Mélanie, son livre était sa vie, pourquoi s'en laissait-il si aisément distraire ? Oui, pensait Daniel, s'il avait innocenté le chien de Hitler, comment ne pas déclarer innocents aussi les enfants des dignitaires perfides et réprouvés, qu'aurait-il fait, lui, Daniel, s'il n'avait pas été le fils d'une victime de l'Histoire, mais le fils d'un bourreau tel que Himmler ou Göring, si sa naissance avait été ce naufrage en pleine apocalypse ? Son père, ses parents, ceux qui avaient établi leur macabre pouvoir sur l'exécution de tant d'innocents, l'auraient dégoûté, mais lui et sa descendance, qu'auraient-ils fait ? Il aurait été le fils d'un homme pendu à Nuremberg dont le gluant fantôme l'aurait partout flagellé, tombé dans le dénuement il n'aurait pas hésité à vendre l'histoire de son père, bien qu'il n'en sût rien, sinon ce que l'on disait de lui, mais le croyait-il, en échange d'un bout de pain, nostalgique du père coupable, suicidé, pendu en quelque époque brumeuse, il l'aurait été comme tous les enfants, revivant ces scènes à la maison, quand assis aux côtés de sa mère, de sa jeune sœur il avait senti sur sa tête la caresse du bon père, comment renier cette main, ce bon père toujours affable, dont la seule faute consistait en cette liaison avec sa secrétaire, ce qu'il n'avait appris que beaucoup plus tard, et avec chagrin, ce fils, cette fille des hommes maudits, réprouvés, auraient dû toujours se cacher, fuir les partisans de la haine, et pourquoi les haïssait-on, se demandaient-ils, fuir les interrogatoires, petits enfants que l'on enfermait avec les épouses de ces hommes dans des hôtels aux issues bloquées, des camps d'internement, où était la jolie propriété offerte jadis à leur père par le bon Führer, où étaient les poupées, le jeu de croquet, désormais on ne savait plus où les loger, les séquestrer, ces petits et leurs mères, soudain dénués de tout, des religieuses les ayant accueillis dans un établissement pour leurs malades, ces petits, leurs mères, dans leur désarroi n'avaient pas compris que si toutes les chambres ici étaient vides, tous les lits désertés, c'est qu'on avait purifié l'établissement de tous ses infirmes, tous ils avaient été piqués, gazés, de stoïques religieuses accueillaient les petits, les épouses de ceux qui avaient commis ces crimes, en disant, Dieu ne leur pardonnera pas, Dieu ne leur pardonnera pas, et eux, si petits, ne comprenaient pas ce qu'on leur disait, les religieuses, parce que c'étaient eux les fils, les filles de ceux qui jamais ne seraient pardonnés, ni de Dieu ni des hommes, donnaient à ces fils, à ces filles de dignitaires du chocolat, des sucreries, par pitié, sachant bien qu'il fallait innocenter ces pauvres petits, s'ils avaient su, s'ils avaient vu rentrer ici leurs pères, avec cet ordre de se débarrasser de tous ces infirmes, de tous ces malades, des gens sans défense, eux, leurs pères les appelaient déchets, ordures, si les fils et les filles de ces pères avaient pu voir leurs actions, pendant qu'ils infligeaient de leurs piqûres d'atroces agonies, ils n'auraient pas voulu vivre un instant de plus, non, ces enfants, fils et filles devant tant de cris, n'auraient pas voulu vivre, porter la descendance du mal, ces fils, ces filles qui avaient l'âge des malades gazés, parmi eux, des enfants de quatre ans, cinq ans, ne comprenaient pas ce que leur disaient les religieuses, où étaient les poupées, le jeu de croquet de la jolie propriété allemande, offerte à leur père par le bon Führer, surtout ne prononcez jamais votre nom, qui est celui de votre père, car à vous non plus rien ne sera jamais pardonné, aussi innocents que le chien de Hitler, avec cette même candeur animale qui serait trompée, ils écoutaient les yeux agrandis par l'effroi, mais vous grandirez comme tous les autres, et vous serez courageux, disaient les religieuses en les lavant, les soignant comme s'ils avaient été leurs infirmes, leurs pauvres d'esprit, demain, des justiciers vous attendront par centaines, que leur direz-vous, nous prierons pour vous, tout petits, des anges, et déjà jugés par des centaines de justiciers, ils écoutaient en pleurnichant, où était papa, viendrait-il, leur bon papa, ces fils, ces filles ignoraient que pendant ce temps leurs pères, ces concepteurs de carnages, de solutions qui cette fois seraient définitives, irrémédiables, leurs pères signaient des accords, c'était en janvier, sur les bords du lac de Wannsee, ils signaient des accords, il fallait déplorer que cette fois, oui, on ne puisse régler le problème, disaient ces concepteurs, de simples fonctionnaires se pliant à un protocole, qu'en éliminant des êtres humains ils n'aient pas le choix, disaient-ils en signant leurs accords, cela était signé, dans des locaux, sur les bords du lac de Wannsee, l'un de ces fonctionnaires avait désigné quelques charognards qui, après ces opérations bien réglées, seraient là pour la récupération des biens, la mort serait une fabrique, une industrie d'où découleraient de fabuleux cadeaux, des cheveux, des bijoux, une opération dont se félicitaient ces pères, ces bons pères de gentils petits enfants appelés Gudrun, Sylke, Lina, reviendraient-ils pour les vacances, ces bons pères, les enfants mis en sécurité dans les infirmeries, leurs mères qui erraient encore sur les routes survivaient, bien mal, déguisées en paysannes, poussant des remorques contenant des légumes, des lapins, dépouillées, elles n'avaient plus de papiers, c'était la fuite des soldats, l'exode, et en ce mois de janvier, les pères de Klaus, Sylke, Gudrun, avaient ouvert leurs dossiers secrets, dans ces locaux, près du lac de Wannsee, ils avaient fumé un cigare tout en mettant au point leurs stratégies, oui, il y aurait cette fois un règlement définitif, irrémédiable, la décision avait été prise, et Sylke, Klaus se demandaient pourquoi leurs papas les avaient oubliés ici parmi ces religieuses, seraient-ils jamais à nouveau une famille, ou ne serait-ce plus tard que pour se recueillir sur la tombe de leurs pères une fois l'an, chacun demain aurait ce fantôme gluant du père tout contre sa peau, chacune, chacun aurait son pendu, son suicidé, pourquoi n'avait-on pas pitié d'eux, des innocents? Vous abordez des sujets tabous, conclut Adrien de sa voix professorale, il aurait aimé ajouter, et qui n'intéressent personne, ce serait bien différent si Joseph, votre père, était l'écrivain de la famille, vous n'avez pas été prisonnier à Buchenwald, comme il le fut, il se maîtrisa devant le regard charbonneux de Daniel, quémande-t-il des compliments, pensait Adrien, comme le font avec moi tous les auteurs cadets, eh bien, dit-il, bravo, mon ami, je suis content de savoir que vous travaillez si bien, dites-moi, votre père va-t-il jouer du violon cette nuit comme lors de ces fêtes du millénaire, c'était très émouvant de l'entendre, Daniel connaissait bien ces ruses d'évitement d'Adrien refusant de parler à Daniel des livres qu'il avait écrits, l'attitude d'Adrien serait une raison de plus de se retirer dans ce monastère en Espagne, pensa-t-il, tout en expliquant à Adrien que son père, depuis qu'il présidait l'Institut de biologie marine, avait peu de temps pour le violon et qu'ainsi sa technique en souffrait, Daniel avait la sensation, pendant qu'il parlait à Adrien, de bavarder, de discourir quand il aurait voulu traiter de l'écriture avec le poète de réputation nationale, qui le boudait, comme si elle avait voulu intercéder pour Daniel, la femme du poète se rapprocha de lui et l'embrassa, c'était un baiser soudain, empreint de toute la spontanéité de Suzanne, et Daniel en rougit de plaisir, je serai bien privée de nos déjeuners sur la terrasse, chaque vendredi, où je peux vous lire mes vers, dit Suzanne à Daniel, oui, quand vous serez en Espagne, et puis vous n'êtes pas sévère avec moi comme l'est mon mari, dommage que peu d'écrivains de votre génération aiment nous fréquenter, parfois, je me dis, Daniel, que vous êtes mon seul ami, du moins avec vous, je sais que vous ne vous moquerez pas de moi si je refuse en riant ce mot ennemi de toute joie qu'on appelle la vieillesse. Les enfants héritent du passé de leur père, même si ce passé ne leur est que partiellement révélé, pensait Daniel, et Ari avançait sur la jetée, sa fille Lou dans les bras, vois toutes ces étoiles dans le ciel, et les bateaux allumés comme des gâteaux sur lesquels on aurait mis des bougies, demain ce sera la course de tous ces voiliers qui attendent, dommage que l'un d'eux, de loin, soit la copie, le revenant d'un torpilleur, ton véritable nom est Marie-Louise, non, c'est Lou, balbutia l'enfant, elle commençait à émettre des cris qui écorchaient les oreilles de son père, Lou, Lou, Lou, le père et la fille, enveloppés dans une même ombre dans la nuit, sur la haute chaussée maçonnée, semblaient minuscules, si loin, seuls, à l'extrémité du quai, le visage de Lou grimaçait du chagrin qu'éprouvent si vite les petits enfants, de tempérament résolu, elle ne pleurerait pas, démontrerait à son père que le fort mouvement des vagues sous les planches de la jetée ne l'apeurait pas, bien qu'elle ne fût pas amusée, tout ce noir, autour, des étoiles qui éclairaient peu les vagues bruissantes, pourquoi son père l'obligeait-il à cette promenade tous les soirs, les vagues, l'eau n'inspiraient confiance que lorsqu'elles étaient réchauffées, calmes, dans le carré de la piscine, à la maison, où elle barbotait, après avoir peint tout son corps munie des crayons, des pinceaux de son père, ce paquebot là-bas, c'est *Le Commodore,* dit Ari, c'est un vaisseau imposant qui viendra polluer nos rives, et voici ce bateau portant le nom de *L'Ange de la paix* nous surveille, *L'Ange de la paix* nous surveille tous, tu entends, Lou, ce que tu entends, ce n'est que le vent et le bruit des vagues, le vent de l'océan, un vent éternel dans tes cheveux, les miens, un vent aussi éternel que le ciel, la mer, que nous, toi, moi, ces vents de trente kilomètres à l'heure sur la mer sont fréquents, tu sais, plus tard, je t'apprendrai à naviguer, et Ari boutonnait le chandail de Lou, sur lequel était imprimé le dessin de chatons, elle ne pouvait avoir froid dans cette salopette à carreaux même si ses pieds étaient nus, que ce vent est bon, dit-il, qu'il nous fait du bien, Ari pensait qu'il était aussi en furie que cette mer, ce vent, il n'approuvait pas que sa fille soit baptisée, et on ne l'avait pas écouté, il lui répugnait qu'un prêtre, un pur étranger et marqué du message d'une religion, quand son enfant était un être né libre, confère ses ablutions sur le front de Marie-Louise, Lou, tu entends, Lou, ce qu'a fait ta mère dans cette église, ce jour-là, me rend furieux, c'est une imposture, ton père, moi, je n'aurais jamais permis cela, une erreur, un malentendu, tu es libre et le seras toujours, comme le vent, l'air, cette religion, ils abusent tous de ces nouveau-nés, nourrissons, et toi, comment pouvais-tu t'y opposer, par des cris perçants, ah, ne crois rien de ce qu'ils racontent, ta mère tenait à ce que tu portes cette ridicule robe blanche et un bonnet et que je sois présent dans l'église, jour de futilité et d'humiliation pour toi et moi, non, nous ne pourrons jamais nous comprendre, elle et moi, ta mère et moi, cette mer est démontée, tu préfères que nous retournions à la voiture, ma chérie, tu te débrouilles déjà bien dans l'eau, instinctivement, tu sauras bientôt nager, bon, nous allons rentrer, si tu fais ainsi la lippe, si c'est ce que tu veux, il faut être volontaire, c'est bien, ce jour-là, pourquoi ne t'ai-je pas enlevée des mains de ce prêtre, avant toutes ces ridicules immersions et ablutions, mais Ingrid, ta mère, exigeait que je sois raisonnable, debout sans colère, dans cette église, souviens-toi que tu es libre, et le moine Asoka avait écrit à Ari, oh, mon cher Ari, sois patient comme ces fleurs orientales qui sont assez persistantes pour s'épanouir et éclore dans la boue, sois respectueux envers la mère de ton enfant, n'êtes-vous pas hélas déjà séparés, divorcés, quelle tristesse, Ingrid n'a-t-elle pas le droit au baptême, ce sacrement chrétien, pour sa fille, comme toi, mon cher Ari, qui as tardivement choisi d'être un adepte du bouddhisme, cultive en toi les fleurs de la patience et de l'acceptation, mon cher Ari, aie la persévérance de l'arbre de thé, de la fleur du camélia, car nous sommes tous différents, je suis en Angleterre, après un voyage dans le centre-sud des États-Unis, je méditais avec des étudiants à Dallas quand un gros homme vint vers moi et me dit avec hostilité, n'êtes-vous pas absurde dans votre robe orange jusqu'aux pieds et le crâne rasé, c'est que je suis un moine pèlerin, et dans mon pays les moines s'habillent ainsi, c'est l'habit de la pauvreté, eh bien, si l'on s'habille de manière aussi grotesque chez vous, dans votre pays, pourquoi n'y retournez-vous pas, le gros homme voulait m'insulter mais je le désarçonnai par la douceur, laquelle parfois, tu le sais, mon cher Ari, est aussi une forme de patience, soudain je posai des questions à celui en qui je provoquais par mon apparence, et qu'est-ce que l'apparence, une telle hostilité, peu à peu il me parla de sa famille, de sa maison à la campagne, il en vint à oublier ma robe orange de pèlerin, lorsque tu es rancunier envers Ingrid, la mère de ton enfant, mon cher Ari, tu es loin de l'émancipation de tout désir, de toute pensée malfaisante, le bouddhisme est fondé sur la responsabilité de soi-même, le rayonnement qui peut s'en dégager, lorsqu'on est adulte, pensait Ari, on a baptisé mon enfant quand elle venait à peine de naître, et sans le consentement de sa volonté, Ingrid, la mère de Lou, n'était-elle pas elle-même dans le doute quant à certains mystères de la foi, dans le christianisme ne

définissait-on pas l'enfer comme le lieu de supplices per-
manents des âmes, fussent-elles damnées, ces âmes, ne
l'étaient-elles pas déjà assez sur cette terre, Ingrid ne comprenait pas qu'un tel lieu souterrain déchargeant sur les
âmes ses fleuves de feu puisse exister, Lou, sa fille, son
agneau, n'aurait pas le cerveau terni par le sadisme de ce
mystère, chacun de son côté, Ingrid et Ari ne disaient-ils
pas tous les jours à leur enfant qu'elle vivait dans un paradis, ne savait-on pas combien le monde était cruel, la réalité de cet enfer, qui était vrai, Lou ne la percevrait-elle pas
assez tôt, Ingrid, Ari, ils étaient hier un couple parfait, et
déjà ne l'étaient plus, pensait Ari, qui serrait sa fille contre
lui, dans le vent, cette perfection ayant été envenimée par
tant de disputes, d'altercations, qui en portait les consé-
quences, pensait Ari, Lou, Marie-Louise que l'on trimba-
lait de la grande maison de son père à l'appartement étroit
de sa mère, où elle partageait une chambre avec Jules,
le premier enfant d'Ingrid, Lou que des parents de plus
de quarante ans n'espéraient plus, leur cadeau, bien que le
couple fût dans le dissentiment, ce couple qui hier était
parfait, lequel s'était peu à peu défait, dispersé, après la
naissance de leur fille, Ari avait peint et dessiné ce couple,
avait ébauché sur sa solidité, sa beauté pendant l'amour
plusieurs projets de sculptures, les canevas des ébauches
qu'Ari jugeait si irrésistiblement sexuels, il n'osait pas les
détruire, dans son atelier, les regardant avec regret, qui sait
si ce n'étaient pas les influences de ces notions religieuses
qui les avaient séparés, ce qui séparait les nations entre
elles, les annihilait ; Ingrid, Ari, dispersés, anéantis l'un par
l'autre, avaient Lou, qui ne savait où elle irait dormir ce
soir, chez papa peut-être jusqu'à dimanche, dès le lundi sa

mère la reprendrait, quand Ari aurait tant aimé qu'ils soient tous inséparables, sois patient, mon cher Ari, écrivait Asoka à son ami, dans quelques jours, je serai au Mali, où tant d'enfants sont porteurs du virus de leurs mères, déjà je pense, n'est-il pas trop tard, la situation n'est-elle pas désespérée, quelle sera ma réponse à ces mères qui demanderont de les aider, quand je sais combien toute l'Afrique occidentale est atteinte et meurtrie, médite et prie pour nous tous, mon cher Ari, embrasse pour moi Lou, ce sera mon troisième voyage au Mali, et Petites Cendres pataugeait dans le sauna du Saloon Porte du Baiser, ce n'est pas lui, Ashley, si dépareillé et laid, pensait-il, que les hommes venaient chercher ici, il y avait tout un jeune arrivage de modèles new-yorkais traînant au bar, même s'ils n'en avaient pas l'âge, qui feraient les délices des vieux, et tous, ils avaient la peau laiteuse, ces gentils petits garçons blancs, pensait Ashley, ne venaient-ils pas de quitter leurs mères, tous très à la mode dans leurs maillots échancrés, ils se pavanent comme des modèles de magazines, et l'un d'eux, si élancé, comme une fille avec ses raides cheveux blonds, il est à croquer comme une friandise même s'il est insolent, il n'a pas ri comme les autres quand il m'a vu entrer ici, il a souri, tiens, te revoilà, Ashley, où étais-tu, on te cherchait, c'était un homme à la forte nuque que tu devrais éviter, si tu veux savoir ce que je pense, nous, tous les trois, on est tout propres, on va au spectacle ce soir, on ne paie pas cher les cocktails ici, et je parie qu'on ne te paie pas cher non plus, même si tu es un brave homme, Ashley, il y avait ces garçons couleur de lait, le blond aux cheveux raides qui m'avait souri, et près de lui, le nez penché sur leurs martinis, deux autres adolescents, un modèle lui aussi, sans doute, Asiatique gracieux que le blond aux cheveux raides enlaçait, c'était son frère, disait-il, et le troisième à la frange brune sur le front, un Mexicain, pensait Ahsley, le trio formait une ronde, ces garnements qui valsaient en se tenant par la main ou l'épaule avec leurs rires, leurs effronteries détendaient Petites Cendres, après le spectacle ils surprendraient dans sa loge la Reine du Désert inondant de coupes de champagne son manteau de plumes si coûteux, elle ne leur en voudrait pas, elle dirait, venez, mes galopins, allons danser et chanter dans les rues, et gare au policier qui élèvera ses barricades, et ces enfants turbulents diraient, comme tu es belle, Reine du Désert, sous tes perles tout humectées de vin mousseux, c'est pour toi que nous sommes venus dans l'île, pour railler et siffler tes représentations sans que tu te fâches contre nous, on ne peut pas se fâcher, dirait-elle, vous êtes trop mignons, d'où venez-vous comme ça, entrez donc dans ma loge que nous parlions un peu, et Ashley serait solitaire dans son sauna, saviez-vous que l'instructeur gymnaste m'a interdit l'entrée au gymnase, aujourd'hui, dit Petites Cendres d'une voix plaintive aux trois garçons qui ne l'écoutaient pas, oui, il a osé me faire cela à moi, ce n'est pas ma peau brunâtre qui lui déplaisait, dit-il, il vivait avec un boxeur noir, c'étaient ces taches, ces boursouflures, ces enflures sur ma peau, cela pourrait être contagieux pour les autres athlètes, l'un des garçons leva la tête, nous allons le battre ton instructeur, dit-il, mais il n'avait pas écouté les plaintes de Petites Cendres, il jouait, s'amusait, vous les voyez ces enflures et ces taches, vous, ce n'est pas vrai, il a dit cela pour me jeter à la rue, quelle contagion puis-je apporter aux autres en faisant mes exer-

cices au sol et aux barres parallèles, et après, dit l'instructeur, des étreintes intimes sous la douche, la sueur, le
sperme, c'est un gymnase distingué, ici, Ashley, pas un
bordel comme tes vulgaires lieux de passe, est-ce une façon
de me parler, j'ai mal dans ma dignité, dit Petites Cendres,
je suis une vraie personne, moi, oui, mais une personne un
peu outrée, dit le garçon farceur, que Dieu te garde, dit
Petites Cendres au garçon aux raides cheveux blonds, toi
qui m'as souri en entrant au Saloon, tu me soulages de
l'impolitesse de l'instructeur gymnaste, que Dieu te garde,
si mes ancêtres n'avaient pas prié Dieu, ils auraient encore
les fers aux pieds et aux poignets, mais ils avaient Dieu,
Dieu à implorer, à chanter, dans la peine, Dieu impuissant
qui voyait leurs corps lynchés, dont le sang séchait au
soleil, avec Dieu, ils avaient tout, même si on les humiliait
dans de sales besognes tous les jours, que Dieu te garde
toujours et te protège de la vilenie des hommes, garçons,
dit Petites Cendres, il avait porté la main à son cœur, car il
lui semblait que ce Dieu dont il faisait l'éloge était en lui,
d'autres avaient des empires, Petites Cendres avait Dieu
dont sa chair défraîchie était le temple, bien qu'il ressentît
encore comme un crachat à la figure, pensait-il, le rejet
de l'instructeur qui lui avait fermé la porte du gymnase,
le matin, et était-ce dans cette rue, assise sur ce trottoir de
Manhattan, que Samuel avait vu la Vierge aux sacs, l'itinérante de treize ans au fin visage auréolé de boucles
blondes, l'enfant illettrée dans sa jupe à plis, une bible
ouverte sur les genoux, celle à qui Samuel avait crié d'un
air narquois de sa voiture, toi et tes prédictions, tu ne dis
que des mensonges, menteuse, quand vas-tu te taire, que
ferez-vous quand le ciel viendra vous démasquer tous,

enfants des ténèbres, avait récité d'une voix monotone la Vierge aux sacs, quand du ciel ouvert se propageront sur vos maisons, vos édifices, des déluges de flammes, que direz-vous alors? C'est ici, oui, que Samuel avait vu la prophétesse destituée, dont il avait ri, plus enjoué qu'implacable, quel était son destin, où était-elle, si elle était parmi les disparus, sous quel amas de pierres reposait-elle, si elle était vivante, qu'elle revienne dans cette même rue et que Samuel lui présente ses excuses, car si ignorante et délaissée que fût la Vierge aux sacs, n'avait-elle pas eu raison, Samuel lui aurait dit qu'il dansait chaque nuit dans cette intenable chorégraphie d'Arnie Graal, à quoi il lui semblait réchapper à l'aube, mis en pièces, tant la discipline en était accablante, réglementée, s'il dansait de ces pas d'une déflagration que l'art de la danse, dans sa physique profondeur et densité, pouvait reproduire, du moins par ces images des corps eux-mêmes cassés, mis en pièces, c'est afin que nul n'oublie ce qu'il avait vu et vécu, ce jour-là, où les prédictions de la Vierge aux sacs, elle l'inculte, s'étaient réalisées, afin que nul n'oublie non plus qu'à peine se relevait-on de ces représailles que d'autres continuaient d'ailleurs, ou se perpétuaient depuis si longtemps, et Samuel aurait dit à la Vierge aux sacs combien il était perplexe et déchiré et ne pouvant se confier à personne, à elle, peut-être, dont il s'était moqué, l'inculte, l'ignorante petite fille et ses diaboliques réflexions, par un beau jour ensoleillé, à New York, où était-elle, sous quelle montagne de granit reposait-elle, l'auréole de ses cheveux sous la fange, dans les cailloux, il lui aurait dit qu'il se repentait, ô combien, de ne pas l'avoir écoutée, il lui aurait dit, je danse aussi, comme d'autres l'ont fait autour de moi, et même ce jour-là, avec leurs offrandes, en disant, venez que je vous offre un peu de joie, une caresse, un moment de bonheur dans le vacarme et la calamité, afin que l'espoir pour nous qui sommes si jeunes, ressuscite et ne meure pas, et elle aurait dit, cette Vierge aux sacs inculte, je ne sais pas lire, je ne sais pas non plus ce que je dis, c'est une révélation des cieux en délire, la Vierge aux sacs ne savait pas qu'un terrorisme aussi latent qu'ouvert menaçait depuis longtemps son pays, elle n'avait d'autre pays que la rue et la grisaille d'une clinique psychiatrique d'où elle s'était enfuie, assise sur les trottoirs de la ville, parmi ses sacs, sa bible sur les genoux, il lui avait semblé sentir autour d'elle des remous, toute une levée de tourbillons, terminant son cantique d'imprécations, elle avait demandé à Samuel où elle dormirait ce soir, serait-ce dans ce parc où elle avait vu prêcher l'Apôtre dans la rosée du matin, l'Apôtre qui lui avait dit, va chez tes parents, tu ne peux me suivre, car ma mission est de vivre seul et de prêcher partout l'espérance, ou dans une gare où la persécutaient les voyous et les skinheads, Samuel avait des parents, un foyer, la Vierge aux sacs n'avait rien, comme tant d'autres de sa peuplade errante elle ne connaissait pas même l'existence d'un pays qui l'aurait défendue, qui aurait protégé ses droits, et Samuel qui avait tout s'était moqué d'elle en disant, que racontes-tu là, petite sotte, tais-toi, je te prie de te taire, et elle avait dit, vous comprendrez enfin, fils des ténèbres, et il sera trop tard, la terre était pour Samuel l'héritage de ses parents, de ses grands-parents, que n'avaient-ils pas vu et entendu, pendant des décennies, des siècles, quand il s'agissait du bien, ils savaient ce qui leur appartenait, ils avaient leurs saints, Gandhi, Martin Luther King, des philosophes, des poètes éveillant la conscience des nations, ils avaient aussi, dans une même confusion, des chefs, présidents, ministres déchus et voleurs, d'autres, de nobles personnages qui ne faisaient que passer, comment Samuel aurait-il su ce qui se complotait contre les siens, bien avant qu'il fût au monde, dans une prison confortable où ne régnait aucune sanction, quelque insignifiant agitateur politique écrivait ce livre, c'était en 1924 dans une prison de Munich, l'agitateur dictait ses mémoires à des conseillers tout aussi venimeux que lui, Rudolf Hess, son chauffeur, ses associés, il dictait ce livre qui se vendrait bientôt à des milliers d'exemplaires, hymne subversif, l'hymne de la haine raciale d'où découleraient des millions de morts, dont les lointains cousins de Pologne qui avaient tous péri dans le village de Lukow, et ce grand-oncle dont Samuel portait le nom, fusillé en cet hiver 1942, Daniel, le père de Samuel, n'avait-il pas dit que Samuel, son fils, serait la renaissance, la continuité de tout ce qui avait été à jamais perdu, dans le village de Lukow, il serait la renaissance, la vie, et voici, pensait Samuel, que rien ne semblait pouvoir raturer les mots du Livre de la Haine, l'héritage de Joseph, le grand-père de Samuel, du grand-oncle Samuel fusillé dans la neige, s'il avait renversé Daniel au point que pendant sa jeunesse, il n'aurait trouvé d'oubli que dans les drogues, il renversait aujourd'hui Samuel à qui la violence du monde venait d'être dévoilée, le spectateur de l'histoire assimilait tout du documentaire des événements, ce film demeurait confondant, on se souvenait du masque mortuaire de Lénine montré à la foule, mais pourquoi une jeune femme anarchiste, dont le nom était inconnu, avait-elle tiré sur lui, bien que ce ne fût pas la cause de sa mort, longtemps la

balle du revolver était restée dans la nuque du révolution-
naire, ce qui troublait Samuel, pourquoi cette jeune anarchiste avait-elle accompli cet irrationnel acte de courage, il
n'y aurait pas de réponse, car l'anarchiste avait été tuée,
qu'était-ce gaspiller ainsi sa jeunesse, sa vie, pour quelque
haut motif à jamais incompréhensible, nos vies n'étaient
donc que ces gestes aussitôt volatilisés comme le geste de
cette jeune fille ne lui réservant que la mort qu'elle avait
voulu donner, elle avait appris de maîtres théoriciens
qu'elle avait lus ou approchés ses radicales leçons, deve-
nant l'adversaire de toute hiérarchie, de tout État, mais en
visant Lénine elle avait commis son acte seule, et cet acte
serait une charge suicidaire, stérile, quand elle y avait vu
peut-être une portée évangélique, une libération, on n'en
saurait rien, puisqu'elle avait été tuée sur le vif, aujour-
d'hui, la jeune anarchiste connaîtrait un sort comparable,
elle serait pilote d'avions qui s'embraseraient avec elle sur
des ambassades en Afrique, l'Armée de la terreur, à laquelle
elle appartiendrait, l'enverrait détruire avec elle-même
consulats et consuls, et l'on ne saurait jamais son nom, pas
plus qu'au temps de Lénine, car on punissait par le silence
le nom de ces volontaires bien qu'ils soient là quotidienne-
ment à mourir, l'anarchiste serait partout l'archange de la
mort, elle aurait heurté de ses ailes hier le Kenya, demain la
Tanzanie, plus tard, qui sait, peut-être l'École de danse où
étudiait Samuel, ou le théâtre où il dansait la nuit dans une
chorégraphie d'Arnie Graal, Samuel ne vivait-il pas, pensait-il, vivant, respirant, à l'intérieur de cette trame instable
d'où du haut du ciel cette divinité de l'anarchie avait tous
les pouvoirs, n'était-il pas, comme dans ce tableau du
peintre Hiraki Sawa, un tableau à la fois film animé et

peinture changeante en noir et blanc, l'artiste qui peint ou
qui danse dans son studio pendant que les avions décol-
lent de sa table de cuisine pour atterrir sur son lit, le ciel du
studio, de la chambre s'enchevêtre au ciel du dehors où se
croisent des avions impersonnels, ainsi vivait-on désormais en guettant ces trajets orageux dans le ciel, du haut
d'une armoire, comme l'avait peint le peintre japonais, ou
de son lit en désordre, les avions striant à toute allure
l'écran plasma qui en diffusait le parcours décousu,
brouillon, la vie, l'art de Samuel, ses prédilections pour la
musique, la danse n'étaient-ils pas greffés sur un dramatique présent, l'immense tension d'un présent immédiat
qu'on ne pouvait encore archiver, comme l'avait été le
passé de ses parents, de ses grands-parents, pendant que
ces avions semblaient décoller de la table de cuisine du
petit studio de Samuel, comme dans le film autoportrait
de Hiraki Sawa, et atterrir sur son lit, quand une voix
disait, prends garde, nous sommes là, à ta porte, nous
sommes, que tu le veuilles ou non, le design, tu es dans
notre quadrillage, entrelacé à nous, le design de ta vie
future, quoi qu'il arrive, tu dois te plier à notre usage, et
Samuel longeait cette rue où il avait vu la Vierge aux sacs,
se demandant où elle pouvait être maintenant, sous quel
amas de pierres, de cailloux toxiques, il aurait aimé lui dire,
quand se levait sur la ville le soleil de l'aube, n'est-ce pas toi
qui avais raison, Vierge aux sacs, ne serons-nous pas,
comme tu le disais, toi et moi, demain, qui sait quand, les
témoins de tous les attentats, où vis-tu, que ne puis-je te
retrouver, et Caroline dit, je ne veux pas de ce déjeuner,
Harriett, je ne veux rien, je sais bien qu'ils sont là à attendre
l'héritage, les cousins, les cousines, mais ils n'auront rien, je

donnerai tout à Charly, c'est une bien maigre fortune, maintenant Madame, dit Miss Désirée, cette fille, Charly, que vous avez laissée rentrer chez vous, quelle honte, taisez-vous, Harriett, dit Caroline, elle était à mon service, ne la calomniez pas, mais je veux bien un peu de thé, avant de sortir, où sont mes gants, mon chapeau, mon sac en toile, celui qui contient le poudrier, les clefs, Miss Désirée, pourquoi suis-je claustrée ici? Adrien et Suzanne viendront-ils dîner ce soir, et Charly, où est Charly? Je dois sortir, c'est indispensable, laissez-moi la revoir, je comprends tout, ses méchancetés, les larcins, escroqueries, quand je feignais de ne rien voir, elle m'a tout expliqué, jusqu'à la source de toutes ces injustices: personne ne veut se souvenir, quand ce souvenir ponctuait la vie de Charly, sa délinquance, ses erreurs, le bateau *Henrietta Marie* a laissé choir en mer tous ces esclaves jamaïcains, africains, ce qui était si mémorable, pourquoi Charly qui est jamaïcaine ne s'en souviendra-t-elle pas? C'est moi qui ai dit, n'en pouvant plus, oui, le bateau *Henrietta Marie,* j'en fus aussi coupable que les autres, bien que dans la maison de mes parents les domestiques fussent toujours bien traités, c'est moi qui ai dit à Charly, prenez tout ce qui est à moi, envoyez cet argent à votre famille, en Jamaïque, non, me répondait-elle, n'étaitelle pas honnête, intègre, à cause de cet homme blanc, mon père, de sa lignée de brigands des mers, de vendeurs d'esclaves, lui seul, mon père, porte la faute, ou bien ai-je dit, n'en pouvant plus de revoir ce bateau la nuit, et ses pitoyables ombres nageant autour de ses engins, Charly, ce qui est à moi est aussi à vous, signez ces chèques à ma place, je vous le permets, quelles sont mes raisons de vivre maintenant que Jean-Mathieu n'est plus, son nom ne se dérobe plus, Jean-Mathieu, il s'appelait Jean-Mathieu, quelles étaient sans lui soudain mes raisons de vivre, et le bateau *Henrietta Marie* massait les eaux, c'était le cauchemar de mes nuits, anéantissant, broyant un à un tous les naufragés, dont la mère de Charly que j'avais photographiée sur la plage, ses sœurs, et je disais, prenez tout, Charly, et elle m'embrassait en disant, ne sommes-nous pas bien entre nous, toutes les deux, je vous en prie, Caroline, chassez le cuisinier, la secrétaire, la bonne, que nous soyons enfin seules, et je lui disais, ils sont avec moi, depuis de nombreuses années, de la maison de mes parents, ils sont venus ici, je ne puis vivre sans eux, ne puis non plus les offenser, comme Charles avec Cyril, comment en vins-je à obéir, à me soumettre à toutes ses fantaisies, quand plus que jamais dans mes rêves, la nuit, s'enlisait le bateau *Henrietta Marie,* son sillon d'épaves, nue dans la piscine, Charly s'ébrouait, ne l'avais-je pas rendue libre, en lui donnant tout ce qu'elle voulait ? Charles m'avait écrit que, lié à un contrat, Cyril avait de fréquents départs pour l'Angleterre, les États-Unis, était-ce vrai, était-ce faux, Cyril était acclamé dans des pièces de Tennessee Williams, écrivait Charles, ne partageait-il pas avec les héros de ces pièces la sensibilité, les hantises, Charles exagérait-il, je n'en sais rien, il était souvent seul dans son printemps indien, écrivant seul dans son ashram, le printemps et ses fleurs, Cyril, l'avidité de ce corps jeune tumultueux, l'extase de ce printemps indien n'étaient-elle pas un peu fugace, là où Charles voyait en Cyril cette vigoureuse bête de la jeunesse, je me demandais s'il était vrai que Cyril fût si acclamé, n'était-il pas plutôt le paon de l'illusion, étendant autour de Charles son splendide plumage, l'ensorcelant des reflets métalliques de ses yeux si clairs, dont Charles méconnaissait la faculté analgésique, était-ce cela, aimer, écrivait-il, ces départs, ces absences, j'attends les critiques qui me confirmeront la nécessité de ces départs fréquents de Cyril et n'ai encore rien reçu, il était indubitable, écrivait Charles, que Cyril, si peu conformiste et doué d'une désobéissance naturelle, partagerait la sensibilité nerveuse des héros du grand auteur du Sud, il y manquait un détail toutefois, quoi qu'il fît, Cyril n'était jamais fautif, comme les héros des pièces dans lesquelles il jouait ; il n'était jamais blâmable ni impardonnable, bien que Charles eût souvent les preuves du contraire, c'était un être qui ne connaissait aucun état de culpabilité, quoi qu'il fît, et un comédien ne devait-il pas éprouver tous ces états d'âme ? C'était une lacune, chez Cyril, écrivait Charles, et où était Cyril, pourquoi ne lui avait-il pas encore écrit, et je pensais, nous voici, Charles et moi, sous le charme de nos sorciers, attendant un mot d'un téléphone portable, une lettre, l'aumône d'une parole amicale, quand Jean-Mathieu ne m'avait ni écrit ni téléphoné, je demandais à Charly, quel est donc ce liquide que vous versez dans mon verre, elle disait, cela vous permettra de mieux dormir cette nuit. Le bateau *Henrietta Marie* s'estompait la nuit sur les eaux, je dormais mieux, n'attendais plus Charly quand elle rentrait à l'aube, dans le tapage de ses souliers qu'elle lançait contre le mur. Le malheur, écrivait Charles, c'est que Cyril se glorifie de séduire les femmes autant que les hommes, pensez à tous ces cœurs qu'il brise, sans le moindre souci, c'est comme lorsqu'il écrase dans le craquement de ses longs doigts une boîte de bière, l'une après l'autre, je ne puis supporter ce bruit ni les dommages qu'il se fait, trop d'alcool, de femmes, de garçons, non, il n'avait rien écrit de tout cela, mais je lisais ce que la solitude de Charles ne disait pas, sa tendresse déçue, ou était-ce la mienne, je demandais, ce liquide dans mon verre, pourquoi, Charly? Elle me disait, mais c'est afin que cessent vos migraines, vous verrez, vous ne sentirez plus rien, et c'était juste, je cédais à l'engourdissement occulte de la douleur, et je dormais mieux, je recevais soudain une missive de Charles, Cyril était de retour à Delhi, ils étaient heureux, Cyril, c'était vrai, non pas un mensonge, comment Charles avait-il pu être effleuré par le doute, se reprochait-il, Cyril avait été acclamé à Londres, à Boston, quel talentueux acteur, quel ami, que cela fût vrai ou faux, je le croyais moi aussi, Cyril ne pouvait-il pas jouer tous les rôles, que ce fût celui du gigolo au cœur aimant et insondable ou un personnage d'une réprobation intérieure plus sophistiquée, il stimulait sur scène comme dans la vie, stimulait, attisait la chair dormante, et c'est avec gratitude que l'on se jetait à ses pieds, c'est à cette période que je fis un rêve, je recevais de l'Inde une lettre de Charles, cette lettre sur du papier mat n'était pas écrite avec des mots, on y voyait agrafés, tels des signes, des aiguilles, des épingles qui scintillaient comme de fines pièces argentées, mes yeux brûlaient à lire ces symboles, chacune de ces pièces finement ciselées, n'était-elle pas ma concession à Charly, ou si c'était de Charles que parlait cette lettre, chacune de ses concessions à Cyril, ou le nombre qui allait en s'accroissant de nos concessions, je ne sais comment j'en arrivai à me disputer avec Charly, je crois qu'elle convoitait un bijou que je ne pouvais lui offrir, un présent familial auquel je tenais particulièrement, c'était absurde mais j'étais butée soudain, me disant, cela, non, mon enfant

féroce, je te résisterai, dusses-tu complètement me dé-
pouiller, qu'avais-je fait, elle devint violente, un coup par-
tit de sa main vers mon visage, j'aurais pu la congédier à
cet instant-là, je ne le fis pas, je m'enfermai dans ma
chambre, pendant plusieurs jours, bien que Charly me
suppliât de lui pardonner, observant cette marque à mon
visage, je décidai de ne plus sortir, car qu'en diraient mes
amis, Adrien, Suzanne, Tchouan, Olivier, et tous les autres,
Charles se frappait accidentellement la tête contre un
arbre, pendant une course sportive avec Cyril, dans un
parc, nous étions tous les deux humiliés, dégradés, on
nous traversait d'épingles et d'aiguilles comme l'avait fait
tant de fois Charly trouant d'épingles, d'aiguilles les poupées de sa sorcellerie, et pourquoi n'ai-je pas congédié
Charly, alors, et Charles, Cyril, ce fut un petit incident,
écrivait Charles, vous savez, ma chère, combien je peux
être nul à ce sport de la course, je n'avais qu'à ne pas être
aussi téméraire, voilà tout, les jeunes gens ont toujours raison lorsqu'ils sont téméraires, intrépides, et nous, toujours
tort, nous partons dans quelques jours pour la Hollande,
Cyril et moi, il est vrai ou est-ce vrai ou faux que ce n'était
qu'un incident, mais il n'aurait pas fallu voir mes amis, si
légère fût cette marque, même sous un large chapeau de
paille n'était-elle pas visible, ce n'était que vanité bien sûr
mais je pris l'habitude de ne plus sortir, ce n'est pas que
Charly eût à me contraindre à le faire, je le voulais bien, ou
bien ma volonté était comme une lampe dont les lueurs
vacillent, et je pensais à ce temps où cette même villa, ses
pavillons, ses cottages, ma maison avait été accueillante
à toute une société brillante, oh, ce n'était pas comme la
maison de Mélanie et Daniel qui devint une maison pour

les réfugiés Julio, Jenny, Marie-Sylvie de la Toussaint, mais je recevais chez moi une élite intelligente, venaient Charles, Frédéric, dans mon jardin, aux abords de ma piscine, si j'étais une femme du monde c'était avec la passion intéressée des artistes l'intention de photographier tous ces visages, ces têtes qui m'entouraient, ayant conservé de mes études en architecture qui s'avèrent inutiles, lesquelles furent interrompues par la guerre, la précipitation dans un premier mariage, tant d'erreurs, un goût, une efficacité manuelle pour les plans, les constructions, ces visages, ces têtes de mes amis, d'êtres moins familiers, n'avais-je pas l'impression d'en être l'architecte, quand les reprenait, les consolidait, l'œil de mon appareil photo, n'entraient-ils pas dans la structure, l'ordonnance esthétique que je leur donnais, c'était avant Charly quand je disais à tous, soyez les bienvenus dans ma maison, autour de ma table, au temps où j'étais au bras de Jean-Mathieu une femme digne, quand Charly n'avait pas encore versé dans mon verre, avec l'euphorie d'une intoxication dont j'appréciais les bienfaits, ces gouttes d'un poison plus nuisible ; oui, ce sentiment de la faute que je n'avais jamais connu, ce qui n'était pas ma nature le devint, mes actions, même celles que je n'avais pas accomplies, furent préjudiciables, ce bateau *Henrietta Marie* avec tous ses noyés apparut désormais dans mes rêves, femme digne, légère, satisfaite, pourquoi n'avais-je pas ressenti auparavant cette action de faillir aux autres, c'est que ce poison était la pénombre de toutes mes pensées, j'aurais pu dire à Charly, assez, je ne veux plus rien entendre, mais je ne le fis pas, peut-être toute ma vie se mit-elle à verser avec le bateau *Henrietta Marie*, croulant dans les vagues, le souvenir des fauconniers me revient et cette enfant, une fille, que nous avions fait choir du bateau dans la mer, le premier mari et moi, allez, on ne veut pas de toi, il faut que tu sois expulsée du ventre de ta mère avant que tu ne sois viable, ce n'était pas l'heure ni le temps de naître, vite jetons l'enfant par-dessus bord, pour tant de femmes l'avortement était alors une boucherie, j'y fus odieusement indifférente, il me sembla être mutilée mais indifférente, était-ce vrai, était-ce faux, nous nous étourdissions de sorties, d'amusements factices si cruels, chasse à la gazelle de la brèche de la décapotable, chasse aux cerfs, quand le cerf fut capturé à l'agonie sur une voie ferrée, il disait, ou était-ce notre façon de raisonner, ce n'est pas l'heure ni le temps, des jours sombres, une ère fasciste en Europe, noirceur sur toute la terre, des chômeurs désabusés, des affamés partout qui attendent le pain, ces files d'hommes, de femmes dans les rues qui espèrent, quand rien ne vient, le désespoir des fermiers, ces femmes assises sur des barils devant des tentes, jeunes immigrantes déjà si fatiguées, dans leurs robes de coton, la pauvreté qui les mine, jours de novembre, de froid, de faim, partout avançait une force brute, sur les femmes, les enfants, nous n'avions pas le choix, c'était ainsi, tout était trop rapide, peut-être n'avions-nous pas le temps, dans cette noirceur, il ne pouvait en être autrement, la petite n'allait pas naître, il fallait s'y résoudre, oui ces quelques gouttes que versait Charly dans mon verre, chaque soir, m'étaient nuisibles, l'enfant, l'une des épaves, du bateau *Henrietta Marie,* dans la mer, me disait la nuit, maman, je ne parviens plus à remonter à la surface, aide-moi, et je lui répondais, ce n'est pas moi, c'est cette noirceur tout autour, je n'y peux rien, je ne voulais pas d'une enfant qui, en mangeant ses crêpes un matin, entendrait les détonations de Pearl Harbor, je ne voulais pas te voir courir de peur à travers des champs de riz, je ne voulais pas, non je ne voulais pas, les eaux du Pacifique étaient loin de nous, mais on ne pouvait se dissocier les uns des autres, dans la peur, en quelques instants, le sable de la baie, les berges, les quais se prolongeant jusqu'à la mer, l'océan, toute superficie de la ville d'Aiea, furent couverts de cadavres, était-ce le temps de naître, quand la vie était si peu viable, je ne pouvais penser à elle ni à tous ces embryons dont les mères se débarrassaient, tant d'épaves autour du bateau *Henrietta Marie*, des petites mains, pieds encore imparfaits dans leur malformation, ondoyaient, hors de l'eau, était-ce vrai, était-ce faux, je ne pouvais penser à eux, les voyant dans mes rêves, quand une voix indécise me disait, la dolence n'est pas pour toi, si tu as renoncé à l'architecture, tu peux accourir à la défense de ton pays, là où des femmes peuvent apprendre des métiers habituellement réservés aux hommes, pilote d'avion, lieutenant dans la marine, qui sait, j'oubliais la petite, si peu viable, cette vie, je n'avais pas la noblesse de Justin, avec qui j'allais discuter plus tard, de son livre que je jugeais sévèrement, publié dans la controverse, j'enviais ces scientifiques, leurs secrets dans la construction de leurs bombes, tenant entre les mains l'avenir de l'humanité, j'enviais, j'admirais ces physiciens, dieux du savoir, sans comprendre l'idée d'une supériorité partout victorieuse, ainsi pensent les êtres qui se sentent inférieurs, les femmes, les enfants, admirant ce qui semble si haut, au-dessus de leur condition, d'un élan sincère, mais où conduiraient cet orgueil, cette supériorité de ceux que j'admirais? Justin ne me fit jamais admettre que j'avais eu tort, je ne pouvais me ranger de son côté, la vie si peu viable de mon enfant me l'interdisait, n'avez-vous donc jamais réfléchi, me dirait Justin, deux petits garçons jouent dans la cour, sous un frais soleil d'août, quand ils tombent inconscients, dans l'herbe, tous les deux, leurs sœurs se tournent à peine vers eux, que s'arrachent de leurs corps des morceaux de peau roussie, ceux qui se souviennent ont vu ce soleil d'août se consumant en quelques secondes, relâchant sur eux ses pluies noires, on les appelle les pluies noires des ruines, ruines instantanées du verre se liqué- fiant, partout une fluidité poussiéreuse qui sent la mort, n'avez-vous pas réfléchi, Caroline, pendant plusieurs jours consécutifs, comme si ce n'était jamais assez, jamais assez, ces pluies noires, une pluie d'huile sur ces corps, ces visages, ce n'était qu'une idée, dans le bureau d'un savant, une idée expliquée sur l'ardoise, dans une salle de classe, la pensée d'une supériorité qui serait victorieuse bien que sans vengeance, en ce temps de vie si peu viable, et je m'y ralliais, contemplant ces grands hommes dans leurs salles de conférences, me disant, qui protègent-ils ainsi de tant de secrets, c'était l'explosion du soleil de ses pluies noires, ne me défendent-ils pas, ne me protègent-ils pas ces hommes, ne serais-je pas plus vulnérable sans eux, n'avez- vous pas réfléchi, me dirait le doux Justin, voulant répri- mer en moi ce désir de victoire, aucune victoire n'est bonne, voyez, nous en avons la preuve, il était moral, je ne l'étais pas, avec mon premier mari, mais surtout seule, j'avais commis mon acte d'expulsion de la vie peu viable, quand des pluies d'huile dévoraient une population, ses habitants, et c'est ce poison de la faute que Charly depuis qu'elle était à mon service insinuait chaque soir dans mes veines. Et dans sa barque motorisée, Julio attendait, immobile au milieu des eaux pétillantes à l'aube, quelle tranquillité, quand se calmaient les vagues, pensait Julio, on n'entendait que le bercement de la barque, le cri des mouettes s'emparant des captures des pélicans d'une preste envolée, en se posant assises entre leurs ailes, de façon à ravir d'une agile contorsion le poisson blanc pendouillant à leurs becs, les hérons gris, les aigrettes dépliaient leurs pattes, sur l'eau, était-ce à cette heure où tout n'était que miroitement, mirage, comme si l'on fût au premier jour florissant du monde, pensait Julio, qu'il verrait sur leur embarcation pneumatique Oreste, Ramon, Edna, leurs fantômes aux avirons, remuant l'air, haleurs sans voix, couchés ou debout sur leurs plates-formes flottantes, non, ce n'était plus pour eux tous que Julio faisait le guet, comme la mère de José Garcia, ils ne regagneraient plus le rivage, c'était pour lui, José Garcia, pour ceux qui viendraient, Cubains, Haïtiens, que Julio guettait, attendait, bien qu'il eût peu d'espoir, mais c'était vrai, ou était-ce une illusion, parmi les colombes au cou marbré, les lys d'eau, n'était-ce pas ici que l'on avait vu José Garcia, quand des pêcheurs l'avaient recueilli un jour d'Action de grâces, miracle du destin, il disait en pleurant, où est ma mère, où était le bateau qui les avait conduits de Cuba à des eaux profondes, où avait-il sombré, José Garcia, déshydraté, les lèvres gercées de fièvre, demandant, où est ma mère, cette mère qui avait pensé à tout, qui avait emmailloté son fils dans ses vêtements, les enlevant, les uns après les autres, elle avait su qu'elle n'en aurait plus besoin, et elle avait touché le front de son fils en disant, va, pour moi, là-bas, sois libre, heureux, pour moi, n'oublie pas, il l'avait vue qui plongeait dans les vagues, sous un soleil de feu, était-ce une illusion, un mirage, il demandait aux pêcheurs, où est ma mère, et eux ne disaient rien, surtout que le petit ne soit pas davantage peiné, chagriné, qu'il en vienne à sortir de son étrange coma, celui que les eaux de l'Atlantique avaient porté pendant plusieurs jours, plusieurs nuits, pourquoi ma mère, nos autres compagnons soudain en pleine nuit ont-ils cessé de ramer, ou ont-ils attendu la nuit pour plonger, chacun seul, dans l'océan afin que lui, José Garcia, n'en sache rien, vous savez, sa maman n'avait que vingt-cinq ans, il vaut mieux, oui, qu'il ne sache rien encore, illusion, mirage, avaient-ils pensé que José Garcia n'en saurait rien, si c'était la nuit, emmailloté, dans son nid chaud sous les étoiles José Garcia s'était endormi, sur son radeau, rêvant à ses cerfs-volants là-bas, dans son pays, ses frères, ses cousins les lui rapporteraient-ils et quelle était cette chose qui pesait si lourdement à l'arrière du rafiot, qu'était-ce, on aurait dit le poids d'un, de deux noyés, comme si leurs corps s'étaient étranglés dans les nœuds du cordage, une illusion, un mirage, quand José Garcia dormait sous les étoiles, quand tous, ils s'étaient tous enfuis, et que sa mère lui avait dit, adieu et dors bien, mon ange, ton odyssée, mon fils, ne sera pas la mienne, dors, mon ange, tant de nuits, de jours sur l'eau, te voici bien au chaud, tu n'as plus rien à craindre, ton père ne voulait pas que nous partions, je n'ai rien dit, dors, mon ange, que s'envolent jusqu'à toi, sur ton radeau de fortune, tes cerfs-volants, adieu, mon fils, la vie est ainsi faite de courage et d'innombrables peurs, toi que j'ai vêtu, ne crains rien, dors, là-bas, tu auras d'autres jouets, je veux que tu sois éduqué comme tes frères à l'école de la Petite Havane, adieu, José, José Garcia entendait ces mots de sa mère veillant sur son sommeil, la route maritime serait longue, son radeau toujours cerné de requins, une seule bulle de sang sur les tempes d'un noyé aurait suffi à les attirer, ma mère, où est ma mère, demandait-il à ceux qui l'avaient recueilli, ma mère, brise, douceur du vent, brise, brise des doigts de sa mère dans ses cheveux, brise chaude du village de pêcheurs où il avait grandi, il dérivait entre ces corridors des mers, des océans, soudainement glacés, où était cette brise, sous quels nuages gonflés de pluie, de tempêtes, où étaient-ils tous, sa mère, les compagnons, balseros, balseros, était-ce une illusion, un mirage, soudain on ne les vit plus sur l'eau, et voyant venir vers eux, sur les vagues, ce mince ballot, qu'était-ce, un enfant, et si petit derrière l'embarcation, dans les nœuds de ses cordages, le corps d'un homme qui s'y était accroché, les pêcheurs eurent pitié, appelant les garde-côtes, un ballot si mince, était-ce une illusion d'optique, nous avons failli ne pas le voir, se souvenait-il, José Garcia, qui délirait de soif, que sa mère, les balseros, trop pauvres pour payer des milliers de dollars, une embarcation dont le moteur était déficient, se souvenait-il du prix de ce voyage, dépeuplant leurs forêts de leurs plus beaux oiseaux, ils n'hésitaient plus à les vendre, pour un passage, une nuit sur l'eau de plus de dix heures, et la couronne de ces oiseaux captifs, vendus au marché noir, suivait-elle de son tracé marin José Garcia sur son radeau, somptueux oiseaux qui ne chantaient plus, séparés de leurs arbres, de leurs forêts, José Garcia avait-il cru les entendre, ne serait-il pas lui aussi vendu, acheté, lorsque les garde-côtes le confieraient aux toutes-puissances des pays, à la rapacité des intérêts qui déjà se le divisaient, partout, dans les villes on vit la tête de José Garcia, sur les affiches, les posters des autoroutes, les uns disaient, tu es à nous, les autres, qu'on le renvoie dans son pays, ils se le partageaient, dans la cupidité, le gain, José Garcia, vendu, médiatisé, qui, à peine sauvé des eaux, avait acquis une bicyclette, des téléphones aux vertes phosphorescences, tant de jouets qu'il ne savait plus qu'en faire, les oiseaux muets, dans la peur, les oiseaux vendus par les balseros au marché noir, où étaient-ils, avait demandé José Garcia, et ma mère, qui a vu ma mère, et dans un des téléphones qu'il portait à la ceinture de son nouveau jeans, José Garcia entendit la voix de son père, reviens vers moi, mon fils, lui disait-il, tu sais que je n'approuvais pas ce départ, et vois, tu n'as plus de maman, tu n'as désormais que moi, n'écoute pas ces oncles, reviens, mes cheveux sont longs, je t'attends pour aller avec toi les couper, chez notre barbier du village, je ne les couperai qu'à ton retour, car je t'aime, reviens, fils, je ne veux pas que tu étudies dans cette école de la Petite Havane, tu seras comme moi, communiste, c'est notre choix, je t'expliquerai plus tard, reviens dans ton village, tes amis t'attendent tous les jours, j'ai dû vendre tous mes biens afin de pouvoir te téléphoner, je sais que notre choix est le meilleur, tu dois être la fierté de ton pays et m'obéir, je laisse pousser mes cheveux en pensant à toi, José Garcia, reviens, fils exilé, sinon tu pourrais le regretter, il y a des punitions pour ceux qui dérogent à la loi comme l'a fait ta mère, tu n'as que moi, ton père, j'ai dû vendre tous mes biens afin de pouvoir te téléphoner, tu es à moi, tu entends, José Garcia ne savait comment détourner de lui ces clameurs, persiflages, ma mère, où est ma mère, semblait-il demander à ceux qui le perturbaient, du colossal poster de l'autoroute, ou dans son maillot à rayures, ne posait-il pas cette question à la foule, savez-vous ce qui m'arrivera demain, Julio guettait, attendait, qu'était-ce que ce point noir à l'horizon, illusion ou mirage, était-ce un rafiot bourré d'hommes, d'enfants, souvent sans mères, s'ils étaient cubains une dérisoire protection légale leur serait octroyée, haïtiens, ils seraient relancés à la mer sur leurs radeaux, eux, pensait Julio, qui étaient exclus de la terre, on ne pouvait dire de cette terre qu'elle était promise, conquise plutôt par d'avares possesseurs où qu'ils soient, d'un côté à l'autre de l'Atlantique, ils repousseraient de leurs frontières ces piteuses cargaisons de Chinois, d'Haïtiens, sourds à leurs plaintes et chahuts, Julio, lui, continuerait de guetter, d'attendre, il avait écrit à Samuel à New York qu'il avait fondé avec Daniel, et l'appui d'une Association cubaine, une Maison Refuge, dans la ville, pour ces rescapés, que lui Julio attendait, guettait, de l'aube jusqu'au soir dans sa barque, ce jeune Samuel que Julio avait beaucoup aimé lorsqu'il était enfant, celui qui avait remplacé Ramon, Oreste, disparus en mer, n'avait-il pas changé, n'était-il pas un peu distant, ou plus renfermé, Mélanie disait que Samuel ne lui témoignait plus le même attachement, bien qu'il eût peu d'espoir, Julio attendait, guettait, qu'était-ce que ce point noir à l'horizon, illusion ou mirage, on aurait dit dans ces cris de joie les silhouettes contre le ciel de Ramon, Oreste, Edna, et Augustino qui se levait très tôt pour écrire, imitant son père, souvent debout avant l'aube, lisait à l'écran de l'ordinateur de sa chambre en hauteur d'où il voyait la mer ces mots qu'il avait écrits, un chœur invisible de la destruction, je suis persuadé que l'on cache dans cette île des missiles stratégiques, mais personne ne le sait, comment Augustino affronterait-il

Daniel, ce père vindicatif qui n'aimait pas que son fils exprime le désir de devenir écrivain, qu'était-ce que cette folie d'écrire pendant des heures dans sa chambre, quand Augustino avait reçu une éducation sportive, ces missiles, on ne les voit pas, avait écrit Augustino, mais ils sont là, partout, dans la clarté de l'aube, sur l'eau, les tièdes couleurs du ciel, si Augustino se sentait inexpérimenté pour décrire une emprise du dehors de sa vie qui lui semblait inexorable, lui qui vivait à l'abri de tout conflit dans la maison de ses parents, ce qui chamboulait davantage toutes ses pensées, c'était ce rêve, lequel semblait aussi réel, palpable que l'histoire des missiles qu'écrivait Augustino, ce rêve dont il pouvait sentir le poids sous ses yeux ensommeillés, il avait vu sa grand-mère avec la certitude qu'elle tendait vers lui ses bras, d'une autre vie, et Augustino en venant vers elle qui n'était plus, bien qu'elle fût la même pourtant, toute menue depuis qu'il était si grand, avait eu l'impression de pleurer longuement sur son épaule, en lui disant, ne pars pas, ma chère grand-mère raffinée, ou si elle était là toujours aussi tendre, n'était-ce pas dans un diaphane brouillard, se remémorant ce rêve, Augustino sentait couler les larmes sur ses joues, serait-ce vrai, un jour, que sa grand-mère ne serait plus près de lui, adorant son petit-fils autant qu'elle le contraignait, cette contrainte, impérieuse, pensait Augustino, de s'habiller pour dîner le soir, comment se soumettre à toutes ces règles, le silence morose des enfants à l'heure du dîner dans leurs raides habits, cette autre tyrannie de sa grand-mère exigeant une politesse exagérée envers Marie-Sylvie la gouvernante qui avait si mauvais caractère, camouflant ses élans câlins, les réservant pour Vincent, mécontentant Augustino avec ses sourires rusés, un peu désaxés comme ceux de son frère, Celui qui ne dort jamais, dont elle avait trop couvé la démence, oh, il y avait longtemps que le mal rongeait son frère, disait-elle, depuis leur départ, dans ce bateau de la Cité du Soleil, voyez-moi ce pays qui brûlait, flambait encore, ses savanes, ses plaines sur les terres décharnées, comment cultiver désormais les bananes, le coton, le cacao, et Augustino ne prenait-il pas outrageusement ses trois repas par jour, c'est en écoutant les imprécations de Marie-Sylvie de la Toussaint qu'Augustino pensait, je serai écrivain, la gouvernante me traite injustement, elle a ses raisons, j'écrirai son histoire, et celle de Julio, si contraignante que soit sa grand-mère, elle avait toujours admis qu'Augustino serait, un jour, écrivain, philosophe, la dyslexie de Samuel n'était-elle pas un obstacle à des études prolongées, on dut admettre aussi les dons singuliers de Samuel pour le théâtre, la danse, on n'y pouvait rien, c'était en lui, quant à Augustino, disait sa grand-mère, s'il était vrai qu'il était né pour écrire, il lui fallait d'abord apprendre, étudier, à quel collège, quelle université notoire l'enverrait-on à l'automne, au Collège des sciences et mathématiques où deux mille étudiants du XXIe siècle bénéficieraient des outils les plus progressifs de la technologie, et plus tard Yale, Harvard, la liste serait longue de ces universités de renommée qu'éliraient pour lui son père, sa grand-mère, Mélanie s'éloignerait de ces complots, l'absence de Samuel la meurtrissant encore, nos enfants nous étaient donc ainsi extirpés l'un suivant l'autre, renfrogné, Augustino imaginait les attroupements d'étudiants sur les campus, dans les laboratoires, les bibliothèques, à eux les études supérieures, l'apanage de la connaissance, la victoire universitaire, à chacun sa voiture de l'année qu'il rangeait avec insolence sur le terrain de stationnement, une Saab, une PT Cruiser Turbo, la voiture, l'étudiant de performance, semblable à sa voiture, comment estimer la valeur d'une telle vie quand Augustino pensait à l'existence misérable, jadis, de Marie-Sylvie de la Toussaint, comme son frère forcené Celui qui ne dort jamais, serait-il demain, lui, Augustino, avec son intelligence, son savoir, le premier de cette classe d'élite des deux mille étudiants du XXIe siècle, cela aurait-il un sens, si ce siècle était destiné à une fin escarpée, décidée par la projection de ces missiles que tous refusaient de voir ? S'il fut conclu par Daniel, le père d'Augustino, que son fils ne deviendrait jamais écrivain ni poète, mais médecin étudiant la neurologie, oui, Augustino étudierait les affections du système nerveux, son père lui attribuerait ce rôle, mais non le droit d'écrire qui déséquilibrait la santé, qu'Augustino se souvienne de la tuberculose de Kafka, s'il en était ainsi de l'avenir d'Augustino que traversaient comme des lances les missiles, serait-il le médecin qui dépisterait une origine nerveuse aux essoufflements de son frère Vincent, à ses convulsions, à ses spasmes, serait-il le médecin chercheur qui guérit, médecin ou poète, Augustino ne pouvait concevoir l'avenir sans sa grand-mère, sans elle, ne serait-ce pas comme marcher dans la touffeur d'orage d'une jungle inconnue, et en cette nuit qui parfumait le jasmin, dans le jardin de Tchouan, Daniel pensait à Augustino écrivant sous la lampe, près de la cache voilée où dormaient ses perruches, quelle pitié si ce petit se mettait en tête d'écrire, pensait Daniel, il se sentait lui-même compressé par son livre, songeant que si l'on pouvait innocenter le chien de Hitler, déclarer innocents aussi les enfants des dignitaires réprouvés, où irait la féconde infamie de ces pères, car elle serait inexpugnable, influençant plusieurs générations, soudain elle serait hébergée, comme des poussières d'atome dans le vent, aussi nocives, dans le cœur de deux jeunes garçons, Alex, douze ans, et son frère Derek, treize ans, pieux enfants des messes, des sacristies, qu'avaient-ils fait, cheveux arrangés, peignés, ne laissant entrevoir que l'oreille rose, cravate grise sur chemise blanche au col serré, anges des églises, comment avaient-ils inculpé leur père, par quel mystérieux tribunal le brutalisant jusqu'à ce qu'il expire sous les coups d'un bâton de baseball, la couche d'aluminium revêtant le bâton ferait mal, ne le savaient-ils pas, mais l'inexpugnable infamie les avait touchés, combien de fois l'avez-vous frappé, avait demandé le juge, une dizaine de fois, peut-être onze, ensuite nous avons incendié la maison, et nous avons fui, nous avons commencé par la chambre des parents, nous étions chez nous dans notre maison de Pensacola et, assis sur le sofa, papa buvait son café d'un air détendu, c'était après sa journée de travail, quelle heure était-il, Derek, un peu plus de minuit, Monsieur le Juge, papa nous appelait ses petits Masterminds, il n'avait pas tort, nous avions l'intention de faire accuser quelqu'un d'autre à notre place, Rick le prédateur d'enfants, qui avait déjà fait de la prison, notre père aussi était l'un de ces prédateurs, alors nous l'avons puni, la mère biologique d'Alex, Derek, avait nié ces accusations, le père des enfants était un homme bon, protecteur, disait-elle, Alex, Derek multipliaient-ils les astuces ou disaient-ils la vérité, enfants de chœur d'une célébration des offices criminels, ils seraient jugés séparément, envoyés séparément dans des prisons juvéniles, qu'avaient-ils ressenti ensemble, pensait Daniel, en assénant des coups sur le crâne de leur père, l'un d'eux confierait à un détective, ah non, c'était laid à voir, ce trou dans la tête, la peau du visage toute gonflée, c'était comme un méchant rhume, avec le nez obstrué, bien laid à voir, mais cela ne pouvait plus continuer comme avant, nous attendrons jusqu'à notre vingt-troisième année puis nous serons libérés, qui étaient Derek, Alex, sinon un cloaque, leurs deux âmes servant de dépôt aux immondices du passé, celles des pères nazis et tortionnaires dont se perpétuait l'ouvrage, Derek, Alex, cravate grise sur chemise blanche, et leurs angéliques visages mensongers, un cloaque, leurs deux âmes engourdies par la cruauté, ne fallait-il pas les innocenter eux aussi, pensait Daniel, et comme il cherchait Mélanie du regard, discutait-elle avec Olivier, n'était-il pas un peu tard, mais quelle douceur de vivre la nuit sous les étoiles, il entendit tel un grelot cristallin la sonnerie de son téléphone, portant le mince objet à sa tempe, il entendit dans des lueurs effervescentes la voix hors d'haleine de Vincent, papa, c'est moi, je ne parviens pas à dormir, papa, et Daniel répondait à son fils qu'il était l'heure de dormir, ne lui avait-il pas téléphoné déjà deux fois aujourd'hui, et dis-moi, Vincent, tu as aimé cette randonnée en kayak, raconte-moi tout, des hectares et des hectares de montagnes et de lacs, tu sais qu'il y a bien des années les glaces recouvraient entièrement le nord du continent, tu marches un peu chaque jour, n'est-ce pas dans les forêts de feuillus, avant ta naissance, Vincent, ta mère et moi allions chaque année escalader le mont Mansfield, n'oublie jamais ton imperméable lorsque tu pars dans les sentiers avec ton instructeur, ta maman préparait la tente, moi le réchaud, pour notre repas, ce que nous aimons le plus, c'est dormir ainsi, comme sur le sommet du monde, parmi les cerfs, les biches, qui vont s'abreuver dans les étangs, les rivières, tu m'entends, Vincent, ne sors jamais sans ton imperméable, tu toussotes encore un peu, te sens-tu un peu mieux, Vincent, Daniel entendait-il vraiment la voix de son fils, si tard dans la nuit, papa, disait la voix abrégée par l'essoufflement, je veux revoir Marie-Sylvie, *Lumière du Sud,* oh, *Lumière du Sud* notre bateau amarré à la marina, *Lumière du Sud,* l'air de la mer, papa, même si tu dis que je ne dois pas, et Mélanie, ta maman, ne veux-tu pas revoir ta maman, demandait Daniel, elle est ici avec moi, nous sommes chez Tchouan et Olivier, c'est l'anniversaire de ta grand-mère, tu te souviens, Daniel n'entendait qu'un murmure de voix, dans la brume, Marie-Sylvie, la mer, le bateau de Samuel, *Lumière, Lumière du Sud,* oui, il vaudrait mieux, pensait Daniel, que son fils Augustino ne devienne jamais écrivain, et Olivier disait à Mélanie, on ne le croirait pas, mais il y eut des progrès en ce 28 août 1963 à Washington, président des étudiants noirs dans notre Comité d'étudiants pour la non-violence, ce jour-là, pendant la marche sur Washington, même si j'avais un vaste auditoire, je me sentais très seul, des policiers blancs nous surveillaient hostilement, nous conférenciers, peut-être avais-je très peur, et même peur de cette foule de trois cent mille personnes, je me disais, prie, Olivier, concentre-toi et prie, afin de te conduire comme un homme, un chef, et soudain ce fut comme être soulevé par les vagues de la mer, je fus rasséréné par ce que je vis, à ma gauche des groupes de jeunes gens, debout, assis dans les arbres et qui m'écoutaient, je voguais avec les miens, sur cette mer de l'humanité, et chacun, autour de moi, chacun semblait dire avec moi, crier ces paroles afin qu'elles soient bien entendues, nous, que l'on appelle les Nègres de ce pays d'abondance, Monsieur le Président, quelle que soit votre volonté, nous ne bougerons d'ici que lorsque quelque chose aura changé... nous voici qui marchons dans les rues de Washington, vers vous, Monsieur le Président, ces rues qui sont à nous, maintenant... nous avons été très patients, trop patients, nous ne le sommes plus, doutant que cette société ait vraiment évolué, Mélanie écoutait Olivier, et ces femmes qui furent, il y a peu de temps encore, dit-elle, bâillonnées, censurées, emprisonnées, comme le fut l'infirmière obstétricienne Margaret Sanger, simplement parce que ses idées étaient les miennes, et celles de tant de femmes d'aujourd'hui, que chaque femme ait droit à la contraception, à une méthode anticonceptionnelle sûre, était-ce sciemment qu'Olivier haussait les épaules, semblait moins attentif aux paroles de Mélanie bien que la nuit fût superbe, un assemblage de bougainvillées et de lys d'Afrique embaumant de leur insidieuse ivresse cette tonnelle où se tenaient Mélanie et Olivier, un peu à l'écart du bruit de la fête, Mélanie se désola soudain de se sentir si mal comprise par cet homme qu'elle admirait, mais il n'en était rien, peut-être, voyant ses chiens venir en bondissant vers lui, Olivier parut insouciant, amusé, mes amis, disait Olivier, mes braves amis, je ne puis donc être seul sans vous, Mélanie vit cette main forte d'Olivier qui empoignait une orange d'un vase de verre que Tchouan avait rempli d'oranges et de citrons, quel fruit savoureux dit Olivier qui découpait la pelure de l'orange avec ses dents,

qui calme la soif en cette nuit chaude, si Olivier était si vite
diverti de ses propos, c'était bien naturel, en cette nuit de
fête, pensait Mélanie, nuit de sensualité capiteuse à laquelle
cédait même Olivier en dégustant une orange, humant les
corolles des lys d'Afrique, lesquelles semblaient déborder
de l'arcade de la tonnelle jusqu'à leurs deux visages, quand
Mélanie, elle, ne cessait d'être préoccupée par sa propre
lutte, on verrait demain, non plus par milliers, mais par
millions, pensait-elle, des femmes marcher dans les rues de
Washington, ressortant de toutes les époques de leur histoire, Margaret Sanger ne serait plus la seule dont la mère
irlandaise catholique de onze enfants soit morte si jeune,
on verrait dans la bousculade, empressées de juger leurs
censeurs obscènes, ceux qui les avaient maintenues si
longtemps dans l'ignorance, les auteurs de ces épidémies
de morts de nourrissons, de leurs mères, ces auteurs de
hontes secrètes, la syphilis, la gonorrhée, on les reverrait
toutes, pensait Mélanie, ce serait une murale vivante si de
jeunes artistes du Nouveau-Mexique, telle Erin Currier,
peignaient à l'aide de collages, par revendication politique,
cette grandiose murale de femmes coupées du monde,
sous leurs voiles, nous montrant leurs mains ligotées,
femmes veuves de leurs vies, les yeux noyés d'une fataliste
peine, par centaines, par milliers, quand Mélanie pensait
que bientôt serait morcelée, fractionnée, appâtée par une
nouvelle éthique, de nouvelles mœurs, toute cette murale
de veuves, des pleureuses sous le voile, qu'en dépeignant
l'esclave l'artiste proclamait la liberté, allons, allons, vos
pattes vont me salir, disait Olivier à ses chiens, ce que Mère
énonçait au sujet de ces lys africains, n'était-ce pas vrai que
leur odeur vous enivrait, c'était ce vertige, oui, telle une

griserie des sens, et Petites Cendres sortit du Saloon dans la
rue, les reins dégouttant de sueur, après les sèches vaporisations du sauna, il y avait là tout un ramassis de gens, des
policiers, leurs voitures hurlantes, dans la nuit, que se
passe-t-il, demandait Ashley à la Reine du Désert qui
apparut, sa perruque à la main qu'elle tenait avec précaution dans une nuée d'éclairs rouges, c'est l'un des trois
modèles new-yorkais, le blondinet, mon favori, dit la
Reine du Désert, il a volé une moto, il n'a pas l'autorisation
de conduire, c'est encore au sein de sa mère, ils ne vont pas
l'arrêter, dit Petites Cendres, c'est le garçon qui m'a si gentiment souri, boutonne ton corsage de fille et ta braguette,
dit la Reine du Désert, a-t-on idée de se présenter ainsi
dans la rue, lorsque j'ai entendu la sirène des policiers,
dit Petites Cendres, j'ai su, mon Dieu, ils lui mettent les
menottes, on l'humilie comme on m'a humilié tant de fois
avec ces bracelets reliés par une chaîne, ah, les vermineux,
les pouilleux, ils ont arrêté mon garçon, il faut appeler sa
mère à New York, dit Petites Cendres, éploré, soyons raisonnables, dit la Reine du Désert, en désignant les deux
amis du garçon blond, le charmant Asiatique, le Mexicain
à la frange brune, voyez comme ils ont de la prestance, ces
trois gamins, chacun a son amant couturier et qui sait
toute une constellation de beaux messieurs, ne t'en fais
donc pas, Petites Cendres, il ne séjournera pas longtemps
derrière les barreaux, les vénéneux et les pouilleux, répétait
Petites Cendres, se saisir ainsi d'un enfant, les deux autres
garçons du trio penchaient leurs têtes étonnées vers leur
ami que les policiers avaient rabroué, comme s'il était un
paquet sur le siège arrière de leur voiture, il est innocent,
disaient-ils, c'était un jeu, chacun de nous avait parié qu'il

conduirait la moto, sans permis, que vous ne soyez que des
mineurs, nous sommes bien tolérants, dans cette ville, dit
l'un des policiers, mais un vol est un vol, Petites Cendres
vit la cohue qui se dispersait, devant les barrages des voitures des policiers, soudain Petites Cendres remarqua que
le garçon blond, à peine visible derrière la vitre de la voiture, sous son rideau de cheveux, lui souriait, tout en lui
faisant un signe de ses poignets enchaînés, comme s'il
disait à Petites Cendres, je m'en sortirai bien, tu verras, que
Dieu te bénisse, ma gentille canaille, cria Petites Cendres,
que Jésus soit avec toi, n'a-t-il pas dit, que viennent à moi
les petits enfants, bon, ce sera bientôt la seconde représentation de mon spectacle, dit la Reine du Désert, il ne faut
pas trop les plaindre, ils ont de bons oncles, de bons par-
rains, faute de pères véritables, de mères, ils ne sont pas
comme ces garçons qui se vendent dans les rues de Moscou, et qui logent dans des boîtes en carton, frissonnant de
froid avec leurs chiots serrés contre eux, que Dieu ait pitié,
je l'ai toujours dit, dit Petites Cendres, de cette fournaise
qu'est la terre, Dieu n'a rien à voir avec cela, dit la Reine du
Désert, je ne sais pas de qui tu parles, si la terre est cette
fournaise, c'est parce que règne la froideur, l'indifférence,
je serai en retard si je n'y vais pas, tu ferais mieux de te rha-
biller, Ashley, a-t-on idée de se présenter dans la rue, tout
dépenaillé, que Dieu te garde, dit Petites Cendres, tout
ébloui que le garçon aux cheveux blonds lui ait souri, vous
ne le savez pas, mais Dieu existe, j'en ai la preuve chaque
jour, chaque nuit, pendant ma pauvre existence, dit Petites
Cendres, toi et tes sornettes, dit Timothy, qui apparut sur
le seuil du piano-bar du Vendredi Décadent, c'était l'un
des pubs pour touristes qu'il fréquentait, Timo, mon

Timo, dit Petites Cendres, tu ressembles à un homme dans les affaires, un banquier, mais c'est ce que je suis, dit Timothy, hé, pas de familiarités, ne m'embrasse pas en public, j'ai une clientèle chic, moi, tu sais qu'un journaliste m'a interviewé dans le pub, je ne lui ai pas dit mon nom, tu n'es pas un fournisseur ordinaire, dit Ashley, ils descendaient la rue vers l'océan côte à côte, Timothy éclaboussant de la fumée de sa cigarette les paupières, le front de Petites Cendres, c'était une fumée un peu saliveuse, pensait Petites Cendres, tu l'as bien astiquée, ta veste de cuir, et tes cheveux, tu les as bien lustrés à la brosse, pour les sourcils, je saurais comment te les épiler, moi, au sauna, on me le demande souvent, non, tu n'es pas un fournisseur de sexe ordinaire, dit Petites Cendres, et que lui as-tu dit à ton reporter, qu'avec les hommes, pour moi, ça ne comptait pas, que ce n'était que pour l'argent, avec les femmes mes relations sont vraiment longues, parfois un an, deux ans, elles ne savent rien de ce que je fais ici, je lui ai dit qu'un jour je serais océanographe, que j'étudierais les algues, l'océan, c'est tout ce que nous avons, que je retournerais à Savannah, quand cela, demanda Petites Cendres, dans quelques années, je dois d'abord m'enrichir, dit Timothy, il m'a posé des questions sur ma famille, cet imbécile, rien à dire, ma morale, mes valeurs ne viennent que de moi, depuis l'âge de dix ans que je me débrouille seul, et les drogues, il voulait tout savoir sur les drogues, si mes clients étaient vieux ou jeunes, jusqu'à soixante-quinze ans, ai-je dit, et que je n'aimais pas les officiers de police dans le commerce, ils peuvent vous battre, oh, pas tous, pour les condoms il était très anxieux, j'ai dit, parfois, mais souvent j'oublie, océanographe, ce serait bien comme métier, interrompit Petites Cendres, pas d'avenir pour toi dans cette île, il te faut une clientèle moins passagère que celle du Vendredi Décadent, tapant Petites Cendres sur l'épaule, Timothy dit qu'il avait un rendez-vous avec quelqu'un dans la marine, je suis attendu, pendant que Timothy s'en allait d'une démarche assurée, la cigarette aux lèvres, Ashley se souvint de cet homme à la grosse nuque, une brute, pensa-t-il, qui lui avait ordonné de venir à son hôtel, il n'irait pas, il n'irait pas, à moins que l'enveloppe de poudre recelée dans son corsage ne soit pas suffisante pour la nuit, à moins que l'état de manque ne se mette à le creuser comme la pointe d'un couteau, torture que cette fournaise du manque, il le pensait souvent, la terre était cette fournaise où pour les uns il faisait si froid, pour les autres une commode chaleur terne, qu'y faire, c'était la vie, Timo avait bien de la chance, lui, tout bien astiqué, apprêté, sans boutons, il ne serait pas injurié, on ne l'appellerait pas Chien de Noir, mais Dieu viendrait en aide comme toujours à Petites Cendres, cette nuit ou demain quand l'aube se lèverait sur la mer, dans l'essor des aigrettes, des colombes roucoulantes, de cela Ashley avait la certitude, Dieu viendrait en aide à son fils Petites Cendres et il lui dirait, sa voix jaillirait du chant des vagues, ton visage qu'ils ont offensé, lave-le dans cette eau, mon fils, et sois consolé de toutes tes peines, je te le dis en toute vérité, c'est toi que j'aime. Et Mai vit un rayon de lumière, sous la porte de la chambre de son frère, elle aurait voulu savoir à quelle heure seraient de retour ses parents, papa avait dit très tard, il aurait été bien fâché de savoir qu'Augustino écrivait à son pupitre, que sa lampe était encore allumée, et que Mai refusait elle aussi de dormir, ses chats en boule contre les genoux, parfois elle pensait qu'elle était couchée dans son lit, et qu'elle rêvait de la balançoire vide, le jour des cendres de Jean-Mathieu dans l'Île qui n'appartient à personne, il lui arrivait aussi de croire qu'elle était éveillée, s'étirant dans son lit avec ses chats, que les scènes qui se succédaient en désordre dans son esprit étaient authentiques, bien qu'elle eût peur qu'elles fussent vraies ; lorsque Mélanie avait constaté que Mai ne se balançait plus, que le siège de la balançoire était vide, n'avait-elle pas demandé à tous, Mai, où est Mai, avez-vous vu Mai, la voix de maman était recouverte de la voix un peu fissurée d'une vieille dame, Caroline, demandant à chacun où était son petit sac en toile, ce qui sans doute irritait ma mère, pensait Mai, soudain ces cris de maman, de Caroline, de mon frère Augustino furent retentissants sous le ciel, Mai, où es-tu, je les entendais mais il y avait une barque près d'un rocher que je voulais atteindre, mes sandales, mes pieds étaient boueux, qu'auraient-elles dit, ma mère, ma grand-mère, toi qui étais si belle ce matin, la cérémonie des funérailles, cette chose interminable, me laissait tout mon temps, longeant la marée qui était basse jusqu'à cette barque bleue comme le ciel, laquelle semblait être rattachée par une corde à un piquet, il y avait cette brume sur la mer parce que c'était l'été, plus on s'aventurait vers la barque, au loin, plus l'on pouvait voir des plages et des plages de sable blanc, des clairières où il n'y avait personne, soudain on se retrouvait sous un parapluie de pins australiens, papa m'avait dit que ces pins étaient les plus hauts, les plus forts, assise sous les pins, je vis que la barque était toujours là, je savais qu'il y avait un homme dans la barque, un pêcheur qui s'était assoupi, sous son chapeau, la barque se déplaçant un peu avec la vague, Mai, où es-tu, criaient-ils tous, ces voix de mes parents, des amis n'étaient plus que des échos à mesure que j'avançais vers la barque, dans ce filet d'eau où mes pieds s'enfouissaient parmi les coquillages, lorsque je fus très près de la barque bleue, l'homme qui était dedans se réveilla en sursaut, où sont tes parents, me demanda-t-il, en voilà une surprise, ils ne sont pas loin, je suis partie pendant qu'ils lisaient les poèmes de Jean-Mathieu, sur l'estrade, ils pleuraient, leur ami est mort, mort de quoi, demanda le pêcheur, rangeant au fond de sa barque une provision de crustacés, papa dit de vieillesse, ma grand-mère dit que l'on ne meurt que de bien vivre, tu ne veux pas monter dans ma barque, demanda l'homme aux yeux rougis par le soleil, sous son chapeau, était-ce bien ainsi que cela se passait, pensait Mai, pourquoi irait-elle, dans sa jolie robe, dans une barque sale et mouillée, ou préfères-tu que nous allions cueillir des coquillages rares sur la plage, ce serait dans la direction des pins australiens, pensait Mai, elle pourrait mieux reconnaître son chemin, depuis ce temps, ils avaient sans doute observé que la balançoire était vacante et peut-être s'inquiétaient-ils beaucoup, Mai où est Mai, entendait-elle encore leurs voix, Mai, où es-tu, Mai, l'homme fit un bond hors de sa barque, allons vers la grève avant que la marée ne soit montante, dit-il, car alors il me faudra repartir vers ce bateau que tu vois là-bas, tu peux imaginer tous ces hommes qui pêchent pendant des jours au milieu de l'océan, ce qu'ils disent des femmes, je n'aimerais pas que tu les entendes, ils sont saouls et lubriques quand ils débarquent au port, des femmes les attendent partout qui sont parfois très jeunes, moi je n'aime que les êtres délicats, presque aussi friables que des crustacés, toi, c'est bien, tu n'es qu'une petite fille, ne crains rien, nous n'allons pas nous égarer, si Mai lui demandait son nom, il disait en grommelant, c'est vilain de vouloir tout savoir, je n'ai pas de nom, les hommes de mon bateau disent un ermite, lunatique, pas plus que l'Île qui n'appartient à personne je n'ai de nom, et souviens-toi qu'entre nous tout est secret, pas de babillages à ta maman, de confidences concernant cet homme aux cheveux et à la barbe en broussaille qui n'a pas de nom, donne-moi ta main que nous marchions vers la forêt des pins, pourquoi hésites-tu, je ne te ferai aucun mal, Mai suppliait qu'il desserre sa main de la sienne, c'est plein d'os très subtils, cette main, j'aime ce qui est subtil, délicat, et vois les aigles et les éperviers dans le ciel, je connais bien les Caraïbes, tu sais, la mer des Antilles aussi entre les Grandes et les Petites Antilles, j'aimerais bien t'y amener plus tard, la suite de l'histoire, comment se la rappeler, aucune confidence, aucun babillage, Mai ne dirait rien, ne l'avait-elle pas promis, les cheveux, la barbe en broussaille et comment avec sa chemise malodorante il l'avait gardée des vents, te voici sous mon aile, contre ma peau, qu'avait-il dit, qu'avait-il fait sinon la défendre des aigles, des éperviers dont elle aurait été vite la proie, comme les souris et les furets, caressant ses jambes sous la robe dont le col blanc était défait, que dirait Marie-Sylvie qui l'avait habillée le matin, le pêcheur s'était relevé dans cette caverne sous les pins, pensait Mai, dans la marée montante il ramerait jusqu'à son bateau, c'est d'un seul doigt d'expert qu'il semblait avoir parcouru cette ligne parfaite, disait-il, des jambes de Mai, et tu m'entends, pas de babillages, ne raconte rien à personne, sinon du haut du ciel l'aigle, les éperviers, tous les vautours viendront s'abattre sur la maison de tes parents, et ton petit frère sera le premier dévoré, n'entends-tu pas la voix de ta mère, va vite rejoindre les autres, imprudente, adieu, et puis papa est venu, c'était presque le soir, le soleil se couchait sur les eaux, il a dit, ma chérie, ma chérie, juchant Mai sur ses épaules, il ne posa aucune question, n'avait-elle pas taché sa robe, ne manquait-il pas une sandale, il dit, Mai, tu as beaucoup inquiété ta maman, il ne faut plus disparaître ainsi, et à quoi peut bien s'amuser une petite fille toute seule dans une forêt de pins, et si loin de ses parents qui la cherchent partout, aucune confidence, babillage, j'ai vu de grands vautours, dit Mai, les jambes de Mai pendaient de chaque côté sur le buste de son père, qui semblait avoir très chaud, Mai comprit qu'elle avait peiné son père, il y avait des larmes dans le tremblement de sa voix, elle l'avait peiné puis il feignit de l'oublier, car Mai rentrait triomphalement sur les épaules de son père, et tous venaient vers elle en la chérissant, même Caroline, la vieille dame à la voix fissurée témoignant une indirecte sympathie en avouant qu'elle aussi, à l'âge de Mai, avait été une enfant fugueuse, mais tous étaient si contents de la revoir, que Mai se dit que c'était un jour de fête, pas un jour de cendres, comme ils avaient tous dit, et ils déferlèrent par groupes et voiturettes jusqu'à la marina où les recueillerait tous Le Grand Catamaran, et son capitaine qui offrit à chacun des boissons glacées, ils avaient vogué longtemps sur la mer, Mai toujours juchée sur les épaules de son père où elle avait fini par s'endormir dans les bruits saccadés du moteur ; du reste elle ne se souvenait plus, maintenant qu'elle voyait ce rayon de lumière sous la porte de la chambre d'Augustino,

qu'aurait-elle eu à craindre encore des vautours dans le ciel
à quelle heure le retour de ses parents, il n'aurait pas fallu
que quelqu'un puisse rentrer par la fenêtre entrouverte,
elle dirait à Marie-Sylvie de la tenir fermée, sur un banc,
devant la fenêtre, on pouvait être nonchalante le jour, les
chats sur des coussins moelleux, voir les roses du jardin, en
se levant voir la mer, la grand-mère de Mai disait que ce
n'était pas une façon de faire ses devoirs, il y avait une
échelle dans la chambre, Mai gravissait ses marches avec
Augustino pour prendre des livres dans la bibliothèque,
Grand-Mère disait que chaque chambre devait ressembler
à une galerie d'art, à une salle d'exposition, dans la
chambre de Mai, contre le mur beige, on voyait dans un
cadre une photographie en noir et blanc, un bouquet
de fleurs séchées dans un pan de lumière, c'était une photographie de Robert Mapplethorpe, on aurait dit que
comme de l'ouverture de la fenêtre sur les roses du jardin,
quelqu'un là aussi, pensait Mai, aurait été capable d'écar-
ter les fleurs immobiles de la photographie pour vous attaquer dans le lit, il n'y avait là rien de vrai, même si Mai le
croyait, celui qui venait le plus souvent n'avait pas les cheveux et la barbe en broussaille, non, c'était un jeune
homme bien rasé et drôle, assis sur le banc aux coussins
moelleux, il disait à Mai, ne dis à personne que tu m'as vu,
ils m'appellent celui qui moleste, le ravisseur, ma photo est
partout, à la mairie, à la poste, sous mon nom tu verras le
mot RECHERCHÉ, à quoi bon puisque je suis déjà
séquestré, tu peux voir le grillage de la prison de l'État, derrière mon profil soigné, ils disent, méfiez-vous, parfois ce
sont des individus aimables, ils disent que je t'ai exploitée,
ravie, moi, un citoyen comme tous les autres, irrépro-

chable, ils me recherchent, veux-tu que nous sortions, que
nous allions nous promener, enlève d'abord ton pyjama,
on pourrait te voir, ses chats contre ses genoux, Mai ne
craignait rien, il y avait ce rayon de lumière, sous la porte
de la chambre d'Augustino, ne s'endormait-on pas tout de
suite en entendant les vagues de la mer, papa, la grand-
mère de Mai l'avaient dit. C'est donc la nuit, dit Caroline,
et Harriett, Miss Désirée, dort à demi dans son fauteuil,
quelle servitude sa vie près de moi, elle ne s'impatiente
jamais, bonne nourrice d'une vieille dame, flaire-t-elle
qu'il y aura bientôt une fin, aujourd'hui j'ai bu un peu
de thé, c'était afin de ne pas tant lui déplaire avec mes
caprices, quand je pense à Charles, je conçois qu'il ait eu
besoin d'être amoureux, amoureux de Frédéric et amoureux de l'amour, amoureux de Cyril, de l'idée de l'amour
fertile pour la création littéraire, amoureux, passionné,
Charles ne disait-il pas, ou était-ce Frédéric, que la vie de
l'écrivain, du poète est un acte d'amour qui le consume,
souvent le détruit, il aura fallu que la vie de Charles soit
semblable à la vie de François René de Chateaubriand, une
vie où tout ne fut qu'action pétrie d'écueils, bancs de sable
ou récifs, action, voyages, carrière et création aussi bouil-
lonnantes d'intensité charnelle que d'écorchures dans un
mysticisme très personnel, ainsi s'écrivaient avec l'écoule-
ment de la vie ardente, puissante tous ses excès, ces
Mémoires d'outre-tombe sans fin, ou bien certains jours,
Charles était l'incarnation de poètes plus turbulents, non
moins épris d'amour, il était Walt Whitman, un barde du
libéralisme exaltant l'égalité de l'homme, de la femme,
l'innocence des corps, de l'amour, sa fougue ne connaissait
aucune peur des mots, c'était l'effet de Cyril, sans doute,

l'éloge de l'amour reçu, et l'écriture de centaines de poèmes allait en se bâtissant, autant de *Feuilles d'herbe* bâtissant un temple de méditation, de réflexions mûries sur la vie, la mort, notre éternel vagabondage, et Cyril écoutait et apprenait, le désir d'aimer étant pour lui si simple, si spontané, il récitait pour Charles d'une mémoire peu faillible, privilège de sa jeunesse, les paroles de Raymond Radiguet, qui, comme Charles, avait été l'auteur de poèmes à quinze ans, « je flambais, je me hâtais comme les gens qui doivent mourir jeunes », ces paroles ne torturaient-elles pas Cyril, la fièvre typhoïde qui avait tué Radiguet, peu de temps après cette prémonition lancée joyeusement ou frivolement peut-être, n'était-elle pas aujourd'hui la pneumonie virale, schématisons le vrai mal, pensait Cyril, qui emporterait Cyril, ce n'était là, entre les bras d'un homme, que le fantôme de la peur qui passait, Cyril flambait-il trop, et aimant, ce regard de Charles ne s'étendait-il pas, soudain et esseulé, vers ces paysages mélancoliques de sa vie où l'appelaient encore Jacques, Justin, le royaume de ses morts ne tenant à lui que par un fil de rosée, eût-on dit, comme la vie des araignées, et l'époux vivant, Frédéric, son Frédéric, le plus parfait de tous et celui qui ne demandait rien, sinon que Charles fût heureux, une délicatesse si grande que Charles ressentait son indignité, que ne cessent la fascination ni la tentation, pensait Cyril, devant ce regard du poète, le voici qui part, qui s'en va sans me le dire vers les terres de son ancien monde, c'était bien cela, la complémentarité, Frédéric et Charles, bien qu'ils fussent dissemblables, l'un s'ajoutait harmonieusement à l'autre, pensait Cyril, soudain rageur, jaloux, ils se complétaient dans leurs génies, l'extravagante diversité de leurs dons, que ne savaient-ils faire tous les deux, peindre, dessiner, écrire, et n'étaient-ils pas aussi musiciens adulés, de Charles Cyril était-il aimé, qu'était-ce qu'un bel être de passage, fût-il un comédien très doué, auprès de l'entité de ce couple, Charles Frédéric, le regard de Charles le disait bien, comme si les yeux de Charles avaient soudain pris l'éclat des yeux amoureux, Charles pensait à ces livres qu'il avait écrits avec Frédéric, ou dont Frédéric avait été le peintre, livres d'art aux reliures bleu de nuit, ces mains unies, pensait Cyril, jouant ensemble sur le clavier d'un piano, que revoyait donc Charles ? Tant de tableaux, de lieux, de visages, leur irruption hors du portfolio de leurs vies, un temple aérien que Frédéric avait dessiné à Athènes, tant de portraits, bien que Frédéric fût le peintre de teintes sobres auxquelles il donnait beaucoup d'air, ses portraits étaient si réels qu'ils semblaient faits de chair, on eût dit que cette couleur de pêche, sur les joues, les lèvres d'un garçon grec de dix-sept ans ramenait la fraîcheur du dehors, il était assis dans un fauteuil jaune, la tête du modèle semblait parée de fleurs jaunes et bleues, apparition illusoire, car le vase de fleurs avait été placé en face d'un miroir, ce jaune, disait Charles, on ne pouvait oublier ce jaune, couleur aussi véhémente que la couleur jaune de Van Gogh, ou couleur d'un or défoncé, c'était ce coup de poing de Van Gogh, peignant, halluciné, ses mineurs, ses pauvres, le jaune virulent aurait dû davantage appartenir aux champs dans lesquels fauchait le garçon grec qu'au fauteuil qui l'avait accueilli dans la maison louée de Charles et Frédéric des îles aux mers chavirées, ce mois d'août, sans date, où avaient-ils échoué, Frédéric souffrant du mal de mer, ils avaient dormi dans la paille chez une famille de paysans, dans la grange, c'était le matin ou l'aube, Charles, une serviette autour du cou trempait son visage à la fontaine quand la fille de la maison dit à l'étranger, qui es-tu, ou n'avait-elle pas dit dans sa langue, *eisai Kalos,* tu es beau, longtemps intimidé, Charles avait hésité avant de répondre, *eisai Kalos,* ils avaient rougi, et toi, d'une inexprimable beauté, avait-il dit, avant que la grand-mère ne vienne les séparer et ne dise à Charles, étranger, reprends ta route, ma petite-fille n'est pas pour un étranger, il y aurait un bateau à une heure, pour Athènes, il aurait fallu dire, oui, les critiques, disait Charles, que cette couleur plus que jaune de Van Gogh était compatissante, ce n'est qu'ainsi qu'on pouvait la décrire, l'âpreté de cette couleur qu'atténuait la compassion était cette couleur jaune de la mort, de la mort virulente de Jacques, à qui Charles ne cessait de penser, Charles ne portait-il pas Jacques sur son cœur telle une pierre tombale, dans l'amour, le plaisir, cette pierre le brimait, où est Tanjou, demandait Jacques des profondeurs de ses réincarnations, Tanjou, le livre inachevé sur Kafka, était-ce de cela que nous avions hérité avec les révélations de Kafka, de quelques malfaisants démiurges dirigeant le monde à travers leurs régimes totalitaires, nous, les fourmis, les insectes rampant dans les clartés de la lune vers les labyrinthes du Château où il était interdit à chacun d'y venir reposer son âme, c'était insensé que Kafka ait écrit dans la langue de l'ennemi et vécu dans le pays prêté par l'ennemi, ou était-ce déjà l'apprentissage des ghettos, effarante comédie, la main qui écrivait, caricaturait ce pacte avec l'ennemi, ou s'y résignait-elle, mais cette pierre, sur le cœur de Charles, le livre lourd, voici que le livre de Jacques s'enracinait dans les fibres de Charles, dans son amour bien que parfois décevant, pour Cyril, le livre en fleur, qui disait à Charles, écris-moi, raconte tout de cette humiliation de Kafka, vivant et écrivant dans la langue de ses persécuteurs, n'aurait-il pas été sage de quitter Prague pour Vienne, Berlin, ainsi sa présence n'aurait été qu'une ombre, une ombre parmi d'autres, aussi destituée, celle d'un mendiant, ce qu'il fit, mendiant la magnificence d'une culture, ses connaissances, son ombre pivotant sur la frêle conscience de l'insecte, dans les universités où il s'initia à la science du droit, de là, si petit fût-il, ne toisait-il pas ces piliers du tribunal, tous ces empereurs qui avaient répudié de leurs territoires, de siècle en siècle, la population juive, avant sa naissance Kafka ne portait-il pas déjà le deuil des siens, sa sensibilité n'ayant pu échapper à ces périodes d'émeutes passées, à venir, il y a longtemps que l'on vandalisait les synagogues, que les assauts de l'ennemi survenaient dans les rues, aux fenêtres des magasins, que les archives étaient pillées, écrivant fables, allégories, c'est l'anxiété ancestrale que déballait Kafka, qui sait si le père dur n'eut pas lui-même le courage de l'héroïque cancrelat s'entêtant à vivre dans l'enfer de Prague, le fils du boucher, marchand de viandes dans des villages de paysans, ce père dominateur et peu éduqué, le père de Kafka, son obsessive malédiction, contre ce mangeur de viandes, Kafka serait végétarien, exagérément soucieux de sa santé, jusqu'à ce que ses pores, ses voies respiratoires soient infiltrés par l'infectieux bacille de Koch, l'infestation que Kafka nommait l'Animale, Jacques aurait dit que l'Animal de la Douleur était aussi le sien, il aurait supplié son médecin, comme Kafka l'avait fait, qu'on vînt le calmer avec la morphine, l'ironie de Kafka aurait été la sienne, je serai un roc devant l'Animale, disait Jacques, tout en écrivant, Jacques affrontait un Procès qu'il n'avait pas mérité, la jurisprudence le narguait, toutes ces tribulations étaient les siennes, le verdict serait sans merci, mais sur les plaies de Jacques, il y avait eu le baume du caressant Tanjou, pensait Charles, Tanjou dont on ne savait rien et qui s'était enfui, inconsolable, Tanjou n'avait-il pas reconstruit sa vie, on disait qu'il vivait pauvrement à New York, ayant renoncé à sa compagnie de danse, à ses chorégraphies très épurées sur la musique d'un compositeur chinois, ce n'était plus lui, Tanjou, celui que Jacques avait aimé, stimulé, était-il comptable, administrateur de l'une de ces compagnies de danse peu reconnues, était-ce une silhouette inclinée sur des dossiers dans un vaste édifice, on ne savait plus, il fallait se risquer à des alliances hâtives, à des aventures, pensait Cyril, flamber avant que des allées de cercueils ne jonchent des acres de verdure, accélérer le pouls, avant des retours d'influenza, de fièvre jaune, même si ce siècle était celui des miracles de la médecine, Cyril aurait aimé rajeunir l'esprit du théâtre, ce siècle, la métamorphose de l'art, cela pouvait s'accomplir dans une cave, des souterrains contre les bombes, on y verrait une Phèdre d'une modernité déchirante, Cyril exprimait à Charles qui l'écoutait cette ardeur qu'il aurait éprouvée à jouer un Hippolyte blindé de cuir, jeune prince plus nihiliste que punk ayant autant de relations violentes avec Phèdre qu'avec le monde, le monde, son pays, certes, ce prince, comme Hamlet, serait un émotif sous sa cuirasse anguleuse ne pouvant combattre une violence que l'on avait fait naître en lui, cette violence était le fruit amer de ses années de service dans des déserts sanglants, sa passion pour Phèdre ou celle de Phèdre pour lui aurait été comme la rencontre de Charles et Cyril, le signe d'une fatalité, d'une inévitable prédestination, comme dans les drames d'Euripide, et Charles disait que cette fatalité, cette prédestination n'existaient pas, bien que cette présentation d'un Hippolyte violenté par le monde fût intéressante, Charles se demandait pourquoi Cyril, qui lui paraissait doux, avait toujours eu cette hantise de la violence, vestiges d'une jeunesse désenchantée, sabotée peut-être, pensait Charles, il serait plus attentif, compréhensif, ainsi se nouaient, autour de Charles et Cyril, de Charles et moi, comme dans les drames d'Euripide, de Sénèque, cette chose vague qui ressemblait au travail en chacun de nous de la fatalité, de la prédestination, dont on ne savait comment sortir ni se défendre. Et si des avions décollaient de la table de la cuisine, dans le studio de Samuel, il voyait aussi de sa fenêtre de très jeunes gens qu'il n'avait jamais vus auparavant, grappes d'adolescents blancs, noirs, agglutinés les uns aux autres dans la moite fumée de chambres sans air, les uns s'évanouissaient sur le plancher, ne remuant plus, une cigarette entre les doigts, comme s'ils avaient cédé à l'épuisement d'un long dopage, les autres, à peine excités, posant devant eux un regard d'une vide fixité comme s'ils avaient regardé Samuel, sans le voir, une fille, un garçon, ou deux filles, deux garçons, dans des sous-vêtements négligés ils avaient l'air de petits orphelins s'esquintant dans des poses de luxure qu'ils semblaient pratiquer depuis aussi longtemps que leur état d'accoutumance au crack et à la cocaïne, ils étaient louches, aussi troublants, pensait Samuel, que les adolescents dans les œuvres du photographe Larry Clark, débauchés, dont le dévergondage dans des lits défaits aux draps malpropres paraît se limiter soudain à une prouesse hallucinogène, mais Samuel ne semblait avoir aucun contrôle sur eux, leurs meutes, affairés à leurs échanges, parmi ses livres, agaçants et fureteurs, ils avaient onze ou douze ans et ne semblaient avoir aucun parent ni visiteur, tuteur, des journées entières béats, toujours agglutinés, agrafés les uns aux autres, devant eux, qu'un monumental rêve que la vie ne valait pas la peine d'être vécue, le sexe et la stupeur de la toxicomanie, oui, cela ils le voulaient bien, soudain Samuel fermait les yeux et ne les voyait plus, pas plus qu'il ne voyait décoller les avions de la table de sa cuisine, rêvait-il, était-il éveillé quand il scrutait à la loupe des visages, des corps, dans des journaux, magazines, afin de savoir si la Vierge aux sacs n'était pas parmi eux, parmi ces sans-abri survivant aux séismes, ceux qui avançaient sur des chemins de débris, leurs visages reflétant d'indescriptibles horreurs, ils allaient par des températures sous zéro, sans tentes, couvertures ni vivres, sous quels décombres, à quel niveau si inférieur à toute citadelle, tour, forteresse dont les poutres d'acier en moins d'une heure avaient fondu, où avait-on relégué la Vierge aux sacs, pensait Samuel, ou par mégarde, pendant que l'on reconstituait la ville, ne l'avait-on pas enduite de ciment, cimentée parmi les briques, les chiens n'ayant pu la retracer ; dans ce parc à Manhattan, avenue Sud, une femme muette aux cheveux tressés se tenait dignement à la place de la Vierge aux sacs, ses yeux étaient tristes, sa figure tendue, assise, la tête droite, elle montrait aux passants un carton où il était écrit, je ne puis parler, un peu d'argent ou de la nourriture, on aurait dit que, comme la Vierge aux sacs, elle était en retrait de toute demande, sidérante parce que sans voix, la Vierge aux sacs n'aurait pu tomber, le pied au versant d'un précipice, ni basculer sa bible ouverte sur la poitrine, car là où elle racolait les gens pour un peu de prières, il n'y avait rien de haut ni de soulevé, si elle devait se lever pour aller d'un endroit à l'autre, n'était-ce pas toujours par de basses voies de passage, chemin dallé, bitumé en descente telles les entrailles d'un métro, ne l'aurait-on pas désignée dans quelque espace gris de graviers, pierrailles, par ces quelques objets définissables, le peigne dont elle ondulait ses cheveux par coquetterie, sa bible, sa jupe à plis, mais depuis qu'il y avait eu tant de pelletées de terre, un flot de cailloux, sa maison, elle l'aurait trouvée enfin s'enroulant telle une herbe autour de sa tombe compacte, dallée, bitumée, et bien sous la terre d'où refleuriraient d'étranges fleurs, qu'il était évanescent ce monde, ne disait-on pas d'en bas qu'il était solide, matériel, tous ses employés de bureau, fonctionnaires, obscures secrétaires ordonnant sans panique l'ordre des choses, évanescent ce monde disparu, pensa Samuel, après le café du matin, hommes et femmes assemblés devant la lecture des premiers courriels de la journée, avant que le cataclysme ne les disperse tous par tourbillons, dans les escaliers, contre les barres des fenêtres d'où chacun vit qu'ils étaient encore vivants, tapis les uns contre les autres, échangeant peut-être un dernier mot de consolation, Samuel dormait-il ou était-il d'une conscience agitée dans le sommeil, de sa fenêtre il voyait s'éclairer d'une lumière automnale le mur d'en face, recommencer sans fin cet acte de leur chute, les uns, comme si leurs membres avaient été aussi poudreux que du sucre, imbriqués les uns dans les autres, la jambe, la tête, les bras entrevus du dehors contre l'azur, surgis de colonnes de béton, personnages d'un tableau qui se seraient mis en marche, quand il n'y avait que le vide pour les recueillir, un bras, une jambe, une tête surgissait avec le drapeau blanc, le flambeau de ses couleurs, viens à notre secours, criaient-ils tous de leurs voix aussi modérées que celles d'un chœur, les mouchoirs, drapeaux blancs, qui auraient-ils secouru, sinon qu'ils étaient des messages d'adieu, d'autres sautaient seuls, d'un saut qui semblait infiniment long et appliqué, c'était cette chute dont Samuel avait étudié la raideur, le pas, le repli du genou, ce pas entre ciel et terre, déjà céleste qui n'appartient plus à celui qui marche, ne marchera plus, se mouvaient dans l'air, se distançant des corps, des cravates, foulards, écharpes, dont le vol avait l'agilité des tourterelles, n'était-ce pas le long de ce mur où dérapait, des bottes à ses pieds, l'homme seul que Samuel avait pensé, voici un ami de la famille, autrefois, et qui n'a peut-être que dix ans de plus que moi, le voici tel qu'il était lorsqu'il était danseur, l'étu-diant pakistanais Tanjou, c'est lui dont le pas sera retombé, fini, sans lendemain, la fumée avait noirci son front, c'était lui, Tanjou, l'homme seul de la chute, Samuel, en tendant les bras vers lui, aurait pu prévenir cette chute, lui dire, rentre chez moi, tu seras à l'abri, avant l'arrivée des secou-ristes, ambulanciers, mais il n'en avait pas eu le temps, la ronde des corps continuait dans le ciel, Tanjou s'arrêtait à la fenêtre, un instant, puis s'enfonçait, s'enfonçait si c'était bien lui, Tanjou, il était parmi ces amas de jambes, de pieds, les bottes avaient longtemps retenu les pieds, l'oreille, cet amas dans le brasier sur lequel un secouriste avait pleuré, en disant, comment puis-je voir cela, pourquoi Samuel n'accourait-il pas vers la rue en disant, ce bras, ce pied, c'est mon ami Tanjou, est-ce bien lui ou un autre, à force de voir, de scruter toutes ces images, Samuel avait su comment danser ce dernier pas de Tanjou, mais la nuit, sur le mur d'en face, on aurait dit la scène du théâtre où dansait Samuel, que contournaient les avions avant d'atterrir sur la table de la cuisine, c'était un monde éva-nescent disparu après la pause pour le café, Tanjou avait lu le premier courriel du matin, on disait qu'il ferait très beau aujourd'hui, Tanjou chaussait ses bottes dont les semelles avaient ramassé des feuilles rouges le long des rues, des avenues le menant à son lieu de travail, dans cette lumière modérément fraîche de septembre, d'octobre, laquelle serait bientôt déclinante, on aurait dit la promenade d'un flâneur, il marchait de ce pas ultime, il ferait si beau aujourd'hui, aucun nuage dans le ciel, avait pensé Tanjou, il aurait fallu que Samuel ouvre la fenêtre, empêche la chute de l'homme seul, avant la fuite des bottes dans la nuit, où étaient-ils, Tanjou, l'étudiant pakistanais, ren-contré jadis dans la maison de Jacques, le professeur, la Vierge aux sacs, où étaient-ils donc, soudain Samuel croyait la retrouver, dans une gare, un aéroport, elle avait grandi, vivait-elle en communauté avec quelque groupe idéologique dans une gare, un aéroport, un ensemble de personnes, des femmes très jeunes, s'agenouillaient pour prier, touchant convulsivement leurs bibles, marmonnant des phrases incohérentes pendant que leur guide spirituel, un homme mûr, un clown de sa secte qui connaissait la force de sa divulgation auprès des femmes, doucereuse-ment, lui qui était debout parmi les agenouillées, poussait toutes ces têtes les unes vers les autres, implantant en chacune avec les incompétences de sa doctrine la marque de la servilité, je vous apprendrai comment survivre à l'Apocalypse, disait-il, oui, mes sœurs et enfants, priez, priez, sa voix était sentencieuse et banale, l'une de ces personnes avait levé la tête, c'était la Vierge aux sacs, elle avait demandé, est-ce vrai, dites-moi la vérité, où est l'Apôtre mon ami, où suis-je, et le guide avait dit, baisse la tête, obéis, soumets-toi, son visage, le visage de celle qui était la Vierge aux sacs, avait la même pureté intacte, le ton de sa voix était aussi limpide que détaché, peut-être le timbre de cette voix était-il plus haut, ses cheveux n'étaient plus ondulés mais courts, dogmatisée, stigmatisée, qui était-elle vraiment, et Samuel aurait aimé lui dire, ainsi tu es vivante, pourras-tu me pardonner, il savait comme lorsqu'on s'éveille d'un rêve que ce n'était pas elle, la Vierge aux sacs, mais quelqu'un de tout aussi pur qui la suppléait, la voici qui priait, la tête contre le sol au milieu des voyageurs, des passants, étroitement attachée, par cette force renégate de la servilité, à son maître, son guide, tournant fébrilement les pages de sa bible, aussi inculte et brisée que l'avait été la Vierge aux sacs, car c'est ainsi que les appréciait son guide, le chef de cette secte, matées, réprimées, et se tournant plusieurs fois dans son lit, Mai revit son rêve, peut-être était-il aussi réel que la photographie d'un sombre bouquet dans son cadre, sur le mur, il y avait sur le quai des cueilleurs d'huîtres d'une taille anormalement grande, Mai n'avait jamais vu des hommes d'une telle corpulence tous à l'œuvre, comme l'avait été le pêcheur de la barque bleue, dans l'Île qui n'appartient à personne, penché sur ses mollusques, avant que Mai ne vienne le surprendre et qu'il lui dise, viens avec moi sous les pins aus-

traliens, Mai savait que ces hommes étaient la représentation agrandie et multipliée du pêcheur ; sous la chair de
l'huître, pensait-elle, était la vie, la perle nacrée si précieuse
dont avait parlé le pêcheur, ce n'étaient tous que de grossiers pêcheurs maniant de leurs mains inhospitalières cette
abondance du golfe, dont Mai voyait l'échancrure d'eau
vaseuse, d'une trouble couleur, nageait dans ces coquilles
une substance calcaire qui était la vie, et ce nouvel être
vivant, même sous sa première forme organique, calcaire,
ne demandait-il pas à ces hommes la circonspection, une
attention prudente de tous les instants, tous ils étaient
concepteurs de vies, et avec eux on avait aussi le pouvoir de
se multiplier et de vivre, comme eux on entrait dans le
vaste cycle de la naissance jusqu'à la mort, et c'était le mystère que Mai avait déchiffré, sachant qu'elle n'en parlerait
à personne, car ce mystère était une source de frayeur, d'at-
tirance aussi, si bien qu'un jour elle céderait au jeune
homme bien rasé et drôle qui entrait par la fenêtre de sa
chambre, ou déchirait de son canif les fleurs de la photographie de Robert Mapplethorpe, en disant, me voici, c'est
moi que l'on recherche, puis-je m'asseoir sur ton lit, même
si tu vois derrière moi le grillage de la prison d'État où ils
m'ont séquestré, je suis revenu, il lui dirait, je suis ton père,
je viens te kidnapper et t'emmener loin de ce pays, veux-tu
me suivre, Daniel et Mélanie ne sont pas tes véritables
parents, c'est moi, j'ai suivi la petite Ambre de neuf ans, elle
était à bicyclette, c'était au Texas, ils ont retrouvé son corps
quatre jours plus tard, dans un fourré, malgré toutes les
lois d'une trentaine d'États, de comtés, ils me recherchent
encore, quelle chair tendre sous mon canif que tu vois,
lorsqu'ils n'ont que six ans comme Adam et Ethan saisis,

enlevés dans des magasins de jouets de New York et de Hollywood, voici que leurs fantômes déflorés errent et errent dans les canaux, les fleuves, et j'aime les soirées d'anniversaire, de parties, quand leurs parents couchent mes enfants très tard, je viens chez toi, par la fenêtre entrouverte les enlevant pendant leur sommeil dans leurs lits parfumés de leur odeur, il y a encore une saveur de chocolat sur leurs lèvres, des haleines friandes, qui vous aime plus que moi, Daniel et Mélanie ne sont pas tes vrais parents, viens avec moi, Mai, tu m'entends, sous tes draps, tes chats à tes pieds, oh, je te ramènerai, comme tant d'autres, tu ne diras rien et tes parents diront, par quel miracle nous revint-elle, la voici bien muette, refusant de parler, mais aussi normale qu'elle l'était hier, sa chambre en désordre comme autrefois, elle a tout oublié, notre joie, notre espérance est de retour, ta gouvernante noire ira chaque matin te reconduire à l'école, tu continueras tes cours de violoncelle, plus tard tu iras danser avec les garçons, rien de plus normal que toi, même après des mois de privation et de défloration, et eux me rechercheront encore, parents, psychiatres, juges, je les aurai tous par leur craintive inconscience, leur apathique bigoterie, laquelle a l'effet pour eux d'un anesthésiant, car bien qu'ils souhaitent tous m'inculper pour mes délits, ils ne veulent rien savoir de mes actes inconvenants, ils ne veulent pas que tu parles, car tu pourrais offenser leur pudeur, tu iras au bal, tu seras l'espoir de ta famille, demain, plus tard, surtout tu ne leur diras rien, rien aux parents, rien aux juges, pendant un procès, on te demandera, le prédateur, celui qui s'appelait le prophète, était avec une femme, une maîtresse, n'est-ce pas, n'ont-ils pas tous les deux abusé de toi, lorsque tu as

quitté la maison avec eux, ce soir-là, ne t'ont-ils pas traînée
de force vers leurs campements dans la montagne, que
s'est-il passé là-haut, il faut parler, mais je sais que tu ne
diras rien, préférant leur faire croire que tu es toujours la
même, depuis ton retour, celle qui obéit à sa grand-mère,
normale, toute normale, tu ne diras rien de tes jours sans
repas, juste un peu d'eau dans une tasse souillée, une
semaine, deux semaines, quand tu étais notre captive, dans
des souterrains, des caveaux, sans émotion tu diras à ton
père, un matin, tu sais, papa, cela m'est arrivé de ne pas
pouvoir manger pendant une semaine, ton père ne posera
aucune question, car il ne veut pas savoir ce que nous fai-
sions de notre captive, nos captifs, d'année en année, dans
les caveaux, les souterrains de nos campements, comment,
pour certain d'entre eux, nous les avons tout simplement
laissés mourir, de soif, d'inanition, la complice, femme ou
maîtresse, émettait des doutes, il me semble que je devrais
descendre dans la cave, le caveau, disait-elle, voir ce qui se
passe dans les souterrains, peu à peu elle y renonçait, je
pouvais tout obtenir d'elle par l'engourdissement, une culpabilité de plus en plus dormante, stérile, tes parents
diront, rien ne presse pour un procès, ils ne veulent rien
savoir, parents, psychologues, ce sont des bas-fonds que
tous préfèrent ignorer, tu te souviens peut-être de ces
locaux sous la terre servant d'entrepôts, destinés à la
conservation des fruits, c'est ainsi que nous disposions de
certains d'entre vous, garçons et fillettes de huit à douze
ans, nous avions nos entrepôts où vous vous taisiez tous,
pétrifiés par la faim, l'épuisement, un à un nos plus beaux
fruits pourrissaient, et soudain la femme disait, je ne peux
plus descendre, il y a là sous l'escalier, sous la terre, trop de

cadavres, je ne veux pas, je ne peux pas, nous reprenions notre route, marchions vers d'autres montagnes, toi, je ne sais pourquoi, nous t'avons laissée fuir, retourner à la maison, mais tu dois désormais accepter que je vienne te rendre visite chaque jour, ouvre toute grande cette fenêtre sur le jardin des roses, un jour viendra où tu me céderas encore, et maintenant assise dans son lit, Mai vit une forme qui bougeait dans la chambre, elle crut que c'était toujours lui, le même jeune homme un peu drôle que recherchaient les policiers, c'était sa gouvernante Marie-Sylvie, comment, dit-elle, tu ne dors pas encore et il y a de la lumière dans la chambre d'Augustino, vos parents qui vont rentrer si tard, pas avant l'aube, j'en suis sûre, car c'est l'anniversaire de votre grand-mère, Mai entendait cette voix impatiente de Marie-Sylvie de la Toussaint, dans mon pays, vous n'auriez pas de toit, pas de lit, vous n'auriez rien, dit-elle, d'un geste brusque elle avait allongé Mai, dans son lit, regrettant que ce ne soit pas Vincent qu'elle ait à réconforter, à soulager de ses peurs nocturnes, Vincent, dans un sanatorium pour l'été, qu'était-ce d'autre, ils avaient parlé d'une école d'été pour enfants bronchitiques, sanatorium aurait été plus juste, pendant deux, trois mois, Vincent, Mélanie lui avait arraché Vincent, Vincent qui était son enfant, puisqu'elle en avait la responsabilité, dans ce pays fantôme, mon frère devint fou, sans toit ni refuge, dans cette île dont on n'exportait plus le café, le sucre, reprenait Marie-Sylvie, tout en glissant Mai sous les couvertures, et un jour on découvrait que les victimes elles-mêmes devenaient des tortionnaires, ils ont fui leur patrie, avec leurs crimes, ce sont de bons citoyens, barbiers, notables qui ont torturé mon frère, méconnaissables dans d'autres pays, déguisés, ces mots prononcés comme une litanie, Marie-Sylvie dit à Mai qu'il fallait dormir, elle n'éteindrait la lampe que lorsque Mai aurait fermé les yeux, elle avait reçu une lettre de Jenny aujourd'hui, Mai ne se souvenait pas de Jenny, elle était trop petite, lorsqu'on fermait les yeux, on oubliait tout, aux premiers roucoulements des colombes, dans le jardin, ce serait l'aube, Mai reconnaissait-elle comme son frère Augustino le chant des oiseaux, quand aux portails des maisons sonnaient de légères cloches dans le vent, qu'ils étaient d'un innocent bonheur ces instants quand Marie-Sylvie portait Vincent vers son lit en l'appelant mon ange, lui murmurant à l'oreille qu'ils iraient en mer dans le bateau *Lumière du Sud,* de ne rien en dire à ses parents, non, non, ils riaient ensemble, Vincent, son enfant à protéger, à défendre, à guérir, surtout le distraire de ses quintes de toux, tous les deux bercés par cette mer calme, navigable par beau temps, *Lumière du Sud, Lumière du Sud,* et dans la tonnelle, un peu ivre du parfum des lys africains, Mélanie dit à Olivier, s'il y eut peu à peu une fin de cette ségrégation honteuse, dans les restaurants, les hôtels, les théâtres, partout où ce crime de la ségrégation pendant ces années avait été légalisé, c'est à cause d'elle une femme de quarante-deux ans, Rosa Parks, qui refusa dans un autobus d'offrir son siège à un Blanc, c'est elle qui en quarante-huit heures renversa ces lois inexorables, elle, Rosa, dit non je ne me lèverai pas, prenez mes empreintes, envoyez vos chiens féroces, je ne me lèverai pas, ici, à ma place, aucun passager blanc ne viendra s'asseoir, car je suis lasse de me lever, arrêtez-moi, ce sera le boycott des autobus de toute la ville, nous marcherons, sortirons nos mulets, nos chevaux, de la campagne, mais je ne me lèverai pas pour donner mon siège à un Blanc, un jeune pasteur baptiste appelé Martin Luther King entendit la voix de la jeune femme au front défiant, dont le regard était vif sous d'épaisses lunettes, l'heure où l'on délivre les hommes de leurs chaînes n'était-elle pas proche? Envoyez vos meutes de chiens dont vous avez dénaturé l'âme, leurs morsures sur nos jambes ne viennent pas d'eux, mais de vous, leurs maîtres, ce sont vos crocs que l'on sent dans notre chair, Rosa Parks dit qu'elle n'était pas seule, toute calme dans une robe blanche de coton, une étudiante noire, tenant son cartable sous le bras, marchait vers le collège Little Rock Central High School, elle se frayait un chemin à travers la foule haineuse, des femmes l'injuriaient, dans les premiers rangs, imperturbable, elle avançait, elle ne pouvait plus reculer, seulement avancer vers le collège, l'université, envoyez vos chiens, dit Rosa, levez sur nous vos tuyaux d'arrosage, je ne me lèverai pas, un président sensible à notre oppression, lorsqu'il verra à la télévision les images de cette violence, dira, cela me rend malade, il aurait dû dire, malade de honte, c'était cela, une jeune femme au front défiant avait changé le monde, dit Mélanie, il lui parut qu'Olivier l'avait écoutée cette fois, tout en se plaignant que Jermaine avait augmenté le volume de la musique, comment appelez-vous cette musique, du blues, du rock, parfois on dirait même des chants d'église dont on aurait décomposé le rythme, c'est ce que mon fils adore, en plus, il a pu convaincre sa mère de danser avec lui, allons rejoindre les autres, dit Olivier en prenant la main de Mélanie, nous avons bien tort d'être si préoccupés, regardez ma femme, elle sait éluder tous ces problèmes par sa joie de vivre, lorsqu'ils furent près de la piscine, Mélanie vit Tchouan et son fils Jermaine qui dansaient au son d'une musique trop forte, dans les rayons phosphorescents de l'eau sous le ciel étoilé qui pâlissait peu à peu, allons, venez, dit Tchouan, exubérante, venez danser, mes amis, un groupe de jeunes gens aussi colorés dans leurs coiffures et leurs tenues vestimentaires que la maison aux murs orange et rose de Tchouan bondit autour de Tchouan et Jermaine, Mélanie aperçut sa mère qui lui sembla soucieuse devant cette fête endiablée dont elle n'avait pas prévu qu'elle n'aurait jamais de fin, vraiment ces jeunes gens se couchaient tard, ou ne dormaient pas du tout, ces pensées se lisaient sur le visage de Mère que la fatigue avait creusé, Mère se demandait aussi comment Tchouan pouvait s'entendre avec Olivier, ce mari misanthrope appréciant peu les qualités d'une femme spécialiste en design, créatrice de confort et de beauté, Tchouan disait qu'elle avait décoré sa maison de façon agréable afin que son mari puisse écrire dans la sérénité, mais Olivier était un homme que submergeait la tristesse, dans son cabanon il compilait les erreurs politiques du siècle dernier, des catastrophes qui auraient pu nous plonger dans une apocalypse, laquelle avait été évitée le temps d'un souffle, que ce soit la crise des missiles de Cuba résolue par la voix d'un chef d'État à la radio publique de Moscou, ou le rappel d'un jour infâme d'assassinat à Dallas, d'octobre 1962 à ce jour du 22 novembre 1963, Olivier, dans ses articles, se sentait encore consterné par le deuil, quand autour de lui Tchouan, fée de l'harmonie dans un monde inharmonieux, visait dans un mode de création industrielle une forme d'apesanteur, décorait-elle une maison ancestrale de La Nouvelle-Orléans qu'elle savait accommoder le présent au passé, un chandelier en cristal à plusieurs branches supportait des chandelles illuminant d'un feu tamisé un escalier dont les marches semblaient d'un velours couleur de sable, ne se sentait-on pas couler comme l'eau d'un torrent dans ces décors, pensait Mère, modernisés ou d'une élégance ancienne, avec leurs antiques horloges sur des foyers de marbre, Tchouan appelait ses teintes de soleil couchant ou embrasé qui étaient les siennes, Olivier, écrivant dans sa chambre rouge, remarquait-il dans un coin de l'alcôve la disposition des pièces de porcelaine chinoise, sur les étagères des murs la sculpture d'un cheval doré à la fenêtre, ou la loggia aux portes françaises où il venait se reposer, un livre à la main, même l'explosion des couleurs lunaires, solaires ne savait apaiser ses yeux ni son cœur, et ces fruits, tous ces fruits posés chaque matin, l'avocat, les citrons, l'ananas, les uns brillants telles des jonquilles, les voyait-il, ces fleurs arrangées chaque jour sur le patio, la véranda, les respirait-il, il aimait que le cercle de la piscine ait une vue sur des palmiers nains et la mer, tout n'était alors que fluidité turquoise de l'eau et du ciel, soudain il croquait un fruit, mordillait la brindille d'une plante, se souvenant vaguement que Tchouan avait rapporté du Brésil la soie des rideaux, de Chine les pièces de porcelaine un peu trop exquises pour la chambre d'un homme, et pourquoi cette chambre devait-elle être aussi rouge que les robes de Tchouan, ses souliers, puis il n'y pensait plus, répétant ce qu'il disait souvent à Jermaine, tout ce que je veux, mon cher fils, c'est que tu m'aimes, et bien qu'il fût toujours aussi inconfortable avec ses pensées du néfaste siècle dernier, il admettait qu'il y ait un confort à être aimé de sa femme, de son fils chéris, s'il avait été un peu plus rai-

sonnable, n'aurait-il pas été moins tourmenté quant à
cette répétition irréversible des événements fâcheux, c'est
ainsi que Mère imaginait l'entente singulière entre Olivier
et Tchouan, tous les couples n'étaient-ils pas aussi singuliers, ces couples séduisants, Bernard, Valérie, Nora, Christiensen, poursuivant leurs conversations dans le bruit,
Mère aurait-elle le temps de mieux les connaître, quand sa
main droite lui faisait mal, les maux physiques ne nous
écartaient-ils pas de ceux que nous jugions en meilleure
santé que nous, pensait-elle, plus jeunes, plus forts, et
Caroline dit, enlevez ce plateau, Harriett, Miss Désirée, ce
potage que vous avez trempé dans du pain est pour les
vieillards oubliés dans les asiles, pas pour moi, aucun
bouillon, rien, je ne veux pas être de ces animaux que l'on
gave avant l'abattoir, oui, encore un peu de thé vert, je veux
bien, je t'aime, avait écrit Charles à Frédéric, en ces années
de leur florissante union, je suis ta main qui dessine et
peint, tu es la mienne qui écrit, séparés nous serons toujours ensemble, ne le sommes-nous pas déjà, Frédéric
avait peint les murs d'un rose sanguin, presque orangé,
d'une spacieuse maison où ils avaient vécu, bien que la
pièce du salon fût vide, on aurait dit qu'ils étaient là, tous
les deux, sous le lustre suspendu au dôme du plafond de
bois, lisant, peignant, écrivant, leurs mains sur la table
de verre, se cherchant parfois au-dessus des livres et car-
nets, amis, amants pour toujours, lorsque tu ne seras plus
là, partout je te verrai, te chercherai, même dans les bras
des inconnus, et aux fenêtres chatoyait l'été, parmi les
branches d'acacia, je t'aimerai demain, toujours, partout je
te verrai, aucun d'entre eux ne semblait pressentir la fin du
chatoyant été, le retour des frileuses lumières de l'hiver,

moins encore cet amour immodéré qu'allait ressentir bien des années plus tard Charles pour Cyril, lorsque je me souviens de ce tableau de Frédéric, je les revois, les entends, dans la maison spacieuse, je suis encore à leurs côtés, les photographiant, cette tête fine de Charles contre l'épaule athlétique de Frédéric, dans la cour on entend les frissons d'eau d'une fontaine, c'est un été lourd de fleurs à la fenêtre, Charly, Cyril ne sont pas encore nés, peut-être croissent-ils tels des embryons dans nos limbes, nous grignotant à notre insu, Charles, Frédéric écrivent et peignent beaucoup, à cette époque mon mari et moi tuons le cerf aux abois, tuons le cerf, je me souviens, la bête s'effondre sur les rails d'une voie ferrée, et ma fille n'est pas viable, tant le monde est malsain, à travers ce que je n'ai plus, je t'aimerai, sous le chandelier, ils écrivent, peignent dans les forêts de la Nouvelle-Angleterre, les cerfs au matin levant sont aussi libres et heureux dans ce tableau de Courbet où ils s'étirent de leurs pattes pour manger des feuilles, sauvages, libres, heureux, ne sachant pas que nous existons, mon mari et moi, avec nos chiens et fusils de chasse, ils, les cerfs, montent de tout leur poids vers l'arbre et ses fruits délectables, étirent leurs masses, se secouent ; ou bien c'est leur voix que j'entends dans la maison spacieuse, ils reviennent de Grèce, que cet univers est grand et beau, pendant que je les photographie, je ne leur dis pas que je suis enceinte, je ne leur dis rien de la fille peu viable, je ne suis qu'une femme auprès d'un mari qu'elle n'aime pas, j'aurai un amant, j'entends que Frédéric et Charles s'aimeront toujours, je dis, soyez paisiblement assis l'un près de l'autre afin que je puisse vous photographier, Charles dénoue le col de sa chemise, il n'aime pas être photographié, il le faut, c'est pour la page couverture de votre livre, nous formons, Charles, Frédéric et moi, un trio indépendant et solide, stimulés par les mêmes sports, l'équitation, le tennis, j'étonne Charles lorsque je lui dis que j'ai déjà piloté un avion, obtenu mon diplôme d'architecte, il dit, je vous présenterai mon ami Jean-Mathieu, cet hiver, j'aurai un amant, ce sera lui, Jean-Mathieu, nous sommes dans des contrées plus torrides, près de la mer, je rencontre Jean-Mathieu, c'est par un rayonnant mois de février, nous languissons tous sur une terrasse au soleil, Jean-Mathieu porte des chaussures italiennes classiques, ses pieds sont nus dans ces chaussures, je vois ramper un scorpion, l'aiguillon venimeux n'atteindra pas Jean-Mathieu, d'un coup sec j'abats le scorpion à l'aide de mon livre, nous irons en Italie, dit Jean-Mathieu, c'était autrefois, Harriett, quand ma villa était ouverte à tant d'amis vénérables, Jean-Mathieu, Adrien et Suzanne, Charles et Frédéric, plus tard, ces couples européens d'écrivains, d'artistes, Bernard et Valérie, Nora et Christiensen, c'est à mourir de chagrin que je sois en claustration, ici, sans ma villa, mes amis, sans Jean-Mathieu à mes côtés, pouvez-vous m'expliquer pourquoi, Harriett, pourquoi vouloir me nourrir de force quand c'est la nuit, n'est-ce pas la nuit, vous allez effaroucher le chat de Charly, où est Charly, toujours dans ses discothèques à danser, à boire, jusqu'à l'aube, c'est à mourir de chagrin, où est ma maison, Madame, c'est que votre fortune a été dilapidée par elle, Charly, une bien vilaine personne, Madame, souvenez-vous, cet espace entre les dents, une absence dégradante cette dent en moins, c'était elle, elle vous a vexée, combien de fois, quelques humeurs, ce n'était rien, dit Caroline, ce n'était plus elle, mais l'ecstasy, ce n'était plus son comportement, elle, ma jolie enfant, n'aurait jamais fait cela, mais il lui fallait acheter ces drogues de plus en plus coûteuses, ce n'est pas elle, je le sais, répétait Caroline, et on a dit que la motivation déterminant ses actes était la haine raciale, pensait Olivier, ce qu'il soulignerait dans son article, la haine avait motivé le skinhead à tuer la fiancée noire au volant de sa voiture auprès de son fiancé de race blanche, ils avaient tous les deux vingt ans, le skinhead avait tiré d'une voiture, on avait entendu cinq coups de feu, un camionneur allait dépasser les deux voitures quand il vit celui qui était motivé par la haine raciale, disait-on, les fiancés étudiaient à l'Université Atlantique de la Floride, adolescents amoureux, leur tueur avait aussi vingt ans, la haine, la haine tuait encore tous les jours, la balle avait touché la tempe de la jeune fille, c'était à un croisement de rues, un moment d'attente devant un feu, on les retrouva enlacés, la haine, la haine, pensait Olivier, réfugié dans son bureau, il attendait que s'achève la nuit, la voix de contralto de Nina Simone, dans ses écouteurs, ranimait la colère d'Olivier, *Mississippi Goddam,* chantait la voix affranchie bien que si douloureuse, tout n'est donc question pour nous que de douleur et de passion, pensait Olivier, ils ont autrefois banni cette musique dans les États du Sud, peu importe, douleur et passion ont survécu, vous savez, je ne regrette rien de ce que j'ai dit et chanté, disait la voix de contralto de Nina Simone, rien, je ne regrette pas un seul mot, cette voix aurait-elle pu combattre la motivation de haine du skinhead, sa tuerie en plein jour, d'une décapotable grise, *Mississippi Goddam,* toi, sois maudit, qui as tué la fiancée noire du garçon de race blanche, toi qui as tué l'amour, détruit deux vies, et plus encore, sois maudit, que tu sois libre ou en prison, que tu n'entres jamais dans le royaume des hommes ni de Dieu, pensait Olivier, car il faudrait les éliminer plus que les maudire, à quoi cela servait-il, et lui, Olivier, avait-il le droit de punir et de haïr quand il avait une femme, un fils qui l'adoraient, à quoi bon notre amour, notre tolérance, et pitié, à quoi bon, puisque tous les jours encore la haine tue, la haine tue, et Ari regardait sa fille endormie, parmi ses jouets, elle dormait déjà sur son épaule pendant qu'il marchait vers sa voiture, dans les grondements des vagues et du vent, sur la plage, des taches de couleur brillaient sur les poings ronds de Lou, n'aimait-elle pas se couvrir entièrement de cette gouache pâteuse, dans l'atelier de son père, laquelle résistait au savon, à l'eau du bain, jusque dans les cheveux emmêlés de Lou, bientôt Ari apprendrait à sa fille comment se couper elle-même les cheveux, les leçons essentielles sont celles de l'autonomie, il faut avoir le courage de se découvrir presque seule au monde, même si l'on a des parents, Lou serait débrouillarde, dans la vie ne doit-on pas se dépêtrer de tout, cela même si Lou avait de bons parents, ces parents, Ari et Ingrid, qui, avant la naissance de leur fille, étaient aussi abandonnés, dans leurs étreintes, disait Ari, que ces amants de Chagall volant dans un ciel rouge, il semblait maintenant à Ari que la reproduction de ce tableau était déplacée dans la chambre de Marie-Louise, puisque ces corps charmants désormais sans désir l'un pour l'autre ne s'envolaient plus vers leur ascension charnelle, comme on les voit dans le tableau du peintre, dérivant joyeux au-dessus des toits de la ville, dans un ciel rouge où gravitent autour d'eux des créatures insolites, un homme à la tête de poisson qui vient leur offrir un bouquet de lilas, un oiseau qui court mais ne vole pas, c'était la belle histoire que racontait ce tableau du peintre russe, disait Ari, mais il en était bien autrement dans la vie, deux amants pouvaient soudain se livrer à d'interminables batailles, se détester, car l'amour était aussi un monde mesquin, un territoire de rivalités, le peintre du modernisme féerique, dans sa naïveté profonde, n'avait rien perçu de ces basses querelles, avec douceur il peignait un univers où il y avait un ordre, qu'allait penser Chagall de cet ordre ou communion du monde animal avec Dieu, lorsqu'il reviendrait dans son pays lacéré par la guerre, la révolution, puisque Marie-Louise aimait ce tableau, les amants dans le ciel rouge de la révolution, il ne l'en priverait pas, papa, maman, disait-elle, ce qui était vrai, hier, ne l'était plus, tombés de leur envol, les parents de Lou séparés, blessés, pensait Ari, mais Lou serait avec son père jusqu'à dimanche, n'était-il pas un père heureux, et lorsque les vents se calmeraient, le bateau serait prêt, Ari avait expliqué à Lou que la forme de ce premier bateau de Lou étant celle de ses chaussons de danse à bout renforcé, il appellerait le bateau *Le Chausson de Lou*, les bateaux, les yachts, étaient amarrés au port du Club nautique, où ils iraient demain, où Ari ne cesserait de laver et de polir les flancs d'acajou de son bateau, une merveille d'agilité sur l'eau, bien que pour l'instant Lou ne fût pas sûre d'aimer la mer, de grosses vagues vous bousculant sans cesse, et ces criardes mouettes, tout autour, quant aux pélicans, ils étaient trop familiers, autour de la cabane des pêcheurs, ce bateau de Lou promettait de bien tenir la mer, quelle douceur sous un ciel parfaitement bleu de vivre tous les deux dans notre cabine, à l'ancre, le père et la fille dans leurs travaux, dessins à la gouache, nos artistes conceptuels d'aujourd'hui n'étaient-il pas étrangers à l'art de Chagall, à sa pensée mystique ou à ses rêves d'une Russie sans démence, eux dont les instruments de travail étaient chargés, avec leurs vidéos et leurs diverses installations, leurs effets de simulation sonore, l'ensemble de leurs posters et de leurs collages, cette volontaire distorsion de la peinture, c'était le choc de vivre des contemporains, qu'ils étaient reposants et frais ces amants dans le ciel rouge de Chagall, dans quelle culture vivions-nous, incapables d'en reconnaître la beauté, demain le bateau de Lou serait prêt, Ari n'avait cessé de nettoyer et polir sa coque, c'était pour elle, Lou, que son père aimait, ils auraient un peu de temps, il s'agissait que se calment les vents, et Julio songeait que ce serait la fin d'une nuit mémorable, car il les avait vus, avant les officiers de la marine et les garde-côtes, il y avait parmi eux une femme et quatre enfants, quelques hommes, ils arrivaient, leur compas à la main, ils avaient eux-mêmes fabriqué leur bateau, amas croulant de bois et d'acier, c'était un bateau long de seize pieds qui s'affaissait dans la mer, avant que les officiers de la patrouille de nuit, que les garde-côtes n'entendent leurs cris, leurs appels, Julio avait pensé, je reconnais leurs voix, ce sont les miens, de quelle tempête venus avec les vents de l'est sortent-ils, ont-ils des membres cassés, fracassés, oui mais pourquoi étaient-ils tous sans bagages, portant autour du cou tels des médaillons, des cartes où ils avaient inscrit les adresses de ceux qu'ils venaient rejoindre, bien que ces inscriptions fussent presque effacées et illisibles, un officier apparut qui dit, je vais traduire ce qu'ils ont à nous dire, mais eux regardèrent l'officier, sans voix soudain et sans paroles, ces adresses, ces numéros de téléphone, ce sont leurs parents, mais où sont ces parents, nous ne les connaissons pas ici, on leur offrit des couvertures, et des boissons sucrées, il fallait déterminer qui ils étaient, ceux qui avaient atteint le rivage pourraient rester, ceux que l'on capturait en mer n'avaient aucun droit et seraient renvoyés, quelle tempête sur l'Atlantique nous les avait donc ramenés, avec les vents de l'est, ce serait la fin d'une nuit mémorable, pensait Julio, il y avait parmi eux une femme et ses enfants, tous sans bagages, Ramon, Oreste, leur mère, ils avaient longtemps appelé à l'aide, crié dans la nuit, et en venant vers eux tous avec les couvertures et les boissons sucrées, Julio dit, ne craignez rien, vous avez atteint le rivage, celui que vous êtes venus rejoindre, c'est moi, Julio, une maison vous attend dans l'Île, enfin le repos, venez, silencieux, d'une démarche chancelante, les rescapés avaient suivi Julio par des chemins de sable entre les pins jusqu'à la Maison Refuge, et Marie-Sylvie se réjouit de ce qu'enfin Mai ait fermé les yeux, ait l'air de dormir, ainsi elle ne réclamerait plus rien, Marie-Sylvie laissa un peu de lumière, elle pouvait lire tout en veillant sur Mai qui lui semblait une enfant trop gâtée par ses parents, que ne lui accordaient-ils pas, autant de jeux électroniques qu'à son frère Augustino, même si leur grand-mère s'y opposait, une éducation rigide aurait été plus appropriée, on ne savait pourquoi Mai, si petite, fuguait sans cesse, et pourquoi elle mouillait encore son lit, le pédiatre consulté avait eu des mots voilés pour parler de Mai, il est vrai qu'aujourd'hui nos enfants sont d'une sexualité précoce, avait-il ajouté, figeant Mai dans l'ambiguïté de son malaise, on ne savait lequel, pensait Marie-Sylvie, pour qui toutes ces attentions semblaient supeflues, ce pédiatre avait-il jamais vu les visages des enfants de son pays couverts de mouches, savait-il seulement qu'ils existaient, auprès de Mai Marie-Sylvie n'était-elle pas irritée et irritable, bien qu'elle ne fût sa gouvernante que depuis qu'elle remplaçait Jenny dans la maison, elle dédaignait d'être au service de Mai en l'absence de Vincent qu'elle aurait tant couvé, son frêle Vincent, mais quelle illusion de pouvoir donner l'amour si l'on ne choisissait pas, c'était bien naturel, tous les autres n'étaient qu'une charge, la lettre de Jenny entre ses mains tremblantes, Marie-Sylvie pensait, Jenny, tu m'as laissée seule, tes études en médecine à peine terminées, tu es partie, médecin sans frontières, quand te reverrai-je, moi qui suis tellement plus ignorante que toi, gardienne des chèvres maigres des coteaux, mon frère et moi, toi, Jenny, ce n'est pas comme nous, tu as un destin, nous serons toujours des dénudés, des appauvris, mon frère et moi, on nous a envoyés dans une lointaine province de Chine, avait écrit Jenny, nous vivons dans la vapeur chaude, étouffante de l'été, quelques médecins et moi, c'est ici dans ces régions agricoles pauvres que sévit l'épidémie, il y a peu de temps il était encore défendu de prononcer le nom de la maladie, tous se masquent devant elle, c'est une crise dans ces régions montagneuses que l'on préférerait méconnaître, nous nous arrêtons chaque jour devant de grossiers morceaux de granit qui servent de pierres mortuaires à ces morts enterrés sous une herbe rêche dont les noms ont été tus, devant eux, nul ne s'incline, ce ne sont que d'humbles villageois qui furent victimes de transfusions d'une banque de sang infecté, les voici anonymes et sans aucune identité comme s'ils n'avaient jamais été vivants, des couples qui ont durement travaillé sur cette terre pour leurs enfants, des hommes et des femmes dignes usés au travail, dans la culture du soja, du maïs, ce sont aussi des familles entières qui disparaissent, pères, mères et enfants, parfois de très vieux grands-parents soignent leurs orphelins, beaucoup avaient cru pouvoir guérir les lésions de leur peau avec des herbes, sans savoir de quoi ils souffraient, on leur faisait croire que des médicaments achetés en Thaïlande les aideraient, qu'un vaccin les sauverait, mais aucun secours ne pouvait venir si loin, nous étions dans ces zones risquées des villes, où dans des bordels de jeunes prostituées meurent tous les jours, de même que les héroïnomanes qui les fréquentent, le visage couvert de nos masques protecteurs, qui aidons-nous, secourons-nous, quand nous avons si peu de médicaments, peu de vaccins, je suis hantée par ces pierres mortuaires sans nom s'érigeant partout, même entre les collines, dans des vallées sous l'herbe calcinée par le soleil, une épidémie que longtemps on refusa de nommer, quand croissait le nombre des victimes, qu'il doit être doux d'être là où tu es, Marie-Sylvie, loin de toutes ces sépultures et de cette chaleur humide, comment puis-je voir ces choses inadmissibles que je vois chaque jour, des parents de familles décimées si faibles que n'ayant pas la force de marcher, ce sont leurs enfants de dix ans qui les transportent dans des brouettes, ils poussent devant eux les grinçantes brouettes en bois, colis d'os, de bras décharnés dans des brancards, que je t'envie là-bas, auprès de tes enfants sains, et Marie-Sylvie pensait, qu'elle se taise, qu'elle cesse de m'écrire, que fait-elle en Chine quand elle devrait être près de moi, il lui semblait soudain que Jenny ne lui écrivait que pour l'écraser, la concasser, tige indigne que broyait Jenny, telle une femme soumise aux lois de la richesse, il était vrai que les enfants de Mélanie étaient sains, sainement aimés, si l'amour était cette surabondance, ces excessives caresses de Mélanie sur le front, les cheveux de Mai, ses baisers et chatteries qui déplaisaient tant à Marie-Sylvie que nul n'avait jamais caressée, s'éraflait-elle un genou que la mère se prosternait aussitôt devant la fille, n'y avait-il pas entre ces trois femmes, Esther, Mélanie, Mai, plus qu'un accord du sang, une connivence de la pensée, une passation de certitudes, quant à être douées de pouvoirs sensibles, tout autant d'attributs de séduction, lesquels rendaient chacune irrespectueuse envers un être aussi défait, blessé, pensait-elle, que Marie-Sylvie née sous une mauvaise étoile, ne tentaient-ils pas tous, Mélanie, Daniel, Esther, de la détacher de celui-là seul qu'elle aimait, Vincent, qu'on lui enlevait tout un été; courbant sa longue silhouette vers le lit de Mai, c'était, pensait-elle d'elle-même, une tige asséchée qui se plie à toutes les servitudes comme si sans Vincent elle n'avait été qu'une quelconque servante noire, elle entendit Mai qui murmurait dans son sommeil, si imperceptible que fût cette plainte de Mai, sa mère l'aurait aussitôt entendue, éveillant sa fille, elle lui aurait demandé, qu'y a-t-il donc ma chérie, encore ces cauchemars, quand Marie-Sylvie de la Toussaint se durcissant feignait de ne rien entendre, et de quoi pouvait bien se plaindre Mai qui avait tout, Marie-Sylvie toucha du bout des doigts le front de Mai et dit, le jour n'est pas levé, il faut dormir, Mai frémissait dans son sommeil, elle marchait seule, sans Augustino dont elle s'était éloignée en courant, Augustino, ses parents lui avaient dit tant de fois de ne jamais aller seule sur la piste du stade longeant la mer, où l'on pratiquait des sports d'équipe, le football, le hockey sur sable, sous le soleil de midi, il ne semblait y avoir personne dans les gradins ni dans les tribunes ni sur la longueur de la piste et Mai avançait seule, sa planche à roulettes sous le bras, elle pouvait sentir l'égouttement du silence sur ses pas, personne ne la trouverait ici, il y avait près des tribunes un téléphone public tout noir dont Mai n'aurait pas aimé entendre la sonnerie, ou que cet objet soit un intermédiaire entre elle et ses parents, n'était-elle pas une personne bien distincte de ses parents, de ses frères, et pourquoi était-il strictement prohibé d'aller seule au stade, circulaient là-bas des gens bizarres, disait maman, et surtout que Mai ne parle jamais à des inconnus, et ne se mette pas en tête de les suivre, on ne savait jamais à quoi s'attendre avec Mai, disait Marie-Sylvie de la Toussaint, maman l'embrassait le matin en disant, Mai, ma chérie, évite de me chagriner aujourd'hui, comme tu l'as fait hier en ne me répondant pas quand je t'appelais, comment puis-je savoir où tu es, si tu ne réponds pas quand je t'appelle, si elle avait été un garçon, on l'aurait davantage respectée, pendant plusieurs minutes, il n'y eut personne, et Mai n'entendit aucun bruit, on eût dit que la route bordée d'herbes de l'autre côté du stade se pétrifiait dans la chaleur, on n'y voyait pas même une aigrette ni un héron égarés, mais quelqu'un avait chuchoté et quelqu'un avait ri, et cette éruption de bruits de voix dans un silence qui s'étendait partout avait fait tressauter Mai de la plus haute tribune, elle les avait vus, lui et elle, qui ne la voyaient pas, un couple très jeune, le garçon tirait la fille par les cheveux, Mai ne pouvait savoir si leurs jeux étaient taquins ou malicieux, embêtée de les entendre se chamailler, soudain il lui parut que la fille ne riait plus, mais pleurait et criait, Mai était si loin d'eux qu'ils ne la voyaient pas, taquinait-il la fille ou était-il méchant, violent, elle ne le savait plus, bien que la fille n'eût cessé depuis quelques instants de pleurer, crier, ils se harcelaient, se tourmentaient, sa mère avait raison, on rencontrait ici des gens bizarres, si Mai était endormie, si elle rêvait, elle sortirait de ce rêve pénible et n'entendrait plus ces cris de la fille que battait le garçon, la battait-il, ou n'était-ce qu'un jeu comme lorsque la fille consentait à ce qu'il lui tire les cheveux, et riait, tournant sur elle-même comme une toupie, on ne pouvait vraiment savoir qui étaient ces adolescents, tant leurs ombres s'agitaient sur la tribune, ou si le garçon ne battait pas la fille, pourquoi sa gouvernante ne réveillait-elle pas Mai, oh, elle n'aurait jamais dû venir dans ce stade, et Marie-Sylvie vit que Mai tressaillait dans son sommeil et dit en lui touchant le front, ce n'est rien, un cauchemar, c'est tout, j'éteins la lampe maintenant et je retourne dans ma chambre, Mai vit en entrouvrant les paupières la silhouette de Marie-Sylvie disparaissant vers le corridor, où est maman, demanda-t-elle, mais on ne lui répondit pas et elle s'endormit de nouveau, car soudain les cris s'étaient tus, et Caroline répétait, Harriett, Miss Désirée, toute cette dégradation, ce n'est pas à cause de Charly mais de ces jeunes gens qu'elle fréquentait dans les bars, la nuit, les discothèques, me revenant à l'aube, le regard chaviré, la démarche vacillante, ne me reconnaissant plus, ignorant soudain qui j'étais, cette dégradation, cette claustration avec vous, dans cette maison, Harriett, pendant qu'une exposition de mes photographies parcourt le monde, à Londres, à Paris, et que vous me traitez tous comme une vieille femme débile quand mon esprit n'a jamais été aussi clair, tout cela, ce n'est pas à cause de Charly mais du destin qui permit notre rencontre, tout aussi bien la nôtre que celle de Charles et Cyril, que ce fût funeste ou joyeux, c'était là notre sort, même lorsque j'étais enfant, je savais qu'on ne pouvait rien contre cela, c'était par de belles journées près de la mer, lorsque ma mère allait à des rendez-vous, son amant m'incitait à venir vers lui dans la chambre, à m'asseoir près de lui, il disait, tu grandis, viens, approche-toi du lit, leur lit, pendant qu'il me caressait les cheveux, je voyais par la fenêtre mon cousin sur notre poney, Caroline, appelait-il de sa voix enfantine, viens jouer avec moi, la main de l'homme glissait sur mon dos, que c'est creux, ici, disait-il à la naissance de la taille, un domestique se rapprochait-il qu'il me disait à voix basse, surtout ne parle pas, ceci est entre nous, n'est-ce pas, taisons-nous, je me taisais, complice de ce destin qui donne à chacun sa part d'expérience, d'intrigues et de ruses, avons-nous le choix, courant sur moi-même à ma perte, courant vers l'homme dès que ma mère devait sortir, la chambre des amants, leur amour, leur plaisir, l'homme m'ouvrant les bras, j'étais complice de leur histoire, ce complot de la chair qu'ils entretenaient nuit et jour, sous des draps que lavaient et repassaient les servantes, et ma mère ne savait rien de mes manigances avec l'homme, de ses baisers trop proches, de lui, nous, notre silence, il disait, viens, et j'étais là, qu'allons-nous découvrir en ce long après-midi, demandait-il, sur son poney, mon cousin se déplaçait sur les dunes, je ne tarderais pas à le rejoindre, lentement, doucement, lui montrant comment tenir notre poney frétillant en bride, mon cousin si naïf, mon ingénu cousin qui ne savait rien encore de l'homme, de la femme, de ces indolences doucereuses de mes après-midi auprès de cet amant de ma mère qui éprouvait une jouissance particulière à draguer les petites filles, j'aimais que cet homme me soit destiné, car c'était une chose inimaginable qui était proscrite, c'est ainsi que se posait sur moi la griffe du destin, l'un contre l'autre, mon cousin et moi, nous descendions des dunes sur notre poney vers le déferlement des vagues, lui candide, moi ingouvernable puisque je voulais tout connaître de la vie, tant mieux si vous ne m'écoutez pas, Désirée, pour vous l'existence est plus simple, vous avez Dieu, je ne veux pas de ce bouillon que vous avez préparé pour moi, je ne veux rien, vous me regardez avec bonté, vous prenez ma main, je vous répète que je n'aime pas l'odeur de ce bouillon, que je ne puis manger, votre main noire dans la mienne, union de la pitié ou de la désolation, nous voici ensemble vous et moi comme jadis dans la maison de mes parents, quand vous me disiez de faire mes prières et que je ne vous écoutais pas, ingouvernable, ingouvernable, disiez-vous, Harriett, Miss Désirée, votre main exprime une noblesse vigoureuse, ma main, mes mains, voyez ces doigts qui laissent tout échapper, désormais sans habileté, ces phalanges nouées, ce n'est plus moi, ce sont les mains de ces aveugles dont j'ai photographié l'arrêt paralysé sur une page blanche, mais attention, ce n'était que pour un instant pendant qu'elles cherchent leur chemin dans la nuit, soudain ces mains sont voyantes et aussi lestes que les mains de Charles sur son piano, Charles était si jeune alors et si prodigieux, je me souviens de tous leurs regards, et ce qui me surprend encore, j'aimais que ces modèles aient parfois les lèvres entrouvertes, on aurait dit qu'ils allaient nous parler longtemps après qu'ils aient disparu, trahir ce secret de leur volupté de vivre, par la divulgation de quelques mots, votre main dans la mienne, avec patience vous me recommandez de dormir, me tendez un somnifère que je refuse, excédée, je vous dis, Harriett, Miss Désirée, laissez-moi seule, me surveillant toujours, vous m'obéissez, vous n'êtes jamais très loin, lorsqu'il m'arrive d'être somnolente mon dos flaire votre présence, tel le soubresaut d'une bête, tous ces portraits que je fis, tout s'imprimant dans la mémoire de mon œil, c'est une photogravure sans fin, trop d'images, de reproductions fidèles, je me revois toujours auprès de l'amant de ma mère dans la chambre, ou avec mon cousin sur le poney, par les bois, en automne, lui qui ne sait rien de moi, cette planche est gravée d'où rien ne peut plus être effacé, ni gestes ni paroles, l'image m'exaspère car elle dure, dure, désordonnée ou cohérente, elle dure, se grave de la phosphorescence du passé, comme du présent, elle me voit avec exactitude comme je la vois, les lèvres de mes modèles s'entrouvrent pour dire, je vais vivre aujourd'hui et mourir demain, que ce soit Charles, Frédéric, Suzanne ou Adrien, chacun me le dit, bien que la jeune Caroline soit occupée ailleurs, dans la pénombre d'une chambre, l'après-midi entendant la voix de son cousin, oh, quand viendras-tu jouer avec moi, le poney est nerveux, elle entend ces rumeurs de guerre déclarée, quand ses parents l'envoient étudier dans des collèges, universités de haut rang, elle sera architecte, dit-elle à ses camarades de cours qu'elle photographie dans des attitudes poseuses, affectées, dans les jardins luxuriants du campus, quand cessent brusquement ce bonheur, cette nonchalance, voici que le ciel s'embrase, que ce monde élégant dans lequel elle vit pourrait ne plus être demain, lors de ses premières leçons de pilotage, elle connaît la peur, elle demande pourtant qu'on la laisse voler en solo, une fois, une seule fois, et maintenant me voici seule là-haut dans ce ciel sans visibilité, solitaire comme je le désirais, toujours occupée ailleurs, la jeune Caroline apprend à piloter auprès de celui qui sera son premier fiancé, son premier mort, héros ou ange précipité d'un ciel en flammes, voici le fiancé, le lieutenant en uniforme, voici l'aviateur dans sa combinaison en toile, mon premier mort, succombant à sa mort héroïque, il n'eut pas le temps de réfléchir comme je le fais, dans ce domaine des armes, on ne réfléchit pas, on meurt, qui sait, peut-être sans crainte, ces jeunes gens ne donnaient-ils pas leur vie sans réserve, la bravoure n'est pas un acte de réflexion, sa pensée ne s'attarda pas, il ne fit que périr, je reçus un télégramme, était-ce le même jour que j'avais appris à me servir d'un fusil de chasse, recueillant dans ma main un faisandeau dont avait saigné entre mes doigts le plumage, est-ce ce jour que je me souvins des paroles de mon grand-père, ne pointe pas vers le ciel une arme car avec ce geste te viendra l'intention de tuer, ce plumage avait des reflets irisés, ce plumage de l'oiseau tombé le même jour en même temps que lui. Je n'y pouvais rien, pas plus que maintenant, Désirée, pas plus que maintenant. Vous avez Dieu, j'ai ce qui fut à moi, et Samuel, s'exerçant à la barre, entendit la voix de son professeur Arnie qui l'exhortait à la légèreté, celle des maîtres japonais que Samuel avait vus danser dans des ateliers d'interprétation qui l'avaient désorienté, ces maîtres pouvaient révéler à notre monde occidental le raffinement de la danse tout en lenteur et dépaysement, quand le corps évolue vers la sérénité, mais l'inexorable climat du monde annonçait pour Samuel la chute de ces pas lourds, ne pouvant plus ralentir, dont il entendait les échos sous sa fenêtre la nuit, afin de faire comprendre aux autres ce qu'il ressentait, il lui aurait fallu, en dansant, emprunter les habits dont les fibres, la texture semblaient d'un souple métal, de ces pourchasseurs de germes que l'on alertait partout, dans des centres de la poste, en tout point stratégique où sous le timbre d'une enveloppe, le papier d'une lettre devant parvenir à son destinataire, où se serait introduite la malencontreuse bactérie, celle-ci vivant en symbiose avec le mot écrit, la lettre mise à la poste l'abritant de son organisme d'envois et de messages secrets, ces pourchasseurs irradiant l'air et les lieux suspects de la poudre antibiotique faillible, nettoyant du passage d'une main à l'autre les parasites de la typhoïde, de la diphtérie, Samuel irait danser, parcourant les rues de New York, un sobre pansement sur la bouche, lequel serait retenu par deux fils de son nez à ses oreilles, il porterait cet habit dont il venait d'apprendre le nom, lequel serait indispensable demain à sa sécurité, des habits Tyvek, tels ces patrouilleurs de l'ère des plus accablantes épidémies, qu'il soit danseur ou postier, Samuel serait prêt à se défendre et à résister à l'infection, en se levant le matin, il se souviendrait que de l'eau de sa douche pouvait aussi s'écouler la contamination, qui sait quelle substance indésirable irait en se transmettant dans les puits, les mers, les fleuves, si l'on savait déjà que d'une pochette contenant une carte ou une lettre se propageraient les pustules de la variole ou les taches de la varicelle, ou ce serait de manière plus insidieuse, tel le travailleur des postes contractant un virus aussi bénin qu'un rhume, planifiant un pique-nique dans la journée avec sa famille, le dimanche, un fervent de la santé, buvant chaque jour ses huit verres d'eau, évitant de boire le vin de la communion, Samuel serait lui aussi pris au piège de ce bien-être certain, et ne saurait reconnaître la nature de son mal, colique ou nausée, il irait à ses cours pour être découvert le lende-main, avant midi, sur le carrelage de sa salle de bains, ne respirant plus, serait-ce encore lui, Samuel, s'exerçant à la barre, papillon danseur aussi léger que gracieux, pour un instant, pendant qu'il songeait à la grâce sans surcharges ni ornements des danseurs japonais, ou homme pestiféré exclu de tous les groupes, à qui serait imposée comme à tant d'autres la quarantaine, serait-ce ainsi ou autrement si cela s'appelait vivre avec précaution, quand on était Samuel, n'aurait-il pas été plus convenable de dire que sa croissance, sa vie étaient désormais perforées, mais qu'il s'entêterait à bien vivre quand même comme l'avaient fait son père et son grand-père, puisqu'il en était ainsi de son ordinateur personnel, Samuel communiquait tous les jours, pensait-il, avec ses amis, s'efforçant comme lui de se soustraire à un conformisme de la peur qui aurait pu détruire chez chacun l'élan de vivre, un poète lui écrivait d'Argentine que depuis quelque temps il ne dormait plus la nuit, un autre en Inde, artiste visuel, peignait à la gouache un lion surgissant de la tête d'un homme, d'Uru-guay naissaient sur l'écran des cercles rouges sur une page de verre, de l'Afrique du Sud un compositeur soumettait les premiers feuillets d'une musique dont les notations ser-rées semblaient illisibles, l'art de combiner les sons ne devenait-il pas l'art d'être vu et entendu, si peu musical que soit cet ensemble de signes et de notes, l'art déployait ses préoccupations urgentes, comme si une main de fer avait écrit dans le ciel au-dessus d'un calme paysage de montagnes et de collines, attention, ne voyez-vous pas que je m'approche, et c'est la voix de ce rouge tumulte que chacun entendait, pensait Samuel, en écrivant cette pièce pour violon et orchestre, écrivait l'ami musicien à Samuel, on se souviendra d'un parfum évanoui, d'une lumière qui ne fit que passer émergeant du cristal, nous, notre histoire, et Samuel écoutait, il lui semblait que cette lumière était celle d'un cristal dépareillé et terni, cette lumière qui montait de la terre dans leur musique cacophonique, comme dans leurs vidéos, isolant parfois une scène d'un passé dans sa déflagration, Samuel pensait que ses amis percevaient le monde d'une soucoupe volante d'où rien ne pouvait être identifié, on ne savait plus si cela tenait de l'archive ou de la propagande, étions-nous dans un village vietnamien, dans un matin d'un vert nuit d'où avaient fui tous les villageois, sous la fumée verte d'un raid ou au Rwanda, après un génocide quand bien même on aurait tué leurs enfants sur leurs dos, les mères vivaient encore, le coup de machette avait atteint la mère pendant qu'elle courait encore, ses petits sur le dos, c'est cette course de la mère qui était ravivée, de toutes ces mères dans leur affolement sans cris que l'on entendait, des pas, des respirations haletantes, le cheminement, la course de tous les malheurs dans l'ombre, mais on ne pouvait discerner lequel, tous terribles et sans identification, planant vers le gouffre, le charnier aux millions de crânes broyés, tant et tant de ces charniers que l'on ne distinguait plus à qui ils appartenaient, hommes ou bêtes, tant et tant de ces génocides qu'ils n'avaient plus ni noms ni tombes, et désormais aucune commémoration, quelques procès parfois où les tribunaux improvisés insistaient sur la participation des bourreaux, mais bourreaux ou victimes, ni les uns ni les autres ne paraissaient, aucune commémoration, aucune juridiction, pensait Samuel, mais si évanescent et en fumée que fût ce monde que percevait l'artiste de son radar, on ne pouvait faire autrement que de penser que ce monde était le nôtre et avancer, avancer, oui, mais qu'était-ce que ce progrès ou cette avance, pour l'artiste, savoir peindre un pigeon gris gisant dans une ruelle parmi les ordures ménagères, l'oiseau dans son abandon aurait représenté le peu de respect que nous avions de la vie et notre obsession devant la mort, dessiner au fusain un ventilateur sur une table, comme si le pigeon ou le ventilateur avaient fourni une même énergie sans avenir, le pigeon, le ventilateur aussi, maltraités par le mauvais usage, rejetés dans un coin, ou avoir tant de choix, une telle multitude d'objets, que Samuel et ses amis ne savaient plus lesquels contrôler à distance, ce téléphone à la mémoire portable, pesant à peine, ou tel autre appareil numérique compact, ou cette télécommande utilisant des touches préprogrammées, la seule puissance énergétique ne venait que de ces outils, ces objets étaient aussi raccordés à vous que vous à eux, du confort de ces objets d'un si agréable format qu'on pouvait les glisser dans la poche d'une veste se dégageaient la distraction volontaire, le désir buté de ne plus rien entendre de ce qui venait d'en bas, pensait Samuel, la cassette vidéo ou le DVD gommaient de leur autorité tout Léviathan, toute évocation des lieux de supplices où l'on avait disposé de la vie de tant de femmes et d'hommes, qui voulait de son téléphone Samsung SCH-i600, dont le code numérique était si novateur, mystérieux avec ses messages instantanés, pensait Samuel, toute une gamme de téléphones virtuoses qu'il aurait aimé posséder, quand son père lui répétait qu'un seul lui suffisait, qui aurait aimé voir apparaître sur le diaphane écran bleu, non plus les messages du jour, souvent des lettres d'amour écrites à Samuel qui aimait plusieurs femmes à la fois, mais il ne semblait pas avoir le temps de s'attacher à une seule depuis sa rupture avec Veronica, voir ce qui se passait dans ces lieux interdits, cachés sur lesquels écrivait son père, les goulags, camps de rééducation, cela n'aurait-il pas été encombrant de trop savoir de ces réalités désastreuses, oui, existaient encore, oui, mais c'était si loin là-bas, en Corée du Nord et en Chine, des régimes hitlériens, staliniens où des hommes et des femmes prenaient plaisir à torturer leurs semblables, ils le disaient eux-mêmes, ils avaient aimé torturer enfants, femmes, hommes, tout le temps où ce devoir avait été exigé, commandé par leurs supérieurs, ces geôlières, geôliers avaient froidement utilisé sur ceux qu'ils appelaient les opposants des gaz qui asphyxiaient, ou avaient pratiqué des tests chimiques, qui aurait voulu être informé, en ouvrant son courriel, de ces macabres détails, ne valait-il pas mieux tout oublier du fonctionnement de cette machine de la grande terreur et être danseur ou chorégraphe comme Arnie Graal, car était là peut-être dans cette chorégraphie, cette scénographie le vrai manifeste, ne fallait-il pas servir son art avec rigueur, cette silencieuse rigueur qui enlevait à un homme jeune le temps d'aimer, oui, dit Caroline, le soldat fiancé fut mon premier mort, ensuite on n'éprouve plus rien tant s'affadit la douleur, mais il n'en fut jamais ainsi pour Charles, je le revois à son retour de l'Inde, il vint me voir dans ma villa au bord de la mer, c'était avant Charly, avant ces actes de censure qui me privèrent de la visite de mes amis, je ne suis pas dupe, je ne le fus jamais, avec Charly, dès qu'elle fut dans ma maison, les gens cessèrent de me voir, de me téléphoner, et même lui, ce cher Jean-Mathieu, c'était elle, me dites-vous, Harriett, toujours elle, Charly, qui sait ce qu'elle fit pour me séparer de Jean-Mathieu, je ne suis pas dupe mais ne puis lui en vouloir, oui il était en larmes, mon petit Charles, je pensais en regardant son air pitoyable qu'il n'avait jamais aussi bien écrit, il payait de ses larmes son génie, que pensez-vous de cela, ma chère Caroline, Cyril aime la promiscuité, le voisinage des voyous, je ne puis tolérer cette situation, qu'allons-nous devenir, voit-il seulement dans quel monde nous vivons, c'est la première fois que je m'inquiète ainsi auprès d'un partenaire, d'un ami dédaigneux de toute règle, que faire, lui ai-je dit, sans savoir que moi aussi, un jour, j'aurais tant à subir de cette promiscuité et du même dédain des règles, il est jeune et sensuel, c'est tout, n'est-ce pas plutôt de la débauche, dit Charles, ces mots débauche, promiscuité sexuelle lui étant aussi inconnus qu'à moi, longtemps nous avions vu le monde de notre tour dorée, nous étions si honnêtes, si parfaits, avant la tentation qui fait céder toutes les digues de la respectabilité, sans compter que cette liaison, notre liaison que ne cesse d'afficher partout Cyril peine tant Frédéric, reprit Charles, et je pris sa tête douce et fine entre mes mains et le consolai, ce que vous vivez Charles, vous blesse tout en alimentant votre œuvre, ne soyez pas si malheureux, oh, que faire, demandait Charles, l'aimer davantage ou moins, davantage, lui dis-je, toujours davantage, ce que je croyais, c'est que Charles qui était un être spirituel devait s'incarner, apprendre comme nous tous l'implacable leçon de modestie de l'amour, et voici que Cyril l'obligeait à cela, l'incarnation de Charles se déroulait sous mes yeux, il aimait, il pleurait, c'était un tout autre homme, je le voyais grandir à travers toute cette turbulence bien concrète de l'amour où les plus orgueilleux se retrouvent plus humbles, où l'âme est cassée, Cyril me force à la colère, oh, pourquoi ai-je rencontré ce garçon, et ce voyage en Inde, pourquoi, il aurait mieux valu que je prenne soin de Frédéric et ne le confie pas aux autres, bien que des amis angéliques veillent sur lui, et puis je suis trop âgé pour Cyril, il faut laisser les jeunes gens entre eux, ce qui m'agresse le plus, c'est que Cyril veut tout, méprisant mon profond attachement à Frédéric, il me supplie de ne plus le revoir, pouvez-vous concevoir cela, ma chère Caroline, ne plus revoir Frédéric, ne plus jamais retourner près de lui quand, si on y réfléchit bien, Frédéric et moi n'avons jamais pu vivre l'un sans l'autre, oui un mariage éclatant, lui ai-je dit, ce fut un mariage très réussi, vous et Frédéric, jusqu'à l'apparition du déclin de Frédéric, jusqu'à la révélation de notre mortalité à tous les deux, dit Charles, ce jour-là, le jour de la chute de Frédéric près de la piscine, et des premières défaillances de sa mémoire, c'était intolérable, et vint Cyril le démon de la jeunesse et de la clarté sombre, je n'y pouvais rien, alors que faire d'autre maintenant que je suis pris, que d'aimer davantage, comme vous le dites, Caroline, il y a longtemps de ces paroles échangées avec Charles, je me sentais forte, en ce temps-là, ce n'était pas encore l'heure fatidique où je ne reverrais plus Jean-Mathieu, au retour de ce voyage en Italie d'où il n'y eut aucun retour, d'où jamais il ne revint, ce n'était pas encore l'heure de l'Île qui n'appartient à personne et des cendres à la mer, je sortais le soir, Jean-Mathieu à mon bras, il y avait parfois ce ton de reproche, dans sa voix, j'étais trop fière, disait-il, ou était-ce l'expression d'une arrogance patriotique qui lui avait toujours déplu, nous qui n'étions ni de la même classe sociale ni du même pays, on ne peut bâtir la fierté d'une nation sur le servage, l'esclavage des uns pour le profit éhonté de ceux qui les dominent, les écrasent, Jean-Mathieu avait été l'un de ces enfants travailleurs exploités d'une époque dont j'avais conservé des photographies, il est vrai que ce n'était pas sans honte que je revoyais ces enfants aux bottines noires portant des fardeaux comme au temps de Dickens, malheur à nous qui avons permis cela, me disais-je, sachant que ce n'était pas ma famille ancestrale seulement qui devait être jugée, mais toutes les autres, était-ce ma faute si Jean-Mathieu était parfois si vulnérable, se comparant à ces fils d'immigrants fermiers vivant dans une innommable misère, ce ton de reproche qui me chagrinait, pourtant je n'y sentais aucune aigreur, Jean-Mathieu semblait vouloir toujours tout me pardonner sans jamais être condescendant, mais j'entends sa voix, la voix de Jean-Mathieu, à mon oreille, si près, comme s'il était dans cette pièce où vous me gardez captive, j'entends leurs voix à tous, la voix mélodieuse de Charles, de Frédéric, j'entends le rire de Suzanne, on ne meurt jamais, dit-elle, ce sont des histoires qu'on nous raconte, allons, un peu de courage, Caroline, revenez vivre parmi nous, que faites-vous là auprès de votre nourrice noire, voyez cette pauvre femme que vous avez ennuyée de vos récits et qui s'est endormie dans son fauteuil, ne refusez pas de manger, cela pourrait être très dommageable

pour vous, revenez parmi nous, Caroline, venez avec moi
dès l'aube au court de tennis, je vous attendrai demain, car
ce sera bientôt le lever du jour, Caroline, ou c'est la voix
de mon cousin qui me dit que le poulain est rétif près de
la clôture, nous allons bientôt dévaler les dunes, et l'herbe,
le sable seront encore mouillés, je dirai en frissonnant dans
la tiédeur du jour, je me tairai peut-être, ou je dirai, écoute,
cher cousin, c'est mon secret, j'étais avec un homme,
l'amant de ma mère, hier, oui dans l'après-midi ; peut-être
que je verrai venir vers moi tous ces poètes que j'ai photographiés, d'une voûte de feuillages qu'ils soulèvent de
la main, les voici qui me disent, préparez-vous à nous
suivre, l'un me dit, ce que je regrette le plus, c'est cette nuit
de mon départ à trente-neuf ans, hélas, j'avais tant
consommé d'alcool, je ne sais plus moi-même comment
cela se fit, ce fut une erreur stupide, je voudrais être encore
auprès de ma femme et de mes enfants, surtout le dernier
que je n'ai pas vu grandir, une erreur sans réparation : ce
jeune peintre de Londres encore ténébreux et désolé me
dit, oui ce fut très absurde ce suicide, le mien, vous vous
souvenez, quelques jours après notre rencontre à Londres,
je disais adieu à la terre, vous avez photographié mes
mains crispées qui tenaient le crayon, il ne faut jamais dire
adieu à la terre puisqu'on est récupéré par elle, tous, je les
vois tous et les entends, ce rire de Suzanne que son mari n'a
jamais pu apprivoiser, ce rire si frais pourrait bien me
convaincre, nous avons cette fête pour les quatre-vingts
ans d'Esther, je vous en prie, venez vous joindre à nous,
Caroline, je dois lui dire que je n'ai plus de robe ni de souliers, sinon cette ridicule robe de malade qui m'empêche-
rait de sortir, et mon chapeau, j'ai déjà demandé plusieurs

fois à Harriett, ma domestique, où elle avait rangé mon chapeau et mes gants, ce n'est plus une domestique, Charly m'aurait sévèrement grondée, Harriett était le nom de ma nourrice, ce n'est plus une domestique, je suis votre amie, dit Miss Désirée, et c'est la volonté de Dieu et non la mienne, voilà Harriett qui se résigne sans me dire où elle a rangé le chapeau, les gants, nous avons un ravissant poulain, mon cousin et moi, il s'appelle Beauté, mais l'heure qui fait s'envoler les faucons vers leurs proies a-t-elle sonné, je ne crois pas, ce n'est pas encore l'aube bien que le soleil soit plus pâle, les fauconniers dans le désert ont planté leurs tentes et allumé des brasiers, et dans leur sommeil les cerfs ont entendu les aboiements des chiens, et les gazelles tremblent en entendant les grincements des pneus des voitures sur cette route de campagne, elles nous pressentent, mon mari et moi, nous, notre précision au tir, de la voiture décapotable, nous n'éprouvons aucune peur ; ma mère était une femme rebelle, lorsqu'on nous photographie ensemble, elle veut s'asseoir avec moi près d'elle sur la pelouse que bloque la façade d'un grand hôtel, elle a un air dolent et moi aussi, elle est distraite comme elle le sera souvent, elle pense à l'homme de la nuit peut-être, son sourire est charmant, elle semble dire, en femme qui a l'habitude du faste, écoute bien, ma fille, je ne serai jamais une femme soumise, ni une mère comme tu peux l'attendre de moi, non, je bouge dans une certaine magnificence qui me rendra désormais inabordable, voilà sans doute pourquoi elle me confia dès ma naissance à ses domestiques de même qu'aux oncles et aux tantes dont la maison était souvent pleine, ces oncles attendris, repus de leur bonhomie qui violent leurs nièces lorsque leur mère n'est pas là, est-ce l'heure où les fauconniers lancent vers le ciel leurs rapaces, est-ce l'heure déjà ? Une étoile scintille dans le ciel qui a pâli, Harriett dort bruyamment, la tête inclinée sur sa poitrine, c'est vraiment l'heure où il n'y a personne, se repose même la vigilance, ma mère a mis au monde une fille plus que viable, dure et aimant la conquête, ce fut sa hardiesse, son courage, je ne voulais pas d'une fille viable car elle aurait à peine survécu à notre massive insanité, à peine vécu plus de quelques années comme ces frères et sœurs d'une même famille lentement massacrée par les Gardes rouges, leur père professeur démis de ses fonctions, humilié devant la foule, temps de dissolution et de folie, ou je me trompe, elle aurait été comme moi l'une des premières à se battre, elle aurait été l'amie, l'alliée et pas cette vaine et cruelle Charly qui me fit tant de mal, sachez que ce n'est pas elle, l'auteur de ces catastrophes dans ma vie, non, elle aurait été ma fille qui n'était pas viable, la première chirurgienne maîtrisant autant que les hommes qu'elle admirait l'art de la transplantation cardiaque, elle aurait été enthousiaste, astronaute, l'empreinte de son pas aurait été vénérée, elle aurait reçu des honneurs dans vingt-deux pays, serait-elle répudiée dans ses éblouissantes capacités sur des astres inconnus comme elle l'était sur la terre qu'elle connaissait bien, serait-elle, toujours cette interrogation, oui, dans un monde comme dans l'autre, sous le règne de l'insanité des masses, comme sous celui du premier pas invincible d'un homme sur la lune, ou son envol graduel vers toutes les planètes, serait-elle toujours si peu viable ? Elle aurait combattu comme je le fis, pour le droit à l'avortement légal, aurait été bannie, controversée comme Norma McCorvey renversant les lois étriquées, au

Texas, un lundi de janvier 1973, elle aurait vécu au temps des prophètes exilés, des bébés miraculeux, fertilisés dans des tubes, elle aurait contourné toutes les lois de notre espèce, commis avant de naître, les audaces et périls de la liberté, elle aurait été viable pour voir tant de choses, appartenir à tant d'alliances, aurait assisté à la tombée des murs comme à la restauration d'autres remparts séparant les unes des autres les nations, aurait été de l'autre côté des barbelés à Berlin, et nul n'aurait entendu sa voix, elle aurait été une activiste sous un masque à gaz, elle aurait crié, aurait été viable et vivante, la mienne, mon enfant, ma fille, si je n'avais ressenti si fort au temps des hostilités que jamais elle ne serait, elle, née d'une femme, peu viable. Et, dans une amabilité craintive, Mère s'était rapprochée de Nora, de son mari Christiensen, en leur serrant la main elle avait dit combien elle espérait mieux les connaître, mais quand cesserait donc cette musique que le fils de Tchouan avait choisie, ces jeunes gens, pensait-elle, doivent-ils toujours nous cribler les oreilles de sons criards, ce serait bientôt la fin de la nuit et Mère n'aurait plus raison de se plaindre, dans cette nuit odorante du parfum des jasmins, des frangipaniers, le visage amaigri de Nora, depuis son retour d'Afrique, exprimait comme le visage de Mère les signes d'une fatigue soudaine, ce n'était pas à cause de l'âge, observait Mère, mais d'une ascèse que Nora s'était imposée en Afrique : dans une sorte d'épuisement de la conscience, Nora regardait autour d'elle, en se demandant si sa place était en ce lieu de célébration ou ailleurs dans le pays disgracié, abîmé, il y a des anniversaires pour les personnes, peu d'anniversaires pour des tragédies qui ont bouleversé le monde, pensait Nora, les victimes ne parlent pas, on fait comme si elles n'avaient pas de voix, oubli ou silence, à quoi bon avoir la conscience ulcérée, peut-être Nora aurait-elle dû écouter ses enfants, ne pas partir quand Christiensen, au contraire, lui avait fortement conseillé de retourner là-bas, quelle âpreté c'était déjà auprès de notre père, médecin dans la brousse, mais voici que la terre rwandaise était si lourde de ses morts, bien que dans les journaux, à la télévision il fût si rarement question d'elle, de ses enfants tutsis tués par milliers, qui serait Nora demain, la même ou une autre, il était si aisé d'être à nouveau confortable, de tout oublier de ce qu'elle avait vu et senti, et cette odeur enivrante du jasmin, cette odeur de fumée des brousses, à une descente d'avion, à Kinshasa, des feux s'allumaient sous la pluie, j'avais revu le Sahara, du hublot, le Sud saharien, une étendue de sable blanc dans laquelle j'aurais aimé courir, cette odeur de fumée si proche me serrant la gorge, était-ce une mer couleur d'or ou d'une blancheur qui m'aurait aveuglée, vinrent un chauffeur et un porteur, on me demanda si j'étais l'infirmière que l'on attendait depuis plusieurs jours, non, je venais, je voulais être là pour revoir le pays, c'est tout, si l'on avait besoin de moi, je serais disponible, je n'avais aucun rôle, une mère, une artiste, comment leur expliquer qui j'étais, Nora, je suis Nora, je reviens au pays désormais disgracié, abîmé, il y avait tant de gens autour de moi, plusieurs kilomètres nous séparaient de la ville, cette odeur de fumée provenait des lampions allumés, des commerçants, vendeurs assis sur des chaises, le long de la route, objets dérisoires que chacun veut vendre, il y a pour nous qui sommes en voiture, partout des barrages de contrôle, dans un camion où de gros sacs de riz ont été empilés, des enfants avec leurs mères, ils sont accroupis sur les sacs, leurs yeux d'affamés nous fixant fiévreusement, devrais-je partir ou rester, les filles me disaient ne pars pas demain, as-tu oublié qu'à cinquante ans tu dois accepter l'état du monde, n'était-ce pas une entreprise sournoise de ses filles de toujours vouloir la garder près d'elles, pensait Nora, simplement peut-être une forme d'égoïsme légitime, nos enfants ne pouvant agir autrement, attendant de nous, même quand nous vieillissons, ce que soudain nous nous sentons incapables de leur offrir à eux, à d'autres oui, nous aimerions pouvoir tendre la manne en réserve à ces enfants accroupis sur leurs sacs contenant une nourriture que des voleurs viendront piller avant leur arrivée dans la ville, à eux, oui, rester ou partir, un petit-fils était sur le point de naître, Nora avait longuement pensé la nuit, à Kinshasa, à ses trois filles, à ses deux fils, dînant légèrement de samosas au bord de la piscine de l'hôtel, demain Nora frapperait à la porte d'une école, elle avait bien quelques relations grâce à son mari diplomate qui avait souvent séjourné dans ces régions, non, il aurait mieux valu agir seule, déjà dans l'hôtel désert, elle leur avait écrit, mes anges, chacun de vous est unique, vous recevrez dès cette nuit ces quelques mots, je vous aime, que papa n'oublie pas de transférer un peu d'argent, croyez tous que je suis sereine et heureuse, étiez-vous tous ensemble pour la fête de l'Action de grâces, tout mon amour pour toi, Christiensen, toi qui comprends souvent mieux que moi la direction plus large que doit s'attribuer ma vie, si j'éprouve quelque doute, mon cher Christiensen, c'est que ta confiance illimitée en moi puisse être déçue, alors je sombrerais, oui j'irai à cette fête africaine chez tes amis, mes enfants uniques, je vous embrasse, rester, partir, c'était comme un vertige, expliquait Nora à Mère, je ne savais plus quoi décider, voyez cette brume de chaleur au-dessus de la mer, et ces nuages mauves et roses qui vont bientôt dissiper la nuit, cette odeur de fumée et d'eau, comme les feux de brousse de mon enfance, nous avions deux petits singes, une nuit ils disparurent, mon frère était inconsolable, mon père disait que la possession de jouets était une chose frivole, de toute façon, appelé nuit et jour, il avait si peu de temps pour ma mère et nous, et Mère disait à Nora, ce fut une longue nuit, j'allais demander à ma fille de me retirer mais en vous écoutant, Nora, je n'ai plus envie de dormir, enfin, ils ont baissé le volume de cette musique, vous avez été très affaiblie par la malaria, dit Mère, il faudra prendre bien soin de vous, Mère recouvrant auprès de Nora ses élans maternels comme si elle avait parlé à Mélanie, ma pauvre petite, dit-elle, je trouve les femmes bien courageuses, partir ou rester, Nora n'aurait pas dû revenir, elle aurait pris le temps de guérir là-bas, pourquoi ses filles s'étaient-elles si vite alarmées, il y avait eu cette fête africaine où l'on avait cuisiné toute une journée des poulets aux arachides, des poissons dans des feuilles de manioc, beaucoup de musique, la boisson les abreuvant à flots, certains buvant jusqu'à la stupeur en dansant, je me disais, tant boire, tant danser, pour les femmes blanches que leurs maris ont amenées ici, est-ce pour oublier le pays dévasté et la douleur muette de leurs serviteurs africains? Qu'était-ce que ce grand malaise dont je commençais déjà à souffrir, dès les premiers jours, les premières nuits, moi aussi, dit Mère, j'aurais été très triste si on m'avait enlevé la nuit sans que je sache pourquoi, le compagnon, le petit singe, ou le lionceau, inconsolable, on pouvait l'être en grandissant dans une telle solitude, comment imaginer cela, et pour aller à l'école, dit Nora, c'était un voyage de plusieurs jours dans des bateaux, des avions peu stables, nous partions pour plusieurs mois, loin de notre famille, mon frère et moi, il avait six ans et moi huit, il était pris de vomissements et ne cessait plus de pleurer, il avait si peur, sa main dans la mienne, nous passions les vacances de Noël avec les religieuses, chacune d'elles nous entourant de son affection, quand donc papa et maman viendront-ils nous chercher, bientôt, disaient les religieuses, dès que l'année scolaire sera achevée, patience, mes trésors, patience, vos parents reviendront, quel gros chagrin, allons, soyons braves, mouchez votre nez, un grand garçon ne pleure pas, disaient-elles à mon frère toujours en pleurs, il y avait longtemps qu'on nous avait privés de nos petits singes, qu'une rôdeuse hyène les avait dévorés, pendant la nuit, nous avions entendu d'étranges bruits contre la moustiquaire, maman avait dit de ne pas se lever, les enfants peuvent ressentir de telles détresses, dit Mère, j'ai eu une gouvernante française que j'adorais, au retour d'un voyage en Europe, je me souviens d'un énorme paquebot de luxe et du mal de mer, la gouvernante française n'était plus à la maison, je ne la reverrais jamais, par quelles manigances de mes parents, quelle trame malhonnête avais-je perdu ma gouvernante, je ne le sus jamais, Mère devint morose à la pensée de ce souvenir, cette première trahison serait suivie de bien d'autres, avoua-t-elle, hélas, c'est la vie, je voulais m'occuper des enfants des rues à Kinshasa, dit Nora, je me sentis coupable en lisant l'un des courriels de ma fille, et nous, maman, ne peux-tu pas t'occuper de nous, qui avons besoin de toi à la maison, j'attends la naissance de mon enfant, maman, c'est odieux cette attente, pourquoi n'es-tu pas près de moi, ma mère chérie, nous sommes des femmes, dit Mère, je pense parfois que c'est un bien mauvais sort, j'aime tous mes petits-enfants, mais j'aurais tant aimé que Mélanie n'ait à penser qu'à sa carrière, c'était bien assez, c'est ici que j'ai tant à faire, avais-je répondu à ma fille Greta, dit Nora, chérie, mon unique, il faut me croire, je crois que longtemps aucun courrier ni appel que j'avais envoyés de la ville ne vint jusqu'à eux, mes chéris que j'avais quittés bien volontairement, même lorsque j'écrivais à Greta, je pars demain en avion pour Gemena, Kindu, c'est une mission de reconnaissance pour évaluer les manques des orphelinats, maternités, manques de secours, préventions, tu sais bien, Greta, que je pense à toi tous les jours pendant cette grossesse difficile, je veux dire par là, ma chérie, que toutes les grossesses sont difficiles, toi, par exemple, ne t'ai-je pas espérée avec trop de nervosité, il n'y eut aucune complication, contrairement à ce que je pressentais, conçue en Afrique pendant une mission de ton père dans ce pays, tu nous arrivas, belle et blonde, papa disait, ce sera ma petite Norvégienne, il faut que je rencontre des experts, surtout des médecins, je serai dans un guesthouse de quatre chambres avec cuisine et salle de bains communes, moi qui suis si choyée à la maison, au point de penser que deux ou trois salles de bains nous sont indispensables, plus qu'une voiture aussi, ma chérie, nous pouvons vivre avec beaucoup moins de biens, surtout des biens que nous avons souvent en double, c'est pour cela que je suis partie, même si ce départ, j'en suis désolée, t'ombragea tant, mais nous aurons la climatisation centrale et l'eau filtrée, j'achèterai une chaise, un réchaud, je crains de t'ennuyer, mon trésor, avec tous ces détails, embrasse papa, ton papa qui est exemplaire, ma chérie, la directrice me prêtera une table et un matelas mousseux, lequel sera par terre, pense à tous ces lits que nous avons à la maison, à toutes ces chambres, ne sommes-nous pas trop nantis, n'est-ce pas ce que papa dit souvent, lui qui a vu tant de malheurs pendant ses missions à l'étranger, papa a-t-il transféré l'argent, depuis quelques jours je n'ai de vous tous aucune nouvelle, j'aimerais recevoir cet argent pour le Noël des orphelins, je sais que ton père ne tardera pas à communiquer avec des organismes de charité, je vous embrasse tous, mes chéris, en mangeant mon premier maïs africain dans la rue, j'eus la sensation que toute mon enfance avec mon frère me rendait mon bonheur, ce ne fut que pendant la durée d'un instant, et cette école que vous avez visitée dans la brousse, comment était-ce, demanda Mère, son regard rivé sur le visage intense de Nora, je ne pouvais pas le croire, dit Nora, non, tous ces groupes d'enfants pour seulement deux professeurs, quand mes enfants ont tous étudié dans des écoles privées où il y avait pour chacun d'eux tant d'attentions et d'espace, j'étais émue par ces cent cinquante enfants tous avides d'apprendre dans les pires conditions, dans une case dont les murs sont en matiti, ce sont des bâtons de la plante de manioc, quant au toit, il est fait de branches de palmier, recouvertes d'une bâche, c'est une école dans une savane, des militaires s'étaient emparés d'une partie du toit, lorsqu'il pleuvait, il n'y avait donc pas de classe, les familles paient pour l'uniforme de leurs écoliers, ainsi que pour les livres et cahiers, ce qui représente pour elles beau-

coup de frais, et pourtant, c'est là le minimum pour chacun des écoliers, avais-je déjà pensé avant mon départ
pour l'Afrique au coût de ces uniformes et de ces cahiers ?
Jamais, je le crains, tant de choses que j'ignorais ou que
j'avais oubliées, aussi que le professeur emporte le tableau
noir après la classe, sinon on le lui déroberait. Je pensais à
mes enfants, chacun avait étudié en ayant son pupitre, sa
table, son tableau noir, les bancs, pour ces écoliers,
n'étaient que des planches clouées sur trois bouts de bois,
maman, comment peux-tu toujours comparer, m'écrivait
Greta, reviens-nous avant Noël, mère chérie, je m'inquiète
chaque jour pour le bébé, oh, est-ce normal qu'il en soit
ainsi, reviens, nous t'attendons, Nora pensait qu'elle
n'avait pas cédé aux exigences de Greta ni à aucun autre
impératif qui l'aurait détournée de sa voie, après l'école
dans la brousse, elle avait visité un hôpital, il y avait là,
avait-elle écrit à Christiensen, une soixantaine de lits
presque tous dépouillés de matelas et de couvertures, une
salle d'opération propre, un seul pavillon pour la maternité où l'on soignait aussi ceux qui étaient atteints de la
maladie du sommeil, ne signalant que son bien-être, sa
sérénité, Nora n'avait pas mentionné qu'elle commençait
à ressentir quelques vagues effets du paludisme, on savait
que c'était une maladie fréquente ici, Nora ayant été surtout touchée, écrivait-elle à son mari, par un patient qui
accourut vers elle, une écume de sang sur les lèvres, en la
suppliant de lui donner de l'argent afin qu'il puisse se procurer des médicaments, elle reverrait souvent cette scène
en rêve, dans un tourment indéfinissable, le don de vingt-
cinq dollars qu'elle avait fait au médecin du pavillon avait
laissé en elle des traces de répugnance, elle ne pouvait donc

rien accomplir d'un peu efficace, de bien, elle irait à Mont-Ngafula où elle serait utile aux orphelins, de nombreux bébés abandonnés, c'est là seulement dans ce havre pour les malades délaissés et les orphelins qu'elle avait ressenti l'apaisement de la joie en donnant le biberon à deux des nourrissons trouvés à la porte du havre pendant la nuit, elle avait tout de suite écrit à Greta, tu sais bien, ma chérie, que tout ira bien pour la naissance de ton bébé, ce que tu éprouves est parfaitement normal, ce qui est idiot, c'est que je n'avais pas apporté les bonbons que me réclameraient les plus grands, ah, si tu voyais ces petits qui n'ont rien, si chétifs, qui jouent dans la poussière et, malgré tout, savent rire, je te répète que tu n'as rien à craindre, Greta, tout ira bien, c'est souvent ainsi la première fois, lorsque j'attendais ton frère Hans, j'étais comme toi, et le voici agent de bord, un homme déjà, oui, les plus grands me retenaient dans la chambre 8 en disant, où sont les bonbons, je me sentais bête, indigne, oh, combien, j'étais la bénévole au havre d'un prêtre-médecin italien, j'ai appris comment faire une transfusion de sang à un garçon de trois ans, si peu développé qu'il en paraissait à peine deux, nous n'avions pas d'eau courante dans cet hôpital, l'eau venant par camion-citerne, je remplaçais une volontaire qui avait la malaria, ensuite la typhoïde, et qui ne pourrait pas reprendre le travail avant quelques semaines, Nora ne stipula nullement à ses filles ni à son mari une inflammation de la peau la nuit comme si elle avait senti courir des vers sous l'épiderme, il aurait été complaisant qu'elle s'en plaigne, ces infections s'attrapaient en lavant des corps d'enfants découverts sur des tas d'immondices, en les ranimant, les nourrissant, petites créatures lamentables qui se mettaient soudain à revivre, à ressusciter, c'était là le miracle, on en sauvait chaque jour, soudain l'enfant était en bonne santé et joyeux, souvent des petites filles très attachantes, Nora les aurait toutes adoptées tant elle les chérissait déjà, bien que courût sous la peau l'inflammation, ou une traînée de vers, elle ne savait plus, lorsqu'elle irait mieux la volontaire avait l'intention d'adopter l'une de ces petites filles, le miracle c'était cette joie dans leurs yeux, les lettres, missives, télécopies rejoignaient-elles son mari, ses enfants, seule devant de magnifiques couchers de soleil, Nora attendait, en silence, secouée soudain par le chant des crapauds, c'était à cette heure que sa famille lui manquait le plus, puis elle se répétait qu'elle était bien là où elle devait être, que Christiensen la soutenait lorsque la tâche s'avérait un peu périlleuse, combien elle aurait aimé sentir ses mains sur ses épaules, quand le reverrait-elle, sortirait-elle intacte ou avec la jaunisse de ces marécages tropicaux, non, elle était bien là où elle devait être, c'était sa certitude : les nuits étaient chaudes dans la chambre aux grilles et aux portes cadenassées derrière la moustiquaire, quand Nora aurait aimé dormir les fenêtres ouvertes sur la vallée, c'était ce même chant des crapauds-bœufs qu'elle avait entendus autrefois, dans la maison de ses parents quand on avait laissé dehors le petit singe de son frère, maman disait que l'air oppressait moins les singes lorsqu'ils passaient la nuit dehors, et Nora ajoutait toujours à la fin de ses lettres combien elle était auprès de ses enfants en pensée, et ne les oubliait pas, il avait plu pendant plusieurs jours, écrivait-elle, en allant à Kinshasa à la poste, les rues étaient toutes boueuses, des mendiants surgissaient de partout, s'agrippant à son véhicule, mais le chauffeur avait dit, ne nous arrêtons pas, ce n'était peut-être qu'une impression, mais que de décrépitudes, de délabrements dans les rues de Kinshasa, on dit que croît ici dans ces caniveaux submergés de déchets et d'eau sale la malaria, laquelle n'épargne pas ces enfants de huit ans qui travaillent déjà dans les rues comme des adultes en vendant des bidons d'huile, il y a aussi des trafiquants qui abusent de ces petits vendeurs, mendiants et enfants criaient les mains tendues vers notre véhicule, Nora craignait que l'un d'eux ne soit écrasé sous les roues du camion dont le chauffeur répétait, allons, plus vite on ne peut pas s'arrêter, je pense, dit Mère, que vous deviez quand même éprouver quelque sentiment de joie et même de plénitude, ma chère Nora, car à Kinshasa vous étiez le maître de votre destin, c'est une grande joie pour une femme, peut-être, avait admis Nora, mais une mère dont c'est vraiment le rôle d'être mère comme je le suis ne peut jamais connaître ces sentiments de satisfaction loin de son mari, de ses enfants, il y avait toujours cette ombre, dit Nora, et les yeux de Nora s'assombrirent, elle se vit soudain comme la Nora d'Ibsen déchirée entre ce goût d'une liberté qui était presque primitive et un conventionnel attachement à tous les siens qui avait empêché cette liberté, et plus encore sa libération, contrairement à la Nora d'Ibsen, dans *Maison de poupée,* elle ne pouvait accuser son mari d'aucun égoïsme masculin, pensait-elle, Christiensen ne l'aimant que libre et plus affirmée dans ses convictions de liberté qu'elle ne l'était, se disant que cet égoïsme était sans doute le sien, dans la réconciliation insensée qu'elle attendait entre sa vie de famille, sa maisonnée et une vie bohème dont le but avait été humanitaire, mais rien n'est jamais conciliable, pour nous les femmes, dit Mère, déjà les premiers rayons du soleil sur la mer, dit Nora, il y avait cette odeur de plantain frit et de fumée sur l'eau, sans doute Jermaine et ses jeunes amis avaient-ils décidé de déjeuner entre eux au bord de la piscine après avoir dansé toute la nuit, la musique n'était plus qu'une rumeur, enfin, dit Mère, nous pouvons mieux nous entendre, le soleil sera brumeux aujourd'hui, dans cette chaleur, là-bas, poursuivit Nora, j'étais indépendante, on me logeait pour le travail que je faisais dans la journée, je ne demandais rien à personne sinon qu'on me permette d'être bénévole, c'était une sensation délicieuse cette liberté, un sentiment de plénitude, dit Mère, j'en suis sûre, tant d'attitudes autoritaires me contraignaient, dit Nora, comme dans mon enfance, cette façon qu'avaient tous les étrangers en parlant aux serviteurs, c'était intolérable, blanc ou noir, l'étranger voulait être vénéré et obéi, surtout lorsqu'il s'agissait des ambassades, de tous ceux qui croyaient exercer des fonctions supérieures, rien n'avait donc changé depuis ces années d'autrefois ? Hélas, rien ne change comme nous le voudrions, dit Mère, il lui semblait que sa main droite ne tremblait plus depuis qu'elle était auprès de Nora, si attentive à ses paroles, peut-être avait-elle exagéré son mal, elle regrettait maintenant que ce soit bientôt le jour quand elle avait trouvé la nuit si longue, j'aime vous écouter, Nora, dit Mère, comme si votre engagement me soulageait de ma vie peu active, sauf auprès de ma famille bien entendu, pourquoi n'ai-je pas fondé des hôpitaux moi aussi, comme l'ont fait vos amies, des femmes médecins, pendant qu'elles retirent de la rue des enfants et des handicapés qui n'ont d'abris que des auvents pendant la saison des pluies, je ne sers qu'à éduquer mes petits-enfants, j'étais et suis toujours la directrice culturelle de quelques musées, mais c'est bien peu, les joues de Mère s'étaient embrasées, elle était soudain fière d'elle-même et de Nora, les femmes étaient des êtres souvent forts, de caractère loyal, Mélanie ou Nora prolongerait sa vie, qu'était-ce qu'une vie réussie, sinon qu'elle soit aussi ce serein prolongement dans la vie des autres, puisque tout avait une fin et qu'il fallait s'y résigner sans contestation, la présence des églises me gênait comme au temps de mon enfance, dit Nora, c'est un abus honteux de la crédulité d'une population trop pauvre pour se défendre de toute emprise religieuse, pendant qu'elle prie, elle ne se révolte pas, plutôt que de distribuer du pain, des pierres, du ciment pour reconstruire les routes, recouvrer quelque dignité de vivre dans le travail, l'éducation, c'est l'anesthésie par la prière et les chants d'église, puis Nora s'était tue, craignant d'ennuyer Mère avec ses propos laconiques, Nora pouvait-elle juger de la consolation des chants d'église, quand elle-même s'était liée d'amitié à un prêtre-médecin de Kinshasa, tout heureuse de pouvoir remplir avec lui le coffre de sa voiture de lait en poudre, de bonbons, de cacao, de marmelade, de biscuits qu'ils offriraient aux enfants tuberculeux de l'un des pavillons de l'hôpital, quand chaque miette de pain, chaque goutte d'eau avait tant de prix, le moindre effort d'une femme, d'un prêtre, fût-il minime, n'avait-il pas un sens, pensait Nora, on ne pouvait mesurer ces efforts, car après la fête dans le pavillon des enfants tuberculeux, Nora avait suivi le prêtre-médecin dans la chambre 6 qu'elle aurait sous sa garde, où on lui avait confié un bébé de seize mois sidéen, qui pesait à peine dans ses bras, ce n'était plus un bébé, disait-elle à

Mère, mais une si petite chose, dont la peau semblait avoir été rongée par la gale et la teigne, dites-moi où est Dieu devant une telle misère, ai-je demandé au prêtre, qui ne me répondit pas, à quoi bon toutes ces églises qui ne cessent de proliférer partout, Nora avait élevé ses enfants dans l'athéisme, et ne regrettait pas qu'il en soit ainsi, disait-elle à Esther, et Mère sentit chez Nora cette volonté farouche de ne dépendre d'aucune spiritualité factice, ce qui semblait étonnant quand Nora doutait d'elle-même et avait besoin de cette foi, ou de cette espérance dont elle s'éloignait, il fallait s'occuper de l'intendance et le soir des orphelins plus grands, ceux de la chambre 12, ceux que l'on conduisait à l'école, c'était à plusieurs kilomètres de l'hôpital, encore une mission de religieuses, mais sans ces braves femmes, il n'y aurait aucune scolarité, dit Nora, lorsqu'on me prêtait la jeep, j'évitais aux écoliers de revenir à pied l'après-midi, j'allais acheter du poisson séché et du sucre, me reprochant sans cesse ce qui n'avait pas été fait, pourquoi de jeunes idéalistes ne venaient-il pas ici, ingénieurs ou médecins, en avais-je jamais parlé à nos amis influents, l'hôpital était situé à flanc de montagne, il aurait fallu arrêter l'érosion en cette saison des pluies, l'eau de pluie préservée dans des gouttières aurait désaltéré le potager, le verger, qui donc avait tant ravagé ce qui était à l'origine un beau pays, quelle corruption, des individus comme des associations frauduleuses, des multinationales et des politiciens, ces mots en colère, Nora les écrivait chaque nuit, dans sa chambre cadenassée, à Christiensen en lui rappelant combien elle l'aimait, elle maîtrisait sa hâte de le revoir, en accentuant son désir d'aller toujours plus loin, tu sais, Christiensen, qu'il faut des permis tant ce pays est partout divisé, pour aller en Équateur, dans l'Ituri, le Maniema, Kivu, Shaba, embrasse pour moi, cher Christiensen, chacun des enfants et dis à chacun combien il m'est cher, dis à Greta, je t'en prie, d'être plus confiante en l'avenir, nous aurons un merveilleux petit-fils, il faut que tu puisses la rassurer, toi qui es là, mon chéri, comme je vous l'ai promis à tous, j'espère être de retour pour la naissance de l'enfant, mais qu'était-ce que cette promesse, pensait maintenant Nora, sinon l'expression d'un doute viscéral, si elle avait moins douté de l'authenticité de son bénévolat en Afrique, elle n'aurait rien promis, elle qui se voulait libre et détachée, toujours il fallait se contredire elle-même, sans doute parce qu'elle n'était jamais assez patiente, et s'inscrivait trop vite à toutes les compétitions de l'existence, voulant se dépasser en tout, quand pour beaucoup la vie était une entreprise lente et souvent tardive, Nora ne pouvait pas attendre, non, disait-elle à Esther, c'est un grave défaut, je n'ai aucune patience, les ordres de mission arrivaient lentement, et pendant ce temps les gens mouraient à cause de moi, oui, les handicapés de guerre et encore de ces bébés que j'avais tenus dans mes bras, on me disait que toutes les missions, dans les hôpitaux comme dans la brousse, étaient trop dangereuses pour moi, mais rien n'était trop dangereux, non, rien, et pendant qu'une bruine de chaleur inondait l'horizon et la mer, devenus avec l'aube d'une couleur mauve, Nora se sentit vacillante et étourdie, c'était ce parfum de fumée, de jasmin, peut-être, quand dans son esprit bouillonnaient tant d'images, de souvenirs, comme croulent sous le poids des frangipaniers blancs ou orange leurs éclatantes branches, elle ne savait plus si elle était dans ce jardin de

Tchouan et Olivier, ou là-bas où le prêtre-médecin lui disait, ah, si vous saviez ce que j'ai vu dans les régions en guerre, tout est brûlé, détruit, à la machette, la malnutrition est plus étendue encore, oui, si vous saviez, cette voix du prêtre l'attristait comme lorsque son père constatait autrefois qu'il y avait tant de lépreux et si peu de médecins avec lui dans la brousse, et voici que Nora sortait avec Christiensen la nuit, se distrayait à cette fête joyeuse autour d'Esther, comme si elle avait été allégée soudain de toute perception de la souffrance qu'elle avait vue, comme hier son père, de si près ; en entendant les roucoulements des tourterelles au collier noir, elle revit les perroquets gris volant au-dessus de Kinshasa, que l'on appelait aussi perroquets du Gabon, elle crut entendre leurs sifflements lorsqu'ils imitaient d'autres oiseaux, c'était là-bas son pays, pensait-elle, il lui faudrait repartir, peut-être le père de Nora était-il un saint comme on lui disait, alors pourquoi était-il aussi intolérant avec sa femme et ses enfants à la maison, Dieu n'était pas plus présent dans ses pensées que dans celles de Nora, mais il partageait avec sa fille ce grave défaut de l'impatience, toujours pressé par le travail, il leur commandait que tout soit accompli sans délai, les repas, le sommeil, qu'étaient-ce que ces états paresseux de ses enfants dont les notes n'étaient pas excellentes à l'école, sa femme, qui était son aide-infirmière, n'était jamais appréciée, maman qui travaillait tant pour cet homme, pensait Nora, elle disait parfois, ma vie sera un échec à cause de lui, je te vengerai, maman, lui disais-je, mais elle se reprenait vite, tu sais bien, Nora, que j'aime ton père, je voudrais simplement pouvoir faire mieux, et c'était le souhait de Nora cette habileté à guérir qui soit fructueuse, et où en était-elle maintenant, dès son retour d'Afrique, elle avait dépensé trop d'argent pour se vêtir, cette manière particulière de s'habiller était la sienne, elle n'y pouvait rien, Christiensen aimait la voir ainsi, mignonne ou ravissante, son chapeau de paille à ruban incliné sur le front, un peu androgyne d'aspect dans ses vêtements très féminins, Nora, c'était elle, pas une sainte comme son père ni un esprit d'une rationalité exubérante comme l'était son mari, complexe, déroutante, il lui fallait vivre vite, peindre tout ce qu'elle ressentait dans cette même vive promptitude, tout aimer d'un plus vif amour encore, pensait-elle, et comme elle avait été déçue lorsqu'on lui avait dit que sa mission à Kindu avait été annulée, le départ pour Lubumbashi avec un ami ambassadeur avait été retardé, on perd trop de temps dans des discussions protocolaires, avait-elle écrit à Christiensen, n'ai encore rien reçu de vous, mes chéris, j'essaierai d'aller sur le plateau où peut-être vous pourrez m'atteindre, c'est dans l'attente d'une mission que l'on peut se sentir très seule, je pense à chacun de vous, que Greta soit prudente, j'ai vu un évêque pasteur à la télévision locale, cet homme sans scrupules parlait de damnation à ses ouailles, de son trône ecclésiastique, tu me diras, mon chéri, que je ne change pas, que ces prêcheurs éhontés provoquent toujours en moi la même rage, le même cynisme, pendant que je t'écris, je vois de ma fenêtre une nuée de colibris se délectant du nectar des fleurs, tous les jours, je les vois de ma fenêtre, mes passereaux au vol qui s'immobilise dans l'air d'une humidité suintant partout, j'ai pu en dessiner quelques-uns, ce sera pour mon tableau sur l'Afrique que j'avais commencé avant mon départ, tu te souviens, Christiensen, je l'avais oublié dans le jardin sous la pluie comme je n'aime peindre que dehors, et c'est toi qui l'as rentré en disant que j'étais si négligente, et pourquoi l'étais-je tant, était-ce parce que je ne prenais pas au sérieux mon talent de peintre, quand pourrais-je donc te convaincre, mon chéri, mon unique, que j'ai toujours peu de foi, en toi, oui, les enfants, oui, en moi, très peu, si je peins dehors, c'est pour être au centre de la lumière, alors tout devient beau, mais je suis contente que tu aies protégé mon tableau de la pluie, qu'il te plaise, je crains, mon chéri, d'être de retour dans ce qui était mon pays et qui est désormais un pays qui expire, je ne puis le quitter encore à cause de cela, le doux nectar qui délectait les colibris enivrait maintenant l'air que respirait Nora, dans le jardin de Tchouan, et c'était cette griserie qui étourdissait, rendait Nora instable sur ses jambes comme lorsqu'elle avait partagé cette cigarette de haschisch avec Bernard, d'un air de bravoure, elle qui ne consommait jamais de cannabis, vous verrez, Bernard, je ne serai pas même intoxiquée, c'est de l'illusion ces paradis artificiels, et en disant ces mots elle avait failli s'évanouir contre la clôture du jardin, dans les parfums des acacias, tant l'intoxication avait vite franchi les résistances du cerveau, et Bernard avait ri, la prenant dans ses bras lorsqu'elle allait tomber, ri avec bienveillance et tendresse, se souvenait-elle, quand elle avait été étonnée que son corps soit si mou, soudain, d'une lente élasticité qui avait déformé la chute de ses membres dans l'herbe, oh, quelle désagréable sensation de vide soudain, Valérie, la femme de Bernard, avait désapprouvé cette habitude de son mari d'offrir à ses amis ces cigarettes après le cognac du dîner, craignant qu'ils n'aient à revenir à bicyclette à la maison, absents, euphorisés comme l'était parfois Bernard en rentrant chez lui, la tête levée vers les nuages, ses mains effleurant à peine le guidon, on ne fait plus cela à notre âge, disait-elle sévèrement à Bernard qui ne l'écoutait pas, un sourire de complicité sur les lèvres, cette complicité, c'était pour Nora, qu'il avait relevée du buisson d'acacias en disant, je vous ramène chez vous, ma petite Nora, Christiensen est parti au Niger depuis plusieurs semaines, ne restez pas seule, revenez nous voir, était-ce à cet instant que Nora avait pensé aux singes volés par des brigands, la nuit, ou tués par des hyènes, à la longueur des nuits africaines, autrefois, il lui avait semblé, pendant que Bernard la guidait, son bras sous le sien, dans la nuit, et qu'elle lui disait dans des mots confus combien elle avait aimé lire ses livres, mais l'entendait-il, que Nora n'était pas un être civilisé comme l'étaient Bernard, Valérie et tous les autres, non elle n'était pas policée ou dotée d'une civilisation, ayant connu l'Europe si tard, lorsque ses parents l'avaient envoyée en France pour faire ses études, mais n'était-il pas trop tard, enfant de l'Afrique, elle ne pourrait plus renaître ailleurs dans un ensemble de sociétés où elle serait toujours asociale, et dans cette brusque euphorie qu'elle éprouvait à parler à Mère, encore étourdie par la faiblesse de son corps qui avait survécu aux maladies tropicales, Nora pensait, est-ce vrai, vais-je appartenir moi aussi un jour à la civilisation, du moins être acceptée par elle, non, je ne peux pas, je suis trop sauvage, quand le reverrai-je, mon pays, les enfants me laisseront-ils partir une seconde fois, et bien qu'elle fût endormie, Marie-Sylvie entendit le chant du coq, lorsque le premier coq eut chanté, d'autres coqs lui répondirent, en écho, elle était avec Jenny dans cette province de Chine où montait des collines une vapeur suffocante, poussant une brouette, dans cette brouette de bois se débattait son frère Celui qui ne dort jamais, tu ne peux pas m'ensevelir, hurlait-il de sa voix démente, je vis encore, Marie-Sylvie aurait voulu l'enterrer sous l'une de ces pierres où gisaient tant de cercueils anonymes, mais il y avait trop de brume, une brume sulfureuse qui collait à la peau, non, tu ne peux pas, tu ne peux pas, criait son frère lorsque Marie-Sylvie s'était réveillée en maudissant les chants des coqs, elle était couverte de sueurs, ces contrées des morts que lui avait décrites Jenny étaient terrifiantes, et pourquoi Marie-Sylvie aurait-elle abandonné son frère dans ces lieux, on pouvait même y sentir l'odeur des morts tant on les avait inhumés à la hâte, bientôt le jour et Daniel, Mélanie, Esther n'étaient pas de retour, la lumière brillait encore sous la porte de la chambre d'Augustino, avait-il écrit toute la nuit, Marie-Sylvie irait chasser ces coqs de la cour, c'étaient les coqs des voisins même si Daniel les tolérait, c'était un homme trop tolérant, pensait Marie-Sylvie, tolérant les poules, les coqs dans l'arrière-cour, comme dans le jardin, les perroquets et perruches d'Augustino qui faisaient aussi beaucoup de bruit, les chats de Mai avec qui elle dormait, comment tenir propre cette maison quand il fallait céder aux fantaisies de chacun, même dans ce cauchemar d'où Marie-Sylvie sortait encore agitée, Celui qui ne dort jamais n'avait-il pas paru trop vivant, dans ses hardes, les bras, les jambes ressortant de la brouette, il y avait autour de sa bouche, de ses yeux, dont l'un était entrouvert sur un regard vitreux, des épaisseurs de mouches, comme Marie-Sylvie en avait vu si souvent sur les visages des enfants de la Cité du Soleil, autour de leurs yeux, de leurs bouches bavant une salive noire, on ne pouvait savoir combien meurtrissaient la peau, ces insectes, ou était-ce encore cette matière sulfureuse adhérant à la peau, dans le rêve de Marie-Sylvie, ces mouches si près des lèvres, de la langue, et qu'on ne pouvait plus cracher, si près du blanc de l'œil que les paupières ne se refermaient plus, le chant des coqs était incessant, pendant que Marie-Sylvie lavait son visage, ses yeux, mon frère, mon misérable frère, où se cache-t-il, qu'a-t-il à me persécuter, je ne puis le voir, les hôpitaux de Port-au-Prince débordaient de ces enfants, oui, pourquoi vient-il me hanter, ce misérable frère, Celui qui ne dort jamais ? Et le jeune homme bien rasé et drôle était toujours là, dans la chambre de Mai, sa tête semblait sombre contre les rayons de la bibliothèque, car il avait réussi à entrer par la fenêtre, à défoncer la moustiquaire de son canif, se rapprochant de plus en plus du lit de Mai, je suis près de toi, disait-il d'une voix suave, même si tu dors, ne nie pas que tu peux entendre ma voix, je viens te chercher pour la Colombie, pour la Cause, la seule, il faut que tu t'habilles et me suives car nous avons très besoin de fillettes comme toi, enfant désinvolte, tu ne seras pas confinée dans la maison de tes parents, auprès d'une gouvernante qui ne t'aime pas, tu auras ton fusil et tu pourras travailler comme toutes mes autres recrues, tu auras ton groupe, ton unité, tu seras la reine des champs de mines, les filles plus jeunes t'obéiront, c'est pour la Cause, la seule, je ne suis pas qu'un prédateur, je suis un combattant entraînant avec moi la jeunesse, et ce qui est plus tendre et plus jeune que la jeunesse, toi, car tu peux être très utile et prête à toutes les expéditions, tu ouvriras la voie de ces champs où les hommes craignent de mourir, tu ne sauras reculer devant rien, car tu ignores à quoi tu seras forcée, autrefois on n'enrôlait que les garçons, c'était une erreur, il faut aussi des filles parmi nos groupes, réveille-toi, je t'en prie, nous partons pour la Colombie, on nous attend, toi et moi, ton fusil te défendra, même contre les viols tu pourras te défendre, tu ne sauras rien des charges explosives, sous la terre, et tu iras sur ces sentiers où dorment en attendant ton pas les mines bondissantes, Mai, je t'attends, tu n'as qu'à ouvrir les yeux et tu me verras, ma tête est sombre contre les rayons de la bibliothèque, j'ai déchiré de la lame de mon canif la toile de la moustiquaire, je n'aime pas les moustiquaires ni les rideaux de tulle dont sont parfois entourés les lits des enfants, bientôt ta gouvernante me fera fuir, je t'en prie, Mai, je viens te chercher pour la Colombie, et tant de pays où combattent, le cœur déjà froid, mes milliers de fillettes, car elles sont aussi habiles que les garçons, viens, allons vers les champs de mines, allons, le ciel est gris mais je vois poindre l'aube, dit Caroline, Harriett, Miss Désirée, il faut vous réveiller, descendons vers le port afin que je puisse voir les premières lueurs du jour sur la mer, mon père est-il là, avec l'une de ses nombreuses femmes, vêtu avec élégance, un verre à la main, il porte encore le titre de colonel, mais on l'appelle capitaine, il ne cesse de naviguer vers ses antres de plaisir, son île dans les Bahamas où il a sa maison, ses serviteurs, une cabane sous les palmiers, c'est un homme du monde mais qui devient parfois ermite, pour pêcher seul, dans son île, soudain on ne le voit plus pendant plusieurs mois, est-ce aujourd'hui que les bourrasques s'élèveront jusqu'aux fenêtres, de grosses vagues battant la vitre, la mer monte, monte, les baies des portes, des fenêtres, cela claque comme des fouets, vitres, fenêtres, volets, les mâts sur les ponts des voiliers s'effondrent dans l'océan, à chacun de ces mariages de mes parents, je me demande qui m'adoptera, serait-ce vous, Harriett, eux disent, une tante, un grand-père, que faire de la petite, vous dites, Harriett, ce sera moi, vous me gardez contre votre jupe, j'en prendrai soin, dites-vous, c'est ainsi que Dieu le veut, toujours vous radotez sur la volonté de Dieu de me voir à vos côtés, il y a encore un croissant de lune dans le ciel, la mer se calmera, toutes ces bourrasques en décembre, mon père comme tous les hommes de sa société porte le pantalon blanc, le blazer, vous servez les cocktails, je me cache derrière vous, qu'allons-nous faire de la petite, ce croissant de lune peut faire perdre la tête aux femmes qui, comme moi, se demandent à cette heure grise pourquoi elles sont là où elles sont, l'une est un grand sculpteur et se souvient mieux du nom de son maître que de son propre nom, a-t-elle été droguée, empoisonnée pour ne plus savoir qui elle est, et pourquoi elle est internée dans cet asile de Montdevergues, elle se souvient de ses doigts s'usant sur une matière âcre, pierreuse, mais que fait-elle ici, elle a été empoisonnée par le fiel de la trahison, chacune se souvient davantage de son maître que de son propre nom, l'une d'elles se souvient d'un beau-frère qui s'appelait Manet, d'elle-même elle n'a qu'un souvenir obscur, oui, elle était un peintre impressionniste, oui, peut-être, trahie, internée ici avec moi, elle ne sait comment et quand elle en sortira, car la mer monte et monte, les toits des chalets, des maisons sont soulevés par la virulence des vents, fuient les côtes et remontent vers les grand fleuves dans la tourmente, les goélands, les mouettes, tous les oiseaux marins ont peu à peu déserté les rives, de ma fenêtre je photographie le ciel, les eaux, je voudrais tant,

Harriett, sortir par ce temps, qui a enfermé ici avec moi ces femmes visionnaires dont j'entends les gémissements, l'une d'elles accroche en vain ses doigts à un bloc de marbre, où sont mes sculptures, demande-t-elle, où sont mes enfants, par quelle trahison me furent-ils arrachés, si elles sont visionnaires comme je le fus parfois, pourquoi n'ont-elles pu survivre comme je l'ai fait en évitant toute sentimentalité dans mes relations avec les hommes, si je n'étais pas leur égale, je ne les fréquenterais pas, devraient-ils dire de moi que j'étais peut-être une femme séduisante mais dure, comment faire autrement, si elles gémissent et pleurent, c'est parce que longtemps on les fit taire, celle dont le beau-frère Manet ne commenta jamais l'œuvre, bien qu'elle prît une part essentielle au mouvement impressionniste, ou peut-être observa-t-il, condescendant, il faut avouer que ma belle-sœur, Berthe, Berthe Morisot, sait peindre, cela oui, bon, mais ce n'est qu'une femme, ce qui ne fut pas dit, Berthe l'entendit, ce n'était que le murmure d'un soupçon mais elle l'entendit, un murmure et ce fut la défaite, une autre, artiste américaine, qui vécut presque toute sa vie à Paris, peintre en apparence des joies de la maternité tranquille, rien de plus troublant que cette apparence sous laquelle remuent des glaces entassées qui brûlent, chez ce peintre qui reçut les conseils de Degas, mais comment les reçut-elle et sous quelle forme amicale ou autoritaire, on ne le sait pas, on ne semble avoir compris que le bonheur maternel, limitant la géniale artiste à cette expression, une femme qui sait peindre l'exclusive et passagère félicité d'être mère, que cela, portraitiste de mères d'enfants à la chair rose, on ne dit pas qui était cette femme, Mary Cassatt, née en Pennsylvanie en 1844, qu'elle

fut un maître du dessin à la craie et au pastel, oui, cela
peut-être on le dit, tous les dessins exécutés au pastel dénu-
dant la chair rose, le teint clair des visages, le critique les
loua, ajoutant ensuite par pure perfidie, dommage que
l'artiste déjà si remarquée, ce maître de la couleur possé-
dant une technique si souple, dommage qu'elle soit devenue aveugle, à la suite d'une opération de ses yeux man-
quée, aurait-elle surmonté cette épreuve que son art aurait
ressemblé à l'art de Degas, on se souvient des derniers dessins au pastel de Degas, lesquels sont à la fois libres et torturés, ainsi il ne suffisait pas d'être le maître de la couleur,
même aveugle, les yeux mutilés par une mauvaise chirurgie, il aurait fallu que Mary Cassatt fût l'élève conforme de
Degas, sinon, on la rejetait dans l'insignifiance d'un style
borné à son expérience de femme et de mère, n'aurait-elle
pas dû éprouver du contentement à n'être que cela, celle
dont l'art expressif, et qui sait secrètement torturé, ressemblait à l'art de Degas, qu'était-ce donc que l'œuvre d'une
femme née en des temps hostiles, les vagues de l'océan
continuent de croître en hauteur, ne nous laissant aucun
répit, les mâts des voiliers plient et se courbent dans les
vents, vous me dites qu'on ne peut plus sortir, Harriett, que
ce serait imprudent, de ma loge, je guette et j'attends, de
ma chaise près de la baie vitrée, Adrien et Suzanne viendront-ils dîner ce soir, avez-vous repassé les habits noirs
dont vous aurez à me vêtir, je ne veux pas de thé ni de vos
bouillons, je ne veux rien, j'ai tant aimé ces poètes anglais
que je photographiais, Jean-Mathieu écrivant leurs histoires à mes côtés, voyageant ensemble tous les deux, portraitistes des âmes autant que des paysages vers lesquels
s'acheminaient les corps, tant aimé que je me disais que les

inavouables pensées et désirs de ces poètes étaient aussi les miens, un jour l'exaltation de vivre, le lendemain le désespoir les saisissant à la gorge, étaient-ce eux, était-ce moi, j'étais le chien qui les réconfortait, la femme qui les prenait dans ses bras, j'étais aussi Jean-Mathieu lisant les pensées de ces poètes, comme il était moi photographiant leurs postures en désordre, tout autant que leurs vies, que de branches resserrées autour de leurs torses les crucifiant tous, hommes sans avenir, leurs maisons-bateaux construites sur de frêles rochers ont glissé, glissent parmi les vagues à Laugharne, le poète tend la main d'une barque de sauvetage, je le reconnais, aucune coupe, aucune grappe de raisins bleus, refusez tout car on vous fera boire du venin ou du poison, lui dis-je, et Harriett dit sottement que cette coupe, c'est elle, Charly, qui la tendait vers moi et que je décidai de boire sans crainte, Harriett me dit, ce fut votre malheur, cette fille dans votre maison, où le malheur s'enracine plus loin, va jusqu'en Jamaïque où Charly prit cette décision elle-même de me suivre, d'être mon chauffeur, car voyant si mal après les longues heures dans la chambre noire, je devais renoncer à ma voiture, mais la vérité, comme pour Charles et Cyril, c'est que le destin avait frappé à ma porte avec son habituelle incidence, et que je n'y pouvais rien, n'y pouvais rien. Et Mère vit que Nora marchait de son pas pressé, on aurait dit un pas de course, tant elle révélait ainsi son incapacité à attendre, à l'extérieur de la maison, le sentier que Tchouan avait décoré tout le long jusqu'à la plage de bouquets de roses rouges, dans des vases de verre, elle marchait vers la mer en disant à Esther, venez, venez, voyez cet incendie de couleurs sous la brume, Mère marchait d'un pas plus lent, réfléchi, vers le sentier qui conduisait à la plage, se retournant pour écouter Jermaine qui parlait à ses amis, il semblait à Mère que toutes ces voix de jeunes gens formaient un chœur à peu près incompréhensible car elle ne savait au juste de quoi ils discutaient ainsi avec ferveur, après avoir dansé toute la nuit, c'est mon monde, disait Jermaine, ou était-ce l'un de ses amis, la musique électronique, D.J. des platines, je m'y connais, on commence par mixer tous les styles, tous les rythmes, et bang, pas besoin de mots, les mots, c'est pour mon père qui écrit, la musique électronique des raves, pas de mots, de mélodies percutantes, une question de technique, surtout pour les pistes de danse, et bang, ouf, réveillons les endormis, même l'électro, ce sera vite dépassé, les claviers, les synthétiseurs, faudra vite jeter cela au passé, qui voudra se souvenir des années 2000, même cette musique électro, ce sera dépassé, c'est moi qui vous le dis, même la planète rouge nous l'aurons depuis longtemps foulée de nos pieds, nous y vivrons comme sur notre terre, et tout pourrait bien aller mal comme ici, alors c'est vrai tu es le meilleur D.J. des platines du Club, bang, pas de mots, de cette substance verbale qui vous impose une façon de voir, le rave, des nuits entières, c'est un langage cacophonique comme la musique que Samuel écoutait lorsqu'il était avec nous, pensait Mère, déplorable qu'il en soit ainsi, mais Jermaine est un bon fils, la fierté de ses parents, peu importe ce langage, sans doute, s'ils sont de bons enfants, Jermaine, en passant devant Mère avec ses amis, l'avait saluée respectueusement avant de filer vers la plage, bon anniversaire, dit-il, de loin, d'une voix optimiste, bon anniversaire, et Mère répondit à Jermaine par une inclination de la tête comme si elle avait dit, pourquoi me traitez-vous avec cette feinte politesse, comme si j'étais une vieille femme, ce que je ne suis pas, pressant le pas elle rejoignit Nora sur la plage, tout épanouie à la pensée de converser avec elle, ainsi, Nora, vous avez enfin pu obtenir cette permission pour Lubumbashi, à peine sortie de l'avion on pouvait voir le fleuve, dit Nora, tant il y avait comme aujourd'hui sur la mer tant de brume, je revis les collines d'autrefois, la rivière qui va en s'élargissant, puis se rétrécit soudain, la rivière ou le fleuve et ses eaux rouges que l'on voit dans toute l'Afrique équatoriale, j'étais chez moi, puis vint la tristesse dans ces quartiers de Lubumbashi où je revis les orphelins dans des camps parmi des déplacés de guerre, il y avait avec moi quelques représentants de pays qui viennent en aide, j'éprouve de la honte à prononcer ces mots, oui, qui disent venir en aide à cette population errante, mais le font-ils ou n'est-ce que représentation officielle, eux s'émerveillaient lorsque dans les écoles, les maternités, les enfants dansaient et chantaient pour eux au son du tam-tam, moi je voulais pleurer, même à cet orphelinat méthodiste si bien tenu, dont les murs avaient été repeints, où des adolescentes ont chanté en robes longues, je voulais pleurer, je me disais, que deviendront tous ces enfants réfugiés, et lorsqu'on me fit visiter les salles d'accouchement d'un hôpital, je demandai, pourquoi ne puis-je travailler ici et tout de suite, les tables rouillées des accouchements, pourquoi, aucune literie dans les berceaux, on me dit, oui, jusqu'à demain, vous pouvez rester dans ces salles et assister les quelques infirmières, je ne voulais pas rentrer à l'hôtel avec les autres ni partager le buffet du soir, non, soudain, au milieu du jour, j'ai vu un ibis qui courait dans la lumière, un ibis sacré, je ne pouvais pas le croire, j'étais bien là où je devais être, me disais-je, c'était une vision miraculeuse, pourquoi ma fille Greta m'avait-elle tant peinée en m'écrivant, pourquoi te bats-tu, maman, et contre qui, chère don Quichotte qui te bats contre des moulins à vent, à quoi bon, maman, quand tu devrais être près de nous, ta famille, tes enfants, papa a peu de temps pour nous, son travail à New York l'occupant presque entièrement, et puis il n'est pas comme toi, une femme, maman, reviens, était-ce de l'égoïsme, Esther, je voulais crier à ma fille que j'aime tant, ne m'écris plus, laisse-moi, tout ce que je veux, c'est être seule ici sans vous, laissez-moi vivre ces instants qui ne sont que les miens, car toute vie est si courte, avons-nous le temps d'apprendre à mieux connaître l'humanité et tous les maux dont elle souffre, non, il n'y avait là aucune complaisance égoïste de votre part, dit Mère, un intelligent désir de comprendre, c'est tout, dans quel monde nous vivons, rien de plus, votre fille se trompait sur vous, comme cela arrive souvent, avec nos enfants, certains d'entre eux nous connaissent si peu, mais évitant soigneusement de parler de ses fils à Nora, Mère ajouta aussitôt, avec ces sentiments d'affection privilégiés qu'elle éprouvait pour Mélanie, je ne veux pas être injuste en disant cela, car ma fille qui est si intuitive connaît trop de choses de moi, et je ne puis lui en vouloir, on aurait dit que Nora n'écoutait pas et regardait le ciel, j'ai pu retourner en brousse, dans le Bas-Congo, dit-elle soudain, c'était de l'entêtement après ce que Greta m'avait écrit sur l'absurdité de mon combat, sans doute était-ce vrai que je ressemblais à ce dérisoire don Quichotte, mais cela aussi, c'était moi, Nora aurait aimé poser sa tête dans le creux des bras de Christiensen tant elle se sentait mortifiée par le souvenir de ces mots de Greta, souvent elle allait ainsi vers lui et posait avec confiance sa tête entre ses bras, en silence, et il lisait ou écrivait pendant qu'elle était près de lui, c'était l'oiseau dans son nid, l'exposé, le rapport qu'il rédigeait ne l'accablait plus lorsqu'il sentait Nora près de lui, l'oiseau s'envolait aussitôt calmé, Nora toute à sa course ailée, car elle avait trois tableaux à peindre dehors, sous les feuilles de l'eucalyptus, là où elle peignait toute la matinée, trois tableaux avant que sonne midi à la cloche de la ville, car l'après-midi serait employé à des achats pour le futur petit-fils, à la préparation de repas-surprises pour les itinérants des plages, et que pensait Christiensen du tableau africain encore dans la cour, entre deux orages, n'était-ce pas maladroit, ne dois-je pas le recommencer pour la troisième fois, là seulement s'impatientait le mari de Nora, ne t'ai-je pas dit combien j'aime ce tableau, surtout n'y touche plus, tu n'oses pas le dire, mais cet or sur le fond noir du ciel, n'est-ce pas trop, disait celle qui doutait toujours, tu es vraiment sûr, mon chéri, que tu aimes ce tableau, ah, quelle femme sans adresse je suis, comment peux-tu m'aimer, c'était elle, Nora, il ne pouvait en être autrement, pensait-elle, l'enfant en qui son père avait imprimé à jamais le doute, la maladresse, quand l'aisance de vivre chaque matin était à conquérir, mon rêve était de revoir tous ces endroits où nous avions vécu, mon frère et moi, comme on peut le faire dans un tableau, lorsqu'on peint ces régions inconscientes qui sortent du passé, mais il me semblait plus important encore de retourner au pavillon des enfants tuberculeux où je serais un peu utile, dit Nora, car il faut contribuer tant soit peu, même si cela ne signifie rien, toute valeur de vivre n'est-elle pas dans cette mince contribution, autrement comment savoir qui nous sommes, ces questions, Nora semblait se les poser à elle-même, pensa Mère, oui longtemps j'étais avec les petits du pavillon 8, poursuivit Nora, je les baignais très tôt le matin, à l'eau froide, me disait-on de faire, mais quand personne ne me voyait, j'allais réchauffer l'eau, quelle pitié, car ces petits, tous prématurés, auraient dû être en couveuse, souvent la mère était morte quelques heures après leur naissance, le père les avait abandonnés sur le seuil de l'hôpital, l'un de ces petits était souvent dans mes bras car dans le berceau ses jambes atrophiées ne pouvaient s'étendre, il souffrait de scoliose, je revois ses petites jambes maigrelettes, il s'appelait Hugo, j'ai à la fin trouvé un orthopédiste pour lui, bien que j'aie peu d'espoir qu'il soit sauvé, Hugo fut trouvé sur une poubelle par les militaires, il avait alors huit jours, on ne peut concevoir combien souffrent ces petits, un autre nouveau-né que je langeais était si dépourvu de vitamine A que la peau par endroits était comme à vif, on ne peut concevoir cela, ai-je écrit à chacun de mes enfants, je ne leur disais pas combien il était pour moi régénérateur d'être la mère d'une seconde famille, Hugo ou Garcia, je les aimais autant que mes propres enfants, et rien ne semblait plus naturel, Garcia mon orphelin atteint de tuberculose osseuse, il devait rester couché, tenu par des sangles sur une planche, nous avons réussi à le voir sourire, je savais pourtant que son cœur finirait par étouffer ses poumons, comme me l'avait appris le médecin, la mort étant partout là-bas, en attendant, il n'y avait que la vie, tout pour qu'il soit vivant, c'était encore le sourire de la vie sur les lèvres sèches de Garcia, même si je me sentais affreusement coupée du monde, seule avec mes enfants en détresse, je suis bien loin maintenant de Garcia, Hugo, plongée de nouveau dans la vie mondaine, la cuisine de l'hôpital était un élémentaire abri de toile ondulée, sans lumière, on y mangeait très peu, par fatigue, le soir, haricots et pâtes froides, et cette nuit j'étais à un festin, oui, toute la nuit, et je ne peux que me réjouir d'être de nouveau avec vous tous, Esther, comment expliquer de telles contradictions, sans doute parce que nous sommes tous puérils et facilement adaptés à la peine comme à la joie, j'aurais aimé pourtant contribuer, même très peu, très peu, et comme si elle était gênée par cet abus de confidences que faisait Nora à Mère, Nora s'éloigna pour marcher seule de son pas rapide vers la mer où des pélicans plongeaient d'un vol précipité dans les vagues, portant son téléphone portable à son oreille, il lui sembla entendre soudain la voix de son fils, maman, c'est moi, Hans, disait-il, sa voix était désemparée, Nora entendait sa respiration saccadée, haletante, maman, notre avion a été détourné vers l'Ohio, bien que je ne sache pas où nous sommes, il sera bientôt huit heures, est-ce que tu m'entends, maman, les autres agents de bord, et moi, maman, peux-tu m'entendre, je ne sais vraiment plus où nous allons dans le ciel, un bond, encore un bond, quand il y a tant de brouillard, nous descendons, ne pourrons pas descendre plus bas, nous avons servi le petit-déjeuner comme nous le faisons chaque matin pendant ce vol routinier, très routinier, écoute, maman, les enfants dorment dans les bras de leurs mères, nous ne pouvons encore rien dire, surtout pas maintenant car il est sans doute trop tôt, notre avion, maman, embrasse papa et mes sœurs, ce sont des loups qui ont emprunté le doux vêtement des agneaux, ainsi nous avons été dupes, je ne te dis pas, ma chère maman, que tout va très mal pour nous, quant à ce vol 88, mais, écoute, surtout ne t'emporte pas, écoute, d'abord il te faudra beaucoup de patience et tu n'es pas patiente, tu le sais, ne laisse pas le chagrin t'emporter ni ton impatience dans la douleur, maman, je serai toujours ton fils quoi qu'il arrive aujourd'hui, nous ne sommes plus en Ohio, ces cris que tu entends du fond de l'avion, oui, mais nous allons rassurer tous les passagers, aucun d'entre nous n'a droit à la peur, au courage oui, ne t'ai-je pas toujours dit que je voulais être un héros, eh bien, il le faut maintenant, descendre, descendre, nous allons, nous allons, lutter, oui, défendre les passagers, ce que nous pouvons encore éviter, ce sont les villes, tous ces champs dans le brouillard, oui, descendre là, nous aimerions bien réussir, il n'y a pas de cris, maman, non, rien, ce que tu entends, c'est quelque chose comme une prière, je ne peux pas savoir car tu ne m'as jamais appris, ce ne sont pas des cris, non, quelque chose comme une prière qui dit, maman, surtout ne perds pas patience, je te connais bien, tu sais, maman chérie, ils chantent, ils ne crient plus, les enfants s'éveillent et demandent pourquoi, ils ne crient plus, ils chantent, écoute, maman, nous traversons la vallée de l'ombre, disent-ils, mais ne craignons rien, n'avons plus rien à craindre, tu m'entends, maman, c'est moi, ton fils Hans, nous descendons vers les champs, une vallée de l'ombre, disent-ils, c'est moi, Hans, notre atterrissage se fera à l'heure, maman, nous ne serons pas en retard, à l'heure dans une lenteur irréparable ou dans de tels retentissements que nous en serons sourds, déjà je n'entends rien, maman, le petit-déjeuner a été servi, détournés vers où, je ne sais pas, ne sais plus, c'était notre devoir de servir le petit-déjeuner d'abord, la lame d'un rasoir sur le cou du pilote, le petit-déjeuner, la politesse, c'était notre devoir, nous savions déjà pourtant au sujet du pilote, nous savions tout, ce que tu entends, maman, non, ce ne sont pas des cris, les cris se sont tus, quelque chose comme une prière, le Seigneur est mon berger, chantent-ils de leur voix déchirante, que je continue de servir, oui, c'est bien ce que tu me demandes, maman, on te dira que je fus un héros, libérant le pilote, trop tard, pris en otage, maman, tous avec moi sont des héros, même les petits enfants qui ne savent pas, tous, tous, où est donc cette vallée de l'ombre, bien que nous la sur-volions de si près, les herbes, les champs de framboises, nous descendons sans le vouloir, nous avons perdu tout contrôle, le héros, c'était papa, enfant résistant, la Norvège en état de siège, toi, maman, sacrifiant ton art pour nous, premier prix aux Beaux-Arts, pour nous, rien que pour nous, je t'en prie, sois patiente, nous y arriverons, des champs partout, mous, verts et d'un jaune terreux, le ciel a blanchi d'un seul coup, état de siège ici, oui, nous le sommes comme à l'époque de papa, héros, chacun ici, qui prie, moi en dernier, cet homme que tu as mis au monde, aucun héros, un homme, c'est tout, que disait donc papa, ce soir-là, nous étions tous réunis à New York, papa a dit un jour, il y eut un point terriblement noir dans notre his-toire, nous étions avec papa, au retour de la Jordanie, papa avait parcouru pour son travail plus de soixante-quinze pays, disait-il, et qu'était-ce que ce point noir, ai-je demandé, papa, dans l'histoire de ton pays, rien n'est pré-cis, dit papa, mais je me revois petit garçon, courant avec une joie méchante derrière des camions où pleuraient des femmes dont on avait rasé la tête, un point terriblement noir, c'est ainsi que l'on commet son premier acte de cruauté, disait papa, je ne savais pas alors que tous les enfants nés de la trahison subiraient le même sort que leurs mères et seraient à jamais punis, je ne savais rien, puisque derrière ces camions je courais tout joyeux, sans savoir, non, je voulais être un héros comme papa, qui lui, disait-il, ne fut jamais un héros à cause de ce point terriblement noir, et tu verras, maman, chaque personne est ici un héros sans trop le savoir, on dit que cette vallée est celle de la mort, mais n'en crois rien, nous ne pouvons agir autrement, maman, je serai à l'heure, ne viens pas m'attendre à l'aéroport comme d'habitude, notre équipage est brave et le sera encore, nous descendons, je t'embrasse, maman, que de verdeur dans les champs, quel verdoyant automne, maman, et comme elle n'entendait que le chant des vagues, Nora rangea le téléphone portable dans son étui, se disant que, bien sûr, Hans serait à l'heure à l'aéroport, à moins qu'il n'y ait quelque perturbation à cause de la brume, aucun temps orageux n'ayant été annoncé, et Mère qui avançait, un peu essoufflée, vers Nora, tentée elle aussi d'enlever ses chaussures, ce qu'elle ne fit pas, cela ne convenait-il pas mieux à Nora qui était encore jeune et svelte, dont les attitudes étaient souvent celles d'un garçon, sans doute un certain vernis d'éducation lui avait-il manqué, pensait Mère, sans porter de jugement, car Mère admirait chez Nora cette sorte d'instinct primaire de la liberté, Mère pensa soudain aux frais importants qu'avaient dû occasionner ces réjouissances autour de son anniversaire, sans doute des milliers de dollars, pensa-t-elle, que Tchouan et Olivier avaient dépensés pour cette fête au fabuleux banquet, une somme trop élevée, dommage que Mère n'y ait pas pensé avant cette conversation avec Nora où soudain tout changeait de perspective, même les frais d'une fête, en son honneur, peut-être n'aurait-elle pas dû accepter, et pourquoi laissait-elle dans son testament tout cet argent aux musées et aux institutions culturelles, quand dans les hôpitaux d'Afrique, mais à quoi bon, pensait-elle, elle vit le tremblement de sa main droite, il était sans doute trop tard, ce ridicule tremblement, à bien y penser, elle avait fait ce qu'elle avait à faire, et Mère revit ce garçon que Tchouan appelait Lazaro, un peu son deuxième fils, disait-elle, celui qui était traiteur, et qui partait souvent pour la pêche avec les hommes pendant plusieurs mois, avec quelle hargne il avait jeté sur la table de cuisine le plateau de fruits de mer, et n'était-il pas sinistre, dans son tablier blanc, il y avait à n'en pas douter une expression haineuse sur son visage, et pourquoi en était-il ainsi si Tchouan l'accueillait tel un fils dans sa maison, Tchouan fréquentait sa mère, Caridad, achetait les produits de son artisanat, et souvent, avait avoué Tchouan, cette femme, Caridad, pleurait, en disant qu'elle avait perdu son fils, n'était-il pas dans la mauvaise voie, ce visage hostile du jeune Lazaro, s'opposait à Mère en disant, vous devriez avoir honte, tout cet argent pour vos réjouissances, vous vous repentirez, rue Bahama, rue Esmeralda, nous avons nos gangs, dont vous ne savez rien dans votre pitoyable méconnaissance de nous, car moi, Lazaro, je ne suis pas seul, non je ne suis pas seul, rue Bahama, rue Esmeralda, puis Mère chassa ce souci car ce n'était qu'un souci, pensa-t-elle, ses amis l'avaient fêtée et elle était heureuse, même si ce tremblement de la main droite ne cessait de l'inquiéter, de la plage Nora venait vers elle en souriant, vous savez ce que dit Bernard, dit Nora, qu'on ne peut être responsable de tout ce qui arrive, que c'est déjà un louable effort que d'être responsable de ses amis les plus proches, et pour Bernard, ces amis, ce sont les écrivains, ce qui explique la générosité de Bernard envers ses collègues du monde entier, n'est-ce pas une réflexion sage, demanda Nora, cette réflexion de Bernard, j'aimerais bien qu'il en soit ainsi pour moi, c'est une réflexion d'homme, dit Mère, Bernard est un homme plus sûr de ses qualités que nous ne le sommes, vous et moi, Nora, de même que Valérie, la femme de Bernard, qui nous ressemble sur ce plan, parfois je regrette de ne pas être Bernard, dit Mère, j'aurais quelques certitudes de plus, mais je ne veux pas être Bernard car il nie ou diminue le nombre de femmes philosophes, heureusement que Valérie s'oppose à son mari et confirme leurs existences, car les femmes philosophes comme les femmes écrivains ont toujours existé et existeront toujours, quoi qu'en pense notre délicieux ami Bernard, le plus savant d'entre nous, mais vous savez que je peux le battre au poker, dit Mère, songeant que ce tremblement de la main droite était bien léger, après tout, puisque, à part Mélanie peut-être, personne ne l'avait perçu, et pourquoi les critiques n'avaient-ils pas considéré avec attention que l'œuvre romanesque de Valérie était d'essence philosophique, l'œuvre d'une moraliste examinant avec une impeccable rigueur le drame de la responsabilité individuelle, on ne parlait toujours que de l'ambivalence de ses personnages, sans pénétrer leurs motifs, qu'ils soient lâches ou voués au mépris et à la condamnation,

Valérie n'avait-elle pas écrit que les crimes de lâcheté étaient d'ordre humain, eux aussi, et pourquoi se levait-elle souvent vers quatre heures du matin, quittant sa maison à la dérobée, pour se retrouver seule à l'extrémité des plages où, disait-elle, se dessinait peu à peu dans ce calme inhabité des aubes près des océans, dans son esprit qui ne s'agitait plus, la structure de ses livres cent fois élaborée, synthétisée en mille détails, c'était cette pensée d'une philosophe qui se déliait, telle une incantation dont ses romans prendraient la forme, à qui imputer la faute, dans ce drame de la responsabilité où chacun avait un rôle, on avait bien tort, pensait Mère, oui, Bernard et ses collègues avec qui il jouait au poker y admettant rarement une femme, ils se méprenaient en ne croyant pas qu'un nouveau Descartes puisse surgir de l'esprit d'une femme, Valérie n'était ni mathématicienne ni physicienne comme Descartes, elle n'avait jamais prétendu à reconstruire toutes les fondations du savoir, il n'y aurait jamais pour elle qui était une femme aucune notion de certitude absolue, mais son humanité était sa science et le domaine de ses interrogations et réflexions, elle se réveillait soudain aux côtés de Bernard, le cœur battant à se rompre, disait Valérie, il lui fallait alors sortir silencieusement la bicyclette du jardin, suivie de son chat, combien lui était précieuse cette solitude près de la mer, sans que personne ne la voie quand se solidifiait l'éclair de la pensée dans les vestiges de la nuit s'effritant sur l'eau, plutôt que de voir en Valérie l'écrivain indifférent à tout éloge, le philosophe sans prétention, les amis de Bernard n'y voyaient sans doute que la femme à la noire chevelure qui aurait pu être un modèle de Goya, celle qu'ils croisaient tôt le matin lorsqu'ils faisaient leur gymnastique, cette bonne camarade qu'était pour toutes les femmes, tous les hommes, à ses exercices comme à la danse rythmique, Valérie, dont la joie de vivre, l'appétit de joie, plus encore, leur semblait inépuisable, oui, pourquoi les critiques n'avaient-ils jamais observé qui était Valérie sous la sobriété de son écriture, pensait Mère, et Charles avait toujours cette image de Frédéric, sous les yeux, dit Caroline, voilà pourquoi je ne dois pas en venir à cela, et pourquoi vous devriez comprendre mon abstinence de toute nourriture, Harriett, Miss Désirée, qui veut être déchu, réduit au dernier degré de l'abandon, cette image, c'était Frédéric dans les bras de son infirmière noire après sa chute au bord de la piscine, dans le plaisir de l'étreinte, le regard de Cyril se fondant dans le sien, Charles revoyait cette pietà, la Vierge noire de la pitié se penchant sur le corps de Frédéric qui avait soudain perdu tout équilibre, quand il n'y avait ni verglas ni surface lisse que l'eau de la piscine eût arrosée, non, rien, aucune raison à ce dérapage d'un corps pourtant solide mais qui depuis quelque temps s'amenuisait, dépérissait, Charles, qui avait toujours connu Frédéric bien portant et prêt à toutes les fantaisies et démesures, ne comprenait pas que son ami soit déprimé par l'approche de la vieillesse, il entendit tel un son de cas-sure le bruit de cette chute, ainsi la machine se déréglait, ces troubles du fonctionnement seraient-ils aussi mentaux même chez un homme dont on avait connu le génie, l'en-fant prodige, le pianiste précoce, le petit Mendelssohn dans les salles de concert de Los Angeles serait-il mort, on ne pouvait savoir non plus, quant à la graduelle déficience musculaire, cette apparition de la pietà devint récurrente pour Charles, le vieil enfant Frédéric dans les bras de sa jeune Vierge noire qui l'avait lavé, baigné, partout se déployait pour lui cette image, auprès de l'infirmière plantureuse et jeune qui venait à la maison sur ses patins roulants en chantonnant, Charles lavait et baignait Frédéric, et soudain Frédéric avait dit, laissez-moi seul, je ne veux que dormir, aucun visiteur, un peu de sommeil car cette chute au bord de la piscine m'a fait un peu mal, et Charles avait pensé que l'amour ne pouvait fuir ainsi, dans cette image de la pietà, il lui fallait partir vers son ashram, le temps de se recueillir, n'était-il pas venu ce temps du funèbre recueillement où l'âme implore un lieu où se poser, les forces de son corps s'écriant, non, il est trop tôt, et ainsi vint à lui l'ange vindicatif qu'il n'attendait pas, vindicatif de toute mort latente, violacée, de toute pourriture, l'amant qui était plus que l'amour, le gardien impérissable de sa vitalité descendante, vous croyez, Harriett, que j'aimerais, ne luttant plus, crouler ainsi que Frédéric entre vos bras de divine nourrice car quelle patience vous avez, c'est à peine si je vous permets de m'abreuver d'un peu de thé noir, car ce corps qui est le mien s'accordera bientôt à toutes les déficiences sans se plaindre, il faut mourir en harmonie, bien qu'on veuille nous faire penser le contraire, le bois est sec, dur et ne peut plus être pétri, le bois des os, de la carcasse, j'ai rêvé, pendant une trêve de somnolence, qu'après m'avoir vêtue de mes habits noirs, mais pourquoi noirs, je n'aime pas le noir, vous me plongiez dans un bain très chaud, je vous résistais, car une neige fine tombait, combien je vous résistais, et vous ne m'écoutiez pas, pourquoi ne me laissez-vous pas sortir dans cette robe de malade, Adrien et Suzanne viendront après le tennis, ils m'aideront à m'habiller, vous dites qu'ils ne peuvent venir dans cette tempête sur la mer, mais ils viendront car ils savent naviguer jusqu'ici, préparez le café, Harriett, Désirée, hâtez-vous vers la cuisine et ne me surveillez plus, une neige fine se mit à tomber, je me retrouvai vite car je pouvais soudain me déplacer en courant, sur une route neigeuse dans la nuit, toutefois j'entendais des voix familières, il y avait au bout de cette route des réunions d'amis, la nuit n'était pas opaque mais éclaircie par de grands feux sur la neige, et je vis soudain Jean-Mathieu qui venait vers moi son écharpe rouge sur les épaules, venez, ma chère amie, toute cette neige sera pelletée avant le matin et nous pourrons sortir les traîneaux, les chevaux, venez, nous n'avons jamais pu achever notre discussion sur ce tableau de la madone et l'enfant, peint en France par un maître inconnu, autour de 1480, dans ce tableau la madone porte la couronne d'une reine, n'était-ce pas une couronne de saphirs et de perles, comme vous l'aviez d'abord remarqué, ou de rubis, il s'agit d'une madone presque enfantine bien que souveraine, il y a sur ses lèvres un sourire moqueur pendant qu'elle caresse les pieds de l'enfant, mais l'enfant, lui, semble plus vieux que la mère, dénudé, avec une petite tête chauve sous le halo, il semble calé dans les plis de l'ample robe bleue, rien ne le soutient au-dessus du vide que ces doigts qui réchauffent ses pieds, c'est ainsi que nous venons au monde, retenus par une caresse sur nos pieds, ce tableau, ma chère Caroline, fut-il peint en 1480 ou 1490, je voudrais vraiment en discuter avec vous, venez maintenant, nous allons sortir les traîneaux, poursuivre le voyage, enfin ensemble vous et moi, Caroline, enfin rassemblés, mais pourquoi hésitez-vous à me tendre la main, pensez à ce tableau que vous aimiez, c'est ainsi que nous

nous séparons du monde, comme ce petit enfant au crâne dénudé, un peu laid et seul dans les bras d'une madone qui le retient d'une subtile caresse sur ses pieds, oui, c'est vous qui aviez raison de dire que le tableau fut peint en 1480 par un maître inconnu en France, je dois vous le dire maintenant, vous aviez souvent raison, c'était un rêve, dit Caroline, je ne reverrai plus Jean-Mathieu, ou bien quand, pensez-vous, Harriett, le reverrai-je, la nuit opaque sera-t-elle éclaircie par de grands feux sur la neige ? Et au bar le Vendredi Décadent, Petites Cendres aperçut le garçon aux blonds cheveux raides, sans doute avait-il été libéré pendant la nuit, pensa-t-il, mon garçon, le mien, il a même charmé les policiers, c'est un magicien, un ensorceleur, Petites Cendres le vit dans la rue, pendant qu'il marchait, le cœur lourd, car n'ayant rien récolté cette nuit, il lui faudrait sans doute accepter le rendez-vous avec l'homme de l'hôtel, celui en qui il pressentait une brute, bien qu'il eût l'habitude de ce genre de clients, celui-ci lui répugnait ou était-ce la peur de l'outrage, de l'humiliation, voyez-moi ce trésor avec sa face ronde, on dirait un petit garçon, et si bien élevé avec ça, si affable, presque chevaleresque envers son compagnon qui a au moins trente ans de plus que lui, voilà ce qui arrive à des enfants sans surveillance, ils séduisent des adultes à qui ils infligent quelque amour rédempteur, si vous devez vous présenter au bureau, à New York, dans un habit chic, je serai chic moi aussi, disait le garçon, tous les costumes me vont, si je dois me présenter sans vêtements, je le ferai aussi, est-ce que cette idée vous plaît, dit le garçon en riant, nous les jeunes n'avons peur de rien, j'ai bien aimé ma promenade en bateau avec vous, je ne savais pas l'existence de ces péniches où se vendent de jeunes prostituées, n'est-ce pas risqué, ça, je n'aimerais pas, je préfère être avec vous, vous êtes une personne sûre, d'ailleurs mes parents apprécieraient votre goût et votre culture, elle vous va bien cette chemise en soie, êtes-vous négociant en soieries, cela m'irait bien à moi aussi, j'aime les belles choses, nous avons hâlé et bruni sur le pont du bateau, puis-je goûter à votre martini, vous m'en offrez un, c'est bien, c'est surtout pour les olives sous les glaçons, merci, j'aimerais bien en boire un second, pour les olives surtout, c'est vrai, j'aurai moi aussi une chemise comme la vôtre, touchez ma peau, c'est encore tout chaud du soleil, ces filles perdues au milieu de l'eau, je les plains, vous savez, car un fou, toutes sortes de fous pourraient s'attaquer à elles, ce qu'elles font n'est pas légal, il vaut mieux vivre dans la légalité, car on ne sait jamais, et si quelqu'un décidait de les lancer par-dessus bord, quelle mère irait en ville dire, c'est ma fille, déclarer, oui, vous avez tué mon enfant, qui oserait, hein, vous croyez qu'elles ont un avenir dans cette profession, comme ça, à la dérive, sous le ciel, ah, comme je les plains, et vous avez bruni, vous aussi, cela vous va bien, vos joues ont rosi, nous avons tout notre temps, nous pourrions aller de croisière en croisière si vous n'avez pas à vous présenter au bureau avant jeudi, si vous êtes chic, je le serai moi aussi, dans la vie il faut faire ce que l'on veut, j'ai bien aimé nager dangereusement avec vous dans cette baie de requins, nous, les jeunes, de quoi vraiment avons-nous peur à part ne pas avoir un sou, ça non, je n'aime pas, il m'en faut beaucoup tous les jours, j'aimerais aussi un short comme le vôtre et un appareil photo comme le vôtre, est-ce trop coûteux, vous n'avez qu'à me le dire si vous ne pouvez pas, nos peaux sont luisantes, vous avez plusieurs années en moins depuis que vous êtes avec moi, bien que cela ne fasse que quelques heures, je veux surtout que vous soyez satisfait, il le faut, tout est dans la satisfaction, il faut savoir réclamer, disait le garçon aux cheveux raides, Petites Cendres voyant de loin ses joues rondes, le mouvement de ses cheveux autour de son visage, s'appuyant d'un coude à la fenêtre du bar, Petites Cendres écoutait tristement le monologue d'envoûtement tout imprégné d'avidité des biens matériels de celui qu'il appelait son garçon, puisqu'il avait reçu de lui le don d'un sourire, ce petit se débrouillait bien, pensait Petites Cendres, matérialiste avant tout il ne serait pas victime de sa propre naïveté, qui le cueillait apprenait de lui le prix de la fleur, laquelle ne poussait pas dans tous les jardins, ce qui attristait Petites Cendres bien qu'il y eût le moment de grâce du sourire, c'est que cette rose aux pétales si frais ne fût pas pour lui qui était pauvre, et un junkie, qui voulait d'un junkie, mal nourri, aux dents cassantes, souvent cassées par les coups d'autres junkies, les danseurs nus, souvent chaussés de leurs chaussettes qu'ils lanceraient à la fin du spectacle dans la salle, allaient piétiner sur la piste de danse, aucun n'était comme Petites Cendres un drogué inhalant faute de mieux le sucre brun passé de mode depuis longtemps, qui aurait consommé cette vulgaire poudre brune, cette génération de danseurs nus se conservait propre, ne jouait pas à s'injecter du poison dans les veines, Petites Cendres lui-même, et ce n'était pas fréquent comme la coke, alignait gauchement la cuillère, la seringue, il en avait bien assez de cette fournaise du manque, rien, ses poches étaient vides, l'homme à la tête de boxeur, la brute, si abjectes seraient ses conditions,

Petites Cendres pensait qu'il n'avait pas d'autre choix que d'aller vers cet homme, on verrait ce qui arriverait ensuite, le sucre brun, c'était à vous faire vomir car on fumait de l'héroïne, tandis que, et où était Timo, sans doute quelque part sur les quais, à attendre, ce serait l'heure où tout le monde danse et s'amuse quand on crie, nous allons fermer, dans une seconde, nous allons fermer, et partout aux premières heures le soleil serait ardent, s'abattant sur les visages et les draps flétris dans les chambres, un soleil indécent quand la nuit honorait les malheureux du manque, ne s'acharnait pas sur eux, le petit, le mien, tant mieux s'il possède cette assurance, s'il est hardi, il n'est ici dans l'île que pour quelques jours, suivra le compagnon à New York ou ailleurs, l'enfer du manque, sa fournaise, c'est pour moi qui ne peux pas partir, pensait Petites Cendres, mais avec Timo tout pourrait peut-être s'arranger, je me demande si mon garçon pleure lorsqu'il est seul, seul devant ses jeux vidéo et leurs choix multiples, dans un royaume virtuel à l'image du monde, comportant les mêmes corruptions, reproduisant en ligne les mêmes viols, les mêmes assassinats, l'internaute se livrant dans le jeu à ses pulsions les plus désastreuses, le langoureux garçon pleurait-il, allongé sur le sofa devant ses jeux, ses poings contre ses joues rondes, se disant, je regarde parce que je m'ennuie, donnez-moi de la pornographie ou du crime, manipulez-moi, ou donnez-moi des joueurs qui me manipulent, tout afin que je ne m'ennuie pas, j'ai quitté l'école trop tôt, est-ce ma faute, j'attends que mon amant revienne du bureau, ce soir nous allons sortir, que faisait le garçon tout le jour en attendant l'autre, traînait-il dans les rues, était-il une escorte, déjà adepte de la haute technologie, que pouvait-on encore lui offrir, et Ashley Petites Cendres n'était qu'un junkie, un travesti pauvre, sans attraits, pensait Petites Cendres, avec l'arrivée du soleil, la vie serait un handicap, un désavantage, quand dans la nuit tout avait la même couleur, de même l'homme, le chien errant, couleur de rouille, les sextuors de jazz improvisaient dans les bars sur ce thème de l'âme qui se lamente dans de doux grognements de métal, Petites Cendres écoutait en pensant, soûl, âme, avance, ne meurs pas, ce n'est toujours qu'un peu de poudre que tu veux, il y avait ce duo de la guitare électrique, de la batterie, soûl, avance, ne recule pas, j'irai voir Timo qui doit être sur la jetée, une cigarette entre les lèvres, et maintenant les percussionnistes, c'est un bon groupe, je reviendrai, le temps de boire une bière, deux étages pour les danseurs, et une piste en dessous pour les patineurs, on entendra les cuivres avec le lever du jour, avance, âme, avance, pensait Petites Cendres, avec le soleil ce sera comme un handicap, un désavantage, par Dieu qui a fait le monde, la terre et les fleurs, qui m'a créé tel que je suis, moi, Petites Cendres du Saloon Porte du Baiser, où est ma poudre, je me demande parfois s'il pleure lorsqu'il est seul dans les appartements luxueux de ses hommes, mon garçon, soudain, Petites Cendres se sentit bercé, conquis par la musique, en glissant mollement sur la semelle de ses sandales il irait jusqu'au boulevard de l'Atlantique, pensa-t-il, c'était la fin d'une nuit comme tant d'autres, dommage que contre l'élan amoureux, comme la poudre, on ne connût aucune prévention, une nuit comme une autre dans la fournaise du manque, sauf que le garçon, le sien, un jour lui avait souri, mais c'était peut-être en vain, et je me souviens de ces nuages de mouches sur les fronts, les yeux de ces petits trouvés au bord des routes, pensait Nora, et de l'absence d'eau courante, même à l'hôpital, il était urgent d'ouvrir d'autres pavillons, l'un de ces pavillons nous fut offert par un médecin italien, mais cette charité de nos bienfaiteurs était précaire, très rare, une machine électrique, un séchoir étaient indispensables quand rien ne séchait jamais avec ce terrible climat, à cause des vers de Cayor, il fallait toujours tout repasser, les couches, la literie, les habits des enfants, que de miraculeux couchers de soleil, de nuits étoilées, quand la dévastatrice image de la chair des enfants rongée par les vers était toujours là, les vers et les secousses des diarrhées, dans les lits et sur les nattes, partout ce spectacle désolant, il y avait parfois ces instants de consolation des après-midi à l'heure où Nora servait le lait, le quart de banane, de mangue ou de papaye aux plus grands de la chambre 7, les uns s'égayaient soudain, poussant une trottinette de bois dans la poussière, une trottinette dont une roue avait disparu, d'autres jouaient avec des bâtons, des bouts de fer, les petites filles étiraient les tissus de leurs chaussures, lorsqu'elles avaient des chaussures, Nora vérifiait avec douleur la perte de poids, la maigreur des uns et des autres, elle se souvenait de l'éclatement des pluies sur la tôle ondulée de sa chambre, la nuit, de la brise sur son corps en sueur derrière la moustiquaire, de la mort un matin de l'enfant atteint d'une carence aiguë en vitamine A, d'un autre souffrant du mal de Pott qui avait pu être sauvé, quand avait-elle cousu des vêtements dans la buanderie, pour le petit mort, et que faire de ces bébés mis sous perfusion qui ne mangeaient plus, n'absorbaient plus rien, des enfants sidéens, toute une population n'avait-elle pas été infectée et n'entrait-elle pas avec tous ses enfants en agonie? Nora allait chercher des seaux d'eau, avec les mères de ces enfants ou ce qu'il en restait, ces mères atteintes et qui ne cessaient jamais de travailler, des nuages de mouches se posaient sur les biberons, ce désolant spectacle chaque jour là-bas que Nora ne parvenait plus à oublier, fût-elle maintenant de retour parmi les siens, ou étaient-ils encore les siens, sa famille, ses amis dont les vies se déroulaient si loin de ces misères, tous n'auraient-ils pas éprouvé quelque haut-le-cœur à voir ces couches immondes que l'on jetait par terre, avant de les porter sous la paillote près de la cour de récréation des orphelins de la chambre 9, tous n'auraient-ils pas dédaigné le fait que l'humanité soit à ce point rétrograde, sans espoir de progrès ou de ressources, car eux ne savaient pas que ce que Nora savait était vrai, eux ne savaient rien de tout cela même si on leur disait, leur apprenait que ce que Nora avait vu était vrai, n'était pas le reflet d'un cauchemar mais celui d'une inexorable réalité, et dans les lueurs de l'aube contre les stores, le jeune homme drôle et bien rasé était toujours là, dans la chambre de Mai, d'un instant à l'autre il disparaîtrait, disait-il, car la gouvernante ne tarderait pas à réveiller Mai qui dormait toujours trop longtemps, écoute, Mai, disait le jeune homme, j'ai mené à terme le temps de ma sentence, et me voici libre, ce fut la décision rendue par le tribunal, je n'y peux rien, j'étais déjà dans cette prison de la côte californienne depuis dix ans, n'était-ce pas assez, la sentence était de vingt ans, c'est ma bonne conduite qui a ému le tribunal, le juge, je fus moi aussi un enfant comme toi, c'était en Idaho, j'avais un chien toujours serré sur ma poitrine, tout petit et laineux, étais-je un monstre, non, c'est mon père qui était monstrueux avec

218

moi, je n'étais qu'un enfant comme les autres en Idaho, à douze ans on me reprocha mes appels téléphoniques obscènes, je m'entraînais aux arts martiaux, avec l'aïkido, le kendo, voulant me venger d'un père qui me battait, m'attachait avec des cordes, tu aurais dû me voir dans mon kimono blanc à cet âge, les cordes, je me souviens car je les ai utilisées plus tard pour mes viols et mes meurtres, ce n'était qu'avec des étudiantes au début, malheur à elles si elles choisissaient de revenir de l'université par les ponts, les ponts, les cordes, c'étaient mes lubies, quand donc mon père m'avait-il oublié toute une nuit sur un pont, dans le froid, quand donc, je ne sais plus, mais il valait mieux ne pas toiser mon ombre sur un pont, quand je portais mon masque de l'Halloween, ce pont s'appelait le pont Jennifer, ou le pont Rachel, les prénoms de mes étranglées, les cordes, les ponts, je ne pensais plus qu'à cela dans mon bungalow, d'abord les poings, ensuite les cordes et c'était le silence, une vraie fête de la Toussaint, le pont Jennifer, le pont Rachel, je les ai toutes eues, une à une, les enterrant sous les planches de mon bungalow, là il y avait un tas de bois que j'avais coupé, parfois je frappais aux portes en disant que j'étais un charpentier, n'y avait-il pas quelque chose à réparer dans la maison, et vite je dévalais vers la salle de bains, et j'attendais, j'attendais, si je ne suis pas un monstre, qui suis-je, dis-moi, Mai, que vais-je devenir, sous le rideau de douche, j'attendais, ce fut la décision rendue par le tribunal, et me voici près de toi, si près que tu pourrais entendre mon souffle, veux-tu venir avec moi sur le pont, veux-tu me suivre, j'ai dans ma valise mon masque de l'Halloween, tu verras cette cicatrice sur mon visage, quand je les viole, je m'égratigne sur elles comme dans un buisson de ronces, ces marques de leurs ongles, cela me fait du bien, si je ne suis pas un monstre, qui suis-je, mais ce n'est pas moi, c'est lui qui n'eut jamais à subir une sentence ni un tribunal, lui qui m'attachait aux chaises avec des cordes, m'étouffait moi et mes cris sous les oreillers, ensuite, les cordes furent ma lubie, tu aurais dû me voir aux arts martiaux à douze ans, c'était moi, le vrai dont nul n'eut pitié, viens, suis-moi, je ne te veux aucun mal, ne suis-je pas ton frère dans mon kimono blanc, j'entends chanter les coqs, bientôt l'heure de ton réveil, Mai, tu as encore mouillé ton pyjama, que dira ta mère, je t'avais dit de ne pas boire tous ces verres de lait que te tendait ta gouvernante hier, avant la nuit, on te grondera, ton pédiatre sera appelé, moi aussi on me punissait, et vois ce que je suis devenu, Mai, dis-le, moi, suis-je un monstre, dans mon kimono blanc, libres, que nous arrivera-t-il, Mai, toi et moi, et Olivier qui écrivait dans son cabanon depuis plusieurs heures leva la tête vers cette ligne rouge sur l'océan, qu'il était tonique de sentir l'immensité de l'eau autour de lui, et ce silence suivant les clameurs de la fête, pourquoi n'avait-il pas écouté Mélanie davantage, elle qui se confiait si peu, ce mutisme hébété des hommes qui ne voulaient rien comprendre, était-ce là son comportement auprès de Mélanie quand il craignait qu'on lui fasse du mal comme à d'autres femmes activistes d'un semblable dévouement, et bien que la maison fût protégée contre les vandales, les voleurs, Olivier crut entendre des pas tout près, il y avait toutes ces allégeances, ces gangs, rue Bahama, rue Esmeralda, allaient-ils surgir, d'un parc, de la rue, de l'espace soudain inoccupé de la piscine, Olivier entendait-il des coups de feu, ils seraient cinq, des bandeaux noirs sur le front, le frôlant de leurs couteaux pendant son sommeil, agressions furtives, échanges de stupéfiants, Tchouan, Jermaine, où étaient-ils, bien qu'Olivier eût l'impression de connaître son fils, était-il vraisemblable que Jermaine fasse affaire avec eux, l'un d'entre eux, Carlos, avait été accusé d'homicide, bien que ce fût involontaire, qu'il n'eût pas causé la mort de Lazaro, volontairement ou non, il voulait me tuer, s'était écrié ce Lazaro, Tchouan l'accueillait dans sa maison, quant à Carlos, celui qui n'avait manifesté, par allégeance à son gang, qu'une volonté de tuer, par jeu, croyant que son fusil ne contenait aucune balle, quand celui-ci était chargé, quant à Carlos, qui sait si Olivier, lui-même jadis enfant des ghettos africains, haïtiens, n'aurait pas été accusé lui aussi d'homicide, volontaire ou non, comme le fut Carlos, quant à ce pauvre Carlos, n'était-ce pas par erreur qu'il était en prison, si l'on réfléchissait bien, oui, c'était par erreur, la communauté avait le devoir de protester et l'on ne disait rien, sachant combien la ville était divisée par zones de violence, des Mauvais Nègres au Latino Gang, ils seraient dix, des bandeaux noirs sur le front, et ce Lazaro serait parmi eux, en disant, j'attends mon heure, mon arsenal est prêt, d'abord Jermaine et sa mère, l'homme ensuite, pendant qu'il écrira à sa table, ce sénateur noir que personne n'écoute, qui ne fait qu'écrire ses sentiments de colère, dans une prose terne, quand pour nous la vie est un sport meurtrier, rien de plus, un acte de violence pure, Olivier croyait entendre des pas tout près, bien que l'immensité de l'eau fût entière, que de la fenêtre du cabanon il vît la ligne rouge du soleil à l'horizon, et qu'il n'entendît que le chant des oiseaux à cette heure, Tchouan, Jermaine, où étaient-ils donc, la mère et le fils avaient dansé toute la nuit, était-ce un temps pour ces frivolités, rire, danser, quand on était en alerte, partout ce son de glas, de fusillades, en alerte parmi les gangs à nos portes, rue Bahama, rue Esmeralda, Carlos ou les autres, avait-on pensé qu'ils étaient des descendants d'esclaves, comme ce héros du romancier Richard Wright, Bigger Thomas, bien qu'Olivier ne fût pas un lecteur assidu des romanciers, cela le gênait même qu'il y en ait tant autour de lui dont il n'avait pas lu les livres, il se souvenait de celui qu'on appelait nègre, ce Bigger Thomas, et sa descente vers le crime, dans le monde des Blancs, longtemps, pensait-il, n'était-ce pas la seule issue, cette infernale route de la traîtrise, des gens sans patrie, honteux petits crimes, viols ou larcins, qu'il soit à Chicago, ou dans cette ville, Bigger Thomas, ou Carlos, tous descendants d'esclaves, n'ayant pas surmonté l'esclavage, bien que depuis longtemps l'esclavage était aboli, non, les esclavagistes qui abondaient partout dans le monde, Bigger Thomas, pris au piège et sans défense, hier à Chicago, aujourd'hui, Carlos, des musées étaient aujourd'hui consacrés aux innombrables esclaves du passé, leur édification le long des fleuves, des rivières, rappelant que l'on avait vendu et acheté il y a quelque temps à peine femmes, hommes, enfants, près de ces mêmes rives, ces édifications, ces constructions évoquant le sort de la marchandise noire, son prix, plus bas que celui d'une chaise, d'un poêle, bien souvent, sa vente sur la place publique, tel un bétail, qu'aurait importé pour Bigger Thomas ou Carlos le souvenir de cette part obscure d'eux-mêmes, sinon qu'ils n'aient jamais assez de leur vie pour la fuir, s'en détacher nettement, coupables comme ils l'étaient encore dans le monde des Blancs qui leur avait offert une chance, une

chance historique, dont ils étaient les héritiers sans grati-
tude, maudissant cette chance qu'on appelait l'égalité
raciale, le règne enfin de la justice, car où était la justice
quand Emmett Till était mort assassiné par deux racistes
blancs, Emmett Till, lui aussi un Bigger Thomas de
Chicago, mais innocent, celui-ci enlevé de son lit en pleine
nuit pour être battu, torturé avec un Colt 45 sur le visage,
par deux hommes enragés qui à la fin le tuèrent et allèrent
le jeter à la rivière, qu'aurait-il fait, lui, Olivier, si comme la
mère d'Emmett, il avait eu à reconnaître le fils défiguré,
dans sa chemise blanche d'écolier sous une cravate noire,
ce fils, le sien, qu'il n'aurait pas reconnu, comme la mère
d'Emmett, non, pas davantage Olivier n'aurait reconnu
son fils Jermaine, les deux hommes seraient acquittés par
un tribunal de race blanche, on verrait leurs photographies dans les journaux, acquittés et acclamant leur victoire auprès de leurs femmes, tous unis dans cette ignoble
tricherie de la justice, victorieux, trompeurs, qu'aurait fait
Olivier si on lui avait ramené le cadavre de Jermaine dans
un train, comme Emmett à sa mère, au retour d'une visite
familiale dans le Mississippi, lorsqu'on lui avait montré
son fils à la gare, qui est-il, avait-elle demandé, hagarde, qui
est-il, que lui avez-vous fait, ce n'est plus mon fils, mais
voici que la mère d'Emmett avait dit, vous aurez honte, car
pendant plusieurs jours le cercueil sera ouvert, afin que
rien ne soit oublié, et on lui avait dit, vous savez, si votre fils
a eu cette triste fin, c'est parce que, même s'il n'avait que
quatorze ans, il sifflait lorsque passait devant lui une
femme blanche, et cela n'était pas convenable, voilà pourquoi vous retrouvez votre fils dans cet effroyable état, le
cercueil sera ouvert afin que le monde voie et ne puisse

oublier son déshonneur, avait annoncé la mère d'Emmett, et des pèlerins vinrent par milliers, joignant leurs mains autour du corps martyrisé d'Emmett, qu'aurait fait Olivier autour du cercueil ouvert de son fils, comme la mère de la victime n'aurait-il pas versé toutes les larmes de son corps, mais Jermaine était vivant, avant l'heure du midi, Olivier verrait son fils sur la planche à voile, fendant les vagues, son fils qui le fascinait car il était si différent de lui, pas un intellectuel comme son père, mais un enfant gaillard dont la vie physique exultait, disposé à la gaieté quand son père était d'humeur taciturne, son fils aux larges paupières bridées, sous les lunettes noires, Jermaine qui était vivant, le portrait presque identique de sa mère, Jermaine, le bien-aimé, et le temps de vivre, le temps d'aimer, pensait Samuel, serait du temps confisqué à la danse, Samuel ne serait pas que l'élève, le disciple de son maître à danser Arnie Graal, un jour ce rôle de maître serait le sien, il enseignerait à son tour la chorégraphie, plutôt qu'une garde confinée par les médecins n'aurait-il pas mieux valu pour Vincent de danser dans des camps de jour sur la montagne, ou sous le soleil des plages, Vincent aurait appris à dessiner des costumes, son maintien aurait été celui de la force, lui que l'on jugeait trop faible, il aurait vécu dans un théâtre musical, Samuel l'aurait assisté dans l'apprentissage des pas de base, une base en claquettes d'abord, que n'aurait-il pas fait afin que Vincent soit guéri de ses toux, de ses douloureuses crises, Vincent aurait été surpris d'entendre le tintement de ses souliers ferrés, il aurait chanté, dansé, l'air des forêts n'aurait plus écorché ses bronches, et cette chorégraphie d'Arnie, bien qu'elle fût admirable, si épuisante pour les danseurs, chutant un à un d'une haute structure dans le vide, par un renversement d'une graduelle lenteur, mais cette lenteur était impressionnante, des bras et des jambes, de la tête ensuite, plus doucement encore, bien que ce fût une chorégraphie structurale causant une épouvante admirative, tant le sujet de la chorégraphie saisissait ce qui du danseur devenait plus réel que la réalité quand elle s'imprime dans la foudre, le sang, Samuel pensait à ce qui avait été omis, à toutes ces fenêtres de bâtiments suggérées par la chorégraphie, il aurait fallu additionner aux labyrinthes des vitres, chacune de ces vitres et fenêtres soudain aussi mobile qu'un vitrail, avec les compositions de ses personnages figurant la dernière scène du saut sacrificiel, se bousculant, solitaires ou par groupes, vers le saut qui s'achèverait sur le ciment des rues, il aurait fallu l'addition, l'adhésion dans le verre et la transparence du plexiglas, de chacun de ces visages, de milliers de ces visages se blottissant là pour toujours dans une immuable expression d'effroi afin que nul n'oublie leurs empreintes, le suaire de leurs traits happés par le feu et la cendre dans le verre qui avait fondu et que platineraient peu à peu le soleil, la pluie, la neige, il aurait fallu que ces têtes, tous ces visages soient toujours présents, entre des grillages de plâtre, afin que les parents, les époux, les enfants de ceux qui avaient connu cette capture inattendue sous les poutres et le verre se liquéfiant en larves de feu puissent faire entendre à ces oreilles, à ces fronts, à ces joues encore dans leur sanglant découpage le gigantesque chœur de leurs appels, la plainte diffuse de leurs prières, dans toutes les voix et toutes les langues, car les mots, on ne savait plus comment les dire, et la vague, les vagues narratives de tous ces visages car ces visages auraient parlé, on

aurait presque senti le tremblement de leurs lèvres, l'étonnement ravageur de leurs regards, la pression, sous les
coups, des glandes lacrymales, mais surtout ils auraient
toujours été là dans la fonte du vitrail, tous ces visages aspirant à ce qu'on vînt à leur délivrance et qu'on leur redonne
la vie, comme si chacun avait dit, souvenez-vous, c'est
moi, je suis votre voisin, votre frère, votre enfant, que soit
longue la vigile, nos visages sont comme ceux des saints et
des saintes, ne nous oubliez pas, mais Arnie Graal s'était
indigné que Samuel ait eu cette idée d'une continuelle
mémoire dans la dramatique actualité du présent, que
penser de tous les autres qui auraient dû être là, aussi, à
tout passage vitré des immeubles, édifices, tours et gratte-
ciel, tout ce peuple d'Arnie Graal ravalé vers le sommeil de
l'oubli, même si certains n'oubliaient pas et avaient depuis
réhabilité par des lois ce qui avait été hier une suite de mas-
sacres de toute une ethnie, tant de visages tuméfiés, des
centaines de milliers, un nombre incalculable, auraient dû
être là, disait Arnie à Samuel, incluant ces coupables sup-
pliciés, qu'ils soient partis dans une mission suicide, eux
aussi avaient été dupes de leurs supérieurs et obsédés par la
pensée de tous ces visages, ces murs d'icônes, tous incinérés, mais respirant encore, telles des images peintes sur
l'ivoire dont les yeux auraient pleuré, tous ces visages
venant vers lui pendant qu'il marchait dans les rues de
New York, ne lui laissant de repos que lorsqu'il dormait
dans son lit, Samuel pensait que ce n'est que par l'art de la
danse qu'il pourrait incarner en les communiquant aux
autres tant de lamentations dont il était sans le vouloir le
réceptacle, lui que ses parents avaient mis au monde pour
le bonheur, quand ce bonheur de vivre était aussi en lui, en

même temps que tous ces visages, ces corps aux fenêtres hissés parmi des drapeaux rouges et blancs, ou tout autre linge mortuaire que tendaient leurs mains hors des cadres des fenêtres, n'aurait-il pas à vivre désormais pour eux qui ne vivaient plus, danser pour ceux qui ne danseraient plus, et Mère dit en posant son bras contre le bras de Nora, ce sera une journée calme sur la mer, je n'ai plus maintenant aucune envie de dormir, pendant que vous étiez songeuse et marchiez seule, je pensais à mon petit-fils, Augustino, vous savez que, comme son père, il écrit, il écrit beaucoup, ah, je devrais me souvenir davantage de ce qu'il a écrit, qui m'avait tant troublée, qu'était-ce donc, je ne me souviens plus, c'est absurde, la mémoire est parfois défaillante à mon âge, et si ce n'était que cela, dit Mère, appréciant le fait que ses paroles soient recouvertes par le bruit des vagues et que Nora n'ait pas semblé les avoir entendues, absorbée par le vol des oiseaux, pendant ces années scolaires au pensionnat, loin de mes parents, de si longs mois, dit Nora, je n'avais qu'un désir qui ne pouvait être comblé, enfant, on ne sait pourquoi nos désirs si simples ne peuvent être comblés, c'était d'avoir un oiseau qui dormirait dans ma main, nous avions eu des singes, des lionceaux, des serpents, pourquoi pas un oisillon qui dormirait dans ma main, serait partout avec moi le jour à l'école, où nous nous sentions tellement abandonnés, mon frère et moi, un oisillon, on me le refusait, un petit être à caresser, toujours bon, soyeux, un être tout en plumes sans aucune malice, mais beaucoup plus tard, lorsque mon fils Hans me dit, maman, je veux un oiseau, mon désir fut enfin comblé lorsque je lui fis cadeau d'un cacatoès, nous avions déjà des chiens, des chats, Hans devint un éleveur de ces perroquets d'Australie, la maison en fut pleine en peu de temps, est-ce ainsi que longtemps après nos désirs se trouvent comblés dans l'excès, des excès d'abondance et de joies, je me rappelle pourtant quelle détresse me serrait le cœur lorsqu'on me refusait l'oisillon qui dormirait dans ma main, serait partout à l'école avec moi, le plus discret des compagnons que l'on me refusait en disant que je n'étais pas raisonnable, que les oiseaux et les petites filles ne pouvaient vivre ensemble dans un couvent, un pensionnat, autrement qu'en adviendrait-il des règles et de l'ordre? Puisque toute chose avait sa place, les règnes minéral, végétal, animal, et nous régnant à notre manière imparfaite sur tout cela, pourquoi devais-je tout confondre, me disaient les religieuses, oubliant que je n'avais que cinq ans, et mon frère quatre, soudain, pendant qu'elle parlait à Mère qui l'écoutait avec une attention qui faisait souvent défaut à Nora, maladroite dans l'échange social, trop vite perdue dans ses pensées, Nora pensa qu'elle avait embelli cette maison des réjouissances, laquelle gazouillait tout le jour des babils des enfants et des oiseaux, ce n'était pas là la vérité, pensait-elle, puisque sa maison de poupées, d'animaux, combien de fois ne l'avait-elle pas transportée, telle la tente d'un nomade, d'un pays à l'autre, selon les devoirs diplomatiques de son mari, s'ajustant à de nouvelles coutumes, apprenant chaque fois une langue nouvelle, comme si l'exil de l'enfance en Afrique était toujours renouvelable, bien que ce fût aussi l'occasion d'une renaissance dont elle n'ignorait pas les privilèges, la diversité, il y avait eu cette formation d'un cancer ternissant sa trente-cinquième année, l'émergence des soins et traitements, ce chaos dans sa vie de famille, où soudain lui avait pesé la présence de ces oiseaux de Hans qu'elle avait tant désirée pour lui, où soudain elle s'était révoltée et avait dit au médecin, je ne peux pas mourir, mes enfants sont petits et ont besoin de moi, il faut empêcher la progression de ce cancer, et je le ferai, exerçant dans l'optimisme, la sérénité ses droits sur la cité de son corps, n'avait-elle pas vaincu le cancer une première fois, regroupant les siens tout autour d'elle, enfants et oiseaux, prête à repartir avec Christiensen pour l'Italie, l'Australie, l'Afrique, se disant qu'elle célébrerait sa guérison avec la naissance d'un autre enfant, sa conception en Afrique, son amour pour Christiensen la fortifiant, puis soudain Nora dit à Mère, vous savez, lorsque j'ai rencontré Christiensen, c'était en Europe, nous étions étudiants en médecine, ce qui ne serait pas notre vocation, au désespoir de Christiensen il dut être hospitalisé plus d'un an, après un grave accident de motocyclette, renoncer à la médecine, comme au tennis où il avait gagné plusieurs compétitions dans son pays, quant à moi, ce choix de mes études m'avait été imposé par mon père, je me tournai bientôt vers l'étude de la peinture, oui, lorsque j'ai rencontré Christiensen, j'ai eu peur qu'il soit trop beau pour moi, que ce soit là un méchant jeu du destin, de ne mériter nullement cet homme, Nora se tut car le visage de Mère lui parut soudain irrité et contraint, c'est mal, très mal, dit Mère, de se sentir inférieure à votre mari, ma petite Nora, je vous parle ainsi en toute amitié, vous avez tort, pensez avec quelle vaillance vous avez traversé vos épreuves, non seulement vous êtes un peintre très talentueux, mais vous parlez plusieurs langues, vous êtes une femme très douée, affirma Mère, comme l'est ma fille Mélanie, comme l'est aussi Valérie, la femme de Bernard, écrivain d'une grande indépendance d'esprit, ne sont-ils pas un couple uni, comme vous l'êtes avec Christiensen, ces sentiments d'infériorité, c'est très mal, pour une femme, répéta Mère, je ne veux plus que vous les éprouviez, ma chère Nora, car vous finirez par y croire, mais si Esther avait raison dans cette affirmation, pourquoi Nora se sentait-elle depuis son retour si insatisfaite de ses accomplissements en Afrique, c'est que je n'ai pu sauver personne là-bas, dit Nora, ni les petits sidéens mis sous perfusion qui ne mangeaient plus, je connaissais bien sûr le funeste résultat des analyses sanguines, mon père avait soigné, opéré et guéri des lépreux, mais là où j'étais, on avait infecté la population afin qu'elle soit décimée par le fléau, une infirmière ne m'avait-elle pas dit que les milices ougandaises, rwandaises et autres, lesquelles occupaient une grande partie du pays pour en dérober les richesses, avaient été systématiquement choisies parmi les sidéens, dans le but d'infecter la population, quand un virus devient une arme de guerre, ne peut-on pas s'attendre à une calamité mondiale, alors, comment centraliser notre aide, comment se sentir utile, me disais-je, cette population infectée criminellement n'est-elle pas sans secours, mon père, lui, ne désespérait pas de ses malades, il ne fut jamais dégoûté comme je le fus, au contact de la misère, ce dégoût, cette nausée, je ne cessais plus de l'éprouver, même en partageant la cuisine des patients, le manioc, les feuilles de manioc, je ne les digérais plus, je pensais aux couches qui m'attendaient dans la chambre 9, aux mouches sur les biberons des bébés, je vous assure, Esther, mon père n'aurait jamais succombé à ce dégoût qui était le mien, car la supériorité de mon père sur moi, c'était de ne jamais connaître le découragement,

d'être efficace et miraculeux, quand ces miracles, moi, je
ne parvenais pas à croire en eux, lorsque je voyais le médecin cherchant une veine à perfuser quand l'enfant en
quelques instants serait éteinte, oui, comme l'étincelle
d'une lumière dans le vent, ainsi s'éteignaient toutes ces
vies, j'étais plus que dégoûtée, j'étais découragée, et même
si j'avais appris autrefois à parler le lingala comme une
Africaine, je me sentais soudain sans expérience devant la
douleur, la guerre est une énergie empoisonnée, néfaste, il
est dur de lutter contre elle, je ne savais plus combien de
temps je pouvais tenir encore, avec tous ces enfants mori-
bonds, autour de moi, là encore, mon père aurait été plus
déterminé, mes journées étaient de douze ou treize heures,
mon père, lui, aurait travaillé sans arrêt, il n'aurait pas
glissé comme moi, sous sa moustiquaire, se parfumant
pour se purifier des odeurs nauséabondes de la journée, il
eût été sans aucune complaisance, toutefois il eût été aussi
furieux que moi contre les prêtres et le nombre croissant
de leurs églises, et surtout contre leurs pernicieux élans de
conversion d'une population si gravement appauvrie et
affaiblie, n'avais-je pas compris pendant ce retour provi-
soire en Afrique que je ne serais jamais forte comme l'avait
été mon père, lorsqu'il m'arrivait de pouvoir téléphoner à
Christiensen et aux enfants – ce qui était peu fréquent –,
c'était pour leur dire en pleurant qu'Amos n'était plus,
lui que j'avais particulièrement veillé, ni le petit N'suzi,
ils avaient eu pour moi un visage, un nom, et soudain ils
n'étaient plus ; eux, les miens, bien au chaud, bien nourris,
ne pouvaient que me répéter, et combien ils se trompaient,
nous te l'avions bien dit, maman, de ne pas partir, nous le
savions que tu serais malheureuse, reviens vite, maman, je

ne m'apaisais qu'en entendant la voix de mon cher Christiensen, qui lui me disait, tu as bien fait de partir, tu as écouté ton cœur, essaie de te reposer un peu, demain tu te sentiras mieux, tu sais que je suis avec toi, comment avez-vous fêté Noël, et je lui disais, reprenant aussitôt courage, oui, que nous avions eu une distribution de cadeaux pour les petits, qu'un garçon de treize ans, Jérôme, était maintenant mon ami, même si les ex-parents du garçon qui l'avaient mis à l'orphelinat avaient accusé leur fils d'avoir le mauvais œil, certes j'avais encore un peu de foi en l'utilité de ma présence, ici, disais-je à Christiensen, me souvenant pendant que je lui parlais, comme s'il avait été à mes côtés et si aimable, me souvenant qu'en rentrant de la ville, la veille, j'avais vu dans l'air suffocant, les dépassant en voiture, trois enterrements et processions avec tambours, pourquoi ce moment de foi, parce qu'après le bain des huit petits de la chambre 10 j'avais retardé de plusieurs heures, qui sait peut-être de plusieurs jours ou de plusieurs mois, on ne peut jamais savoir, la fatalité de tous ces décès, en nourrissant Joël tous les quarts d'heure avec une petite seringue, tantôt de lait, tantôt de camomille, j'avais aussi acheté à la pharmacie des pommades pour les gerçures, du savon, et repassé des couches qui n'étaient pas sèches à cause de la pluie, j'avais aussi toute une provision de biscuits, de lait dilué et de poudre de lait, je devais écouter le médecin qui me disait que dès que les enfants sont mieux nourris, ils ne tardent pas à aller mieux, j'avais cru que Joël ne passerait pas la nuit et il voulait vivre, buvant au biberon, après la seringue, je ne disais pas à Christiensen combien j'avais peur la nuit à l'hôpital quand j'entendais rôder des chiens sauvages affamés, quant aux insectes, non, je ne

disais rien, enveloppée par la voix de Christiensen qui me
disait, bonne nuit maintenant, bonne nuit, mon amour, tu
le sais, nous pensons à toi, Nora s'interrompit en disant, je
sais, Esther, que c'est faire preuve de faiblesse de toujours
vouloir être ainsi approuvée, aimée, approuvée surtout,
Mère sourit à Nora sans répondre, il lui semblait soudain
que le doute était depuis si longtemps inoculé dans l'âme
de Nora qu'on ne pourrait plus le déraciner, si seulement
Nora avait entretenu plus de contacts avec des femmes
comme Mélanie, ce doute peu à peu aurait été supprimé
par une stimulation dans la solidarité, mais sa timidité ou
sauvagerie et son désir de domesticité, lorsqu'elle était à la
maison et attendait Christiensen, ne l'écartaient-ils pas des
autres, Mère aurait-elle vécu encore de nombreuses
années qu'elle aurait conseillé Nora dont elle aurait fait
une amie, et puis, qui sait, ces années lui étaient peut-être
déjà acquises bien qu'elle n'en sût rien, devrait-on dire
demain, quand on sait qu'il n'y a qu'aujourd'hui, et cet
aujourd'hui Mère le sentit soudain palpable, bien qu'im-
mobilisé comme si elle se trouvait devant un tableau, rien
ne se mouvant plus autour d'elle, son cerveau trésorier de
ces images intactes, une mer d'un vert émeraude, vers l'horizon, plus près d'elle, sur la plage, d'un bleu-gris, le profil
de Nora contre la transparence rose du ciel, les pattes
toutes droites des oiseaux, hérons et mouettes au lever
du jour, des chaises transats pliées les unes sur les autres
comme les pages d'un livre, et au loin, sur les quais, les
longues jetées des silhouettes des promeneurs n'avançant
plus, arrêtées auprès de leurs bicyclettes quand la beauté de
l'aube allait ainsi en s'éternisant comme s'il n'y avait plus
de matinée ni de soir, pensait Mère, était-ce le signe qu'il

était temps que l'esprit fasse halte, non, pas encore, ce n'était sans doute qu'un débordement d'allégresse, une vie réussie, serait-ce une vie qui passait comme toutes les autres, celle de Nora ou la sienne, ou celle de Marie Curie qui avait aussi connu le doute, ou était-ce Valérie se levant à l'aube pour penser seule à ses livres, seule devant l'océan, l'étendue de ses connaissances n'appartenant qu'à elle, pendant ces instants, ni à son mari qu'elle admirait ni à ses enfants, Christiensen n'avait-il pas dit la veille à Bernard que dans son pays les femmes participaient depuis lontemps à la vie politique, les hommes de Valérie, Bernard, Christiensen, son ami, avaient longuement causé de voitures de luxe, ne parlant pas de ce qui les préoccupait vraiment, de capiteuses Rolls-Royce comme s'ils avaient été des petits garçons comparant leurs jouets, ils savaient pourtant que cette politique des hommes était celle du désastre, ou qu'elle le frôlait dans ses périlleuses tensions, quelle douceur que cette brise tiède, était-ce pour une heure le commencement du monde, pensait Mère, oui, ces voitures héritées d'un parent, Christiensen, Bernard, combien ils avaient pu en vanter la construction, deux hommes si sérieux, voici qu'ils avaient discuté de ces frivolités, cabriolet de jadis, coupé, berline, carrosseries et équipements, cachant sous ce débit d'experts ce qu'ils ressentaient tous les deux devant l'abîme, ce que Valérie appelait ouvertement une politique du désastre, celle des hommes, à cette époque où nous vivons, eux, en parlant voitures, avaient parlé durée, conservatisme, leurs voix non dénuées de force mâle, atténuant la voix de Valérie, ou ce qu'elle avait l'intention de dire, pendant qu'ils se retrouvaient tous autour d'Esther, dans le jardin de Tchouan, c'était pendant la nuit, quand Christiensen comme Bernard savaient le sort de poussière réservé à chacune de leurs voitures, sorties des mythes de la richesse, l'une d'elles atteinte de dégénérescence et désormais sans valeur, jadis si commercialisée, avait été disposée dans un garage, l'autre, celle de Christiensen, avait été vendue afin de défrayer, il y avait déjà de cela plusieurs années, les études en botanique de Hans, ensuite en zoologie, tant l'étude des animaux avait toujours fasciné celui à qui sa mère avait offert pour ses dix ans un cacatoès huppé d'or, ne serait-ce pas comme un oiseau, disait Christiensen, que son fils élirait enfin un poste d'hôte de l'air, lui dont les ailes de l'intérieur avaient toujours aspiré au vol libre des oiseaux dans le ciel, qui sait quels rêves ont reçus de nous nos enfants, quels rêves dont nous sommes les créateurs insensés, c'était pendant la nuit quand Mère avait pensé, donc je suis maintenant octogénaire, qui va maintenant m'écouter, ou ne va-t-on pas penser, qui est cette charmante vieille dame, quand va-t-elle se taire, elle qui semble tout savoir, qu'était-ce qu'une vie réussie, fût-elle aussi longue, et Caroline dit, Miss Désirée, sans doute est-ce parce que je ne mange plus depuis quelques jours et bois à peine, mais même en dormant si peu, j'ai fait ce cauchemar, il y avait un pont de bois dont je m'approchais, basculait-il au-dessus d'un mince cours d'eau, était-il suspendu, c'était un obstacle à franchir dans la peur, car j'entendais les battements de mon cœur, serais-je cloisonnée ici, puis je vis une femme qui venait vers moi, je l'entendis plutôt, j'entendis le son de sa jambe boiteuse contre les planches du pont, clopin-clopant, elle venait vers moi, ces bruits cloutés, c'était elle, une infirme, elle s'approchait lentement de moi, je savais que même en criant vous n'alliez pas m'entendre, vous qui dormez dans votre fauteuil, après votre lecture des psaumes, ne l'entendez-vous pas qui se rapproche, le bruit de sa jambe traînante sur le pont, l'entendez-vous qui m'appelle, Miss Désirée, Harriett, vous ne m'entendez pas, Harriett, Miss Désirée, comment le pourriez-vous quand une pancarte nous sépare comme en ces années-là, où il est écrit, ici ne viennent que les Blancs, bien que ma famille s'insurge contre cette loi vicieuse, ma mère me disant, nous sommes contre la ségrégation raciale, je tends les bras vers vous, de l'autre côté du grillage, comment osez-vous séparer l'enfant de sa nourrice noire, comment osez-vous, s'écrie ma mère, je suis près de vous, dit Harriett, il faut dormir, dites avec moi le Seigneur est mon berger, de quoi aurais-je peur, répétez, dit Harriett, je ne vous entends pas, dit Caroline, vous et vos prières, sur les murs vous aviez écrit, où passerez-vous l'éternité, quand riaient les Blancs sur les trottoirs, dans les rues, ici ne viennent que les Blancs, ils nous ont séparées, vous et moi, ont hurlé des insultes, est-ce l'heure où passe pour les Blancs l'éternité, et elles reviennent au galop les gazelles, mes antilopes tirées avec mon mari dans le désert, qui a tranché leurs cornes arquées, ouvert leur ventre de neige, qui donc, qui donc, les fauconniers ont dressé contre moi leurs oiseaux de proie, mais je ne sais plus où fuir, Harriett, Miss Désirée, vont-ils se régaler de moi, et à Lima, je me souviens de cette corrida que j'avais filmée, l'attelage de trois chevaux et dix hommes ne m'attend-il pas, avec les ouvriers de la dernière heure qui vont extraire de l'arène mon corps vaincu, tel le taureau, tourné sur le côté, quand crie la cohue, ils ont enlevé de mes mains le coffre, la boîte contenant ses cendres, et Adrien dit encore à mon oreille, nous savons combien vous l'avez aimé, venez, l'embarcation vous conduira au port, venez maintenant, et dans l'embarcation je vis le jeune homme que j'avais photographié, la nuit, le jour de son suicide, debout, il me disait lui aussi, dans des gestes gracieux de bienvenue, d'accueil, vous savez, on en parle beaucoup, mais ce n'est presque rien, venez, vous reconnaissez cette musique, souvenez-vous, l'Académie de musique, dans les ruines, *Così fan tutte, Così fan tutte,* le deuil, la noirceur dans toute l'Europe, *Così fan tutte,* mais, ma chère, pourquoi vous habillez-vous ainsi en noir, vous qui détestez le noir, me dit Jean-Mathieu, je l'entends, mais ne peux le voir, venez, ma chère amie, dit-il, nous avons tant à nous dire, pourquoi tout ce silence entre nous, serait-ce elle, Charly, sa violence, sa jalousie, serait-ce elle, Charly, vous droguant doucement, un peu plus chaque jour, chaque nuit, serait-ce elle, la cause de tant de malheurs, Charly, ne vous avais-je pas dit de vous méfier de tout ce qui semble nouveau, frais, ne vous ai-je pas déjà dit tout cela, Caroline, ma chère, car lorsque les fauconniers envoient vers nous leurs oiseaux de proie, qu'y pouvons-nous, qu'y pouvons-nous ? Allons, allons, pourquoi tous ces tracas, dit Miss Désirée, Harriett, je suis près de vous, comment puis-je vous consoler, pas en me prenant dans vos bras comme Frédéric par sa madone noire, dit Caroline, lorsqu'il fit cette chute près de la piscine, oh non, n'entendez-vous pas la sonnerie, Harriett, dois-je m'habiller autrement pour le dîner, Adrien, Suzanne, Bernard, Valérie, tous les autres ne sont-ils pas déjà arrivés, quelle négligence, Harriett, quel désordre dans la maison, c'est que Charly est sortie toute la nuit, pouvez-vous laver ma robe,

mes cheveux, quel désordre quand Charly sort toute la
nuit, avec ces garçons, ces filles mal élevés, elle est si jeune,
je ne peux pas tout lui interdire, a-t-elle nourri le chat, le
chien, c'est une mauvaise habitude, ces sorties la nuit, mais
je ne peux pas l'en empêcher, et Tchouan pénétrait dans le
cabanon où écrivait son mari Olivier, dommage qu'il fût si
longtemps absent pendant cette fête qu'elle jugeait très
réussie, elle en souriait de joie, dans sa robe rouge un peu
froissée, par les courses dans la cuisine, la danse avec ses
amis, et à la fin Jermaine dont elle partageait l'amour
d'une musique qui ne soit pas passive, n'était-ce pas l'expression de son fils, mais choquante, percutante, elle lissait
derrière l'oreille une mèche de cheveux, noirs très courts,
était-ce de l'impudeur, indiscret ou affectueux de venir
ainsi le surprendre, sinon, maussade, comme il l'était souvent, Olivier écrirait toute la journée, serait impoli envers
ses hôtes, à part Mélanie avec qui parlait-il, oui, ce serait de
l'impolitesse de ne pas dire au revoir à chacun, du moins
serrer quelques-unes de ces mains, la forme de ses souliers
vernis n'était-elle pas trop étroite, la tige trop basse, c'était
un étouffement pour ses pieds, et elle dirait à Olivier,
posant les mains, ses mains si petites, disait son mari, sur sa
tête soucieuse, viens, il faut sortir, as-tu oublié que c'est le
matin la parade des bateaux, il y aura des yachts, des goé-
lettes, des voiliers, des regroupements de voiles venues de
mers lointaines, elle lui dirait, tes amis sont déjà sur la
plage, plus de mille bateaux, et toi tu es enfermé ici dans
ton bureau, Esther m'a dit combien elle était ravie, que
c'était, oui, très réussi, et que vouloir de plus, si ce n'étaient
ces souliers, dont la tige est trop basse, et avant midi, Jermaine serait sur son dériveur, bientôt la fin du congé uni-

versitaire, quand le reverrait-elle, seraient-ils toujours aussi proches, ce n'était pas comme le fils de Christiensen et de Nora qui était toujours dans les airs, elle aurait été bien craintive de le voir partir ainsi, Jermaine, notre enfant, doit-il aimer les livres comme son père, est-ce seulement important, même si son mari se refusait à lire ses amis romanciers, n'était-ce pas une impolitesse, Tchouan le lui ferait remarquer, allons, il faut lire les romans que tes amis écrivent, et les poètes, il faut les lire aussi, nous en avons plusieurs parmi nos amis, de quoi peux-tu discuter avec eux quand tu les vois si tu n'as pas lu leurs œuvres, il dirait, renfrogné, l'histoire seule m'intéresse, ce que nous étions, ce que nous sommes, ce qui est concret, irréfutable, la vie même dont nous sommes faits, ce parfum de citron, sous les arbres, une fête superbe, avait dit Esther, ajoutant avec modestie, et que j'ai l'impression de très peu mériter, ma chère Tchouan, si l'on pense à l'état des choses dans le monde, pourquoi toujours y penser, avait dit Tchouan, posant sur Mère son regard limpide, car lorsqu'on vit, il n'y a qu'aujourd'hui, pour moi cette nuit, il n'y a que vous, Esther, vous et tous les amis dont je veux vous voir entourée, il n'y a qu'aujourd'hui, ce soir, cette nuit, vous, Esther, et le bonheur que je souhaite pour vous, si je pensais autrement, ne serais-je pas déjà du côté des choses détruites, et je ne veux pas, non, je ne veux pas, venez danser avec moi, vous croyez que je suis encore assez souple, avait demandé Mère, je ne vous laisserai pas le temps d'hésiter, dit Tchouan, voyez, je vous emporte déjà avec moi, et Mère avait dansé, tenue par les épaules par le grand fils de Tchouan, et tous ils avaient ri, Tchouan, Esther, Jermaine dansant l'un avec l'autre, une fête très réussie, avait dit

Esther, et Tchouan en souriait de joie bien qu'elle se sentît un peu lasse, mais aussi grisée, ivre, peut-être, c'était l'arôme des acacias, des lys africains, le parfum des citronniers, et tout ce champagne, cet excellent champagne qu'elle avait bu, oubliant de goûter aux merveilles du festin, du banquet de la nuit, si sollicitée par ses convives qu'elle n'avait pas senti s'écouler les heures, tant elle avait dansé, aussi frémissante, les yeux clos, lorsqu'elle dansait seule, clos sur des sensations électrisantes, éphémères, mais dont elle aimait la densité, comme si en dansant elle avait enflammé tous ses sens, ne laissant rien à la raideur ni au repos, Tchouan avait trop à faire pour se reposer, un mari exigeant, peu tyrannique mais exigeant, pensait-elle, son métier de designer, certes, il ne lui en voudrait pas de cette visite dans son cabanon, ou si peu, il serait d'abord morose, presque tendre ensuite, elle poserait ses mains sur sa tête, il dirait, tu sais que Jermaine a des mains plus larges et puissantes que les miennes, toi tu as les mains d'une fillette, d'où cela lui vient-il, c'était l'arôme des acacias, si Tchouan se sentait si bien, ou ce peu d'ivresse, si peu, mais cette fête, Mère le lui avait dit, un succès, une réussite, ne disait-on pas que Tchouan réussissait tout, et Mai sentit qu'elle avait encore mouillé son pyjama, ne s'étant pas réveillée au chant du coq comme elle le faisait souvent, au grand jour, on sait tout, dirait sa gouvernante, allait-elle la déshabiller dans la salle de bains, au grand jour, tout se sait, dirait Marie-Sylvie de la Toussaint, maman, où est maman, pensait Mai, bien sûr, c'est toujours moi qui nettoie et reprise, dirait Marie-Sylvie, poussant Mai vers la baignoire, cela ne peut plus durer, non, cela ne peut plus durer, est-ce que tu es un bébé, Mai, le garçon au chapeau est venu dans ma chambre et j'ai eu peur, dirait Mai, quel garçon au chapeau, non, cela ne peut plus durer, je le dirai à ta mère, oui, je lui dirai cette fois, cela ne peut plus durer, il faut savonner les fesses et le dos, quelle honte, dirait Marie-Sylvie, ah, si je n'étais pas là, qu'arriverait-il, hein, et Mai pleurnichait, de peine et de honte, le garçon au chapeau est venu dans mon lit, dirait-elle, le savon, sa mousse bleue, se mêlant à ses larmes, dans la baignoire, sous la main rêche de Marie-Sylvie, tout enrobée de sa honte, mais propre, Mai dirait en pleurant, il est venu dans mon lit, et comme il voulait s'asseoir sur moi, c'est son habitude, il veut toujours s'asseoir sur moi, soudain à cause de son poids, cesse de mentir, l'interromprait Marie-Sylvie, il faut que tu sois présentable pour tes parents, cette fois, je ne dirai rien, mais ne recommence plus, je t'ai déjà dit que lorsque tu entends le chant du coq, il faut vite se lever, et maman, où est maman, et soudain Marie-Sylvie demanderait, ce n'est pas vrai, n'est-ce pas, cette histoire de garçon au chapeau, l'une de tes inventions fantaisistes, n'est-ce pas, car elle ne pourrait plus dissiper sa crainte que son frère dément soit de retour, Celui qui ne dort jamais, sous son chapeau mexicain, dis la vérité, l'une de tes inventions, n'est-ce pas, et Mai serait remuée, secouée par ces mains squelettiques de Marie-Sylvie, et ne répondrait pas, ne dirait rien, dommage qu'elle ne soit pas un garçon comme Augustino, elle aurait battu les adultes, surtout Marie-Sylvie, sa gouvernante qui ne l'aimait pas, elle l'aurait mise à la porte, renvoyée sur son bateau dans l'océan, oui, tout au fond, puis Mai se souvint de ces mots de son père, il faut partager, partager Marie-Sylvie avec Vincent, partager, mais je ne veux pas, je ne veux rien de morcelé, je veux

tout, avait-elle soupiré, ni partager ma glace aux fruits avec
Emilio, mais il était si brun et si beau, Emilio, lorsqu'ils
jouaient ensemble sur la plage, c'était il y a quelques
années déjà quand ils n'avaient que trois ans, Emilio le
Cubain et son père, un sportif tout brun lui aussi, et cet
éclair soudain des dents d'une blancheur éclatante,
comme avec Emilio comme si un mystère s'était élucidé,
sur leurs deux visages, Emilio, pensif, cherchait des
coquillages pendant que son père jouait au volley-ball,
c'était le plus agile des six joueurs pourchassant le ballon
de ses mains, au-dessus du filet, le père d'Emilio, et Emilio
disait à Mai, c'est lui, c'est mon papa, veux-tu jouer avec
moi, c'était le meilleur joueur de volley-ball, à Cuba, et toi
ton papa, il est aussi joueur de volley-ball non, je ne veux
pas jouer avec toi, avait répondu Mai à Emilio, honteuse
soudain que son père soit à la terrasse du restaurant, cet
homme dans son short blanc, l'air distingué, qui écrivait
dehors, dans un cahier ou sur quelque bout de papier, qui
écrivait partout, comme si cela n'était pas suffisant de le
voir écrire toute la journée à la maison, ou s'en aller en
solitaire vers quelque retraite, en Europe en disant, je vais
écrire, comme si cela n'était pas assez insupportable pour
Mai qu'il soit toujours interdit de toucher à ses papiers et à
son ordinateur, voici que même en amenant Mai à la mer,
il lui faussait compagnie en écrivant, écrivant encore, et
soudain la voix du père de Mai avait claironné, venez j'ai
commandé une glace, venez, tous les deux, et Mai avait
pensé, pourquoi pas deux glaces puisque nous sommes
deux, Emilio et moi, deux, cela fait deux glaces et papa n'a
dit qu'une seule, et lorsque vint l'heure de manger la glace
aux fruits, papa avait dit, voici deux cuillères, mais il n'y a

qu'une seule glace aux fruits, avait protesté Mai, deux cuillères et une seule glace, je veux toute la mienne, papa, et papa avait dit, c'est afin que vous partagiez la glace qu'il n'y a qu'une glace, tu entends, Mai, il faut partager, c'est la première leçon de la vie, et pendant ce temps Emilio avait avalé toute la glace au point que la crème congelée dévorée si vite le faisait grimacer, j'ai dit partager, répétait le père de Mai, c'est un mot que je déteste, avait dit Mai, regarde, papa, Emilio a tout mangé, et reprenant son souffle Emilio avait dit, je peux manger toute la glace parce que mon papa, lui, c'est le meilleur joueur de volley-ball de Cuba, je n'aime pas ce mot, partager, avait dit Mai à son père, bien que depuis ce jour elle eût depuis longtemps pardonné à Emilio quand elle le revoyait avec son père sur la plage, c'est lui qu'elle aurait aimé lécher comme une glace, lui et ses parfums d'eau et de sable, son torse basané, lui presque nu quand Mai devait revêtir un robe à l'heure du dîner, elle aurait aimé s'incruster sous le sel de sa peau, jouer à travers l'enveloppe de ses muscles, au soleil, tenir entre ses doigts les coquillages qu'Emilio apportait chez lui, le soir, et chez lui, où était-ce chez lui quand enfin le soleil se couchait sur la mer, que tombait la nuit sur le filet et les joueurs de vol-ley-ball, que l'on cessait de se balancer dans les balançoires du parc des enfants, de l'autre côté de la rue où circulaient encore les voitures, dans un nuage de sable, où était-ce chez lui, le partager, le morceler, lui, Emilio, non, il était le sien, tout entier, Emilio est à moi, avait dit Mai à son père, tout à moi, c'est mon Emilio, il ne sera pas à toi si tu conti-nues de lui mordre les oreilles, avait dit le père de Mai, sois gentille avec Emilio, il faut le partager avec les autres, quels autres, avait demandé Mai, Emilio est tout à moi, ce mot, partager, lorsqu'elle y songeait, était vraiment haïssable, et papa le prononçait souvent, on aurait dit qu'il n'avait que ce mot à la bouche, ou bien Marie-Sylvie serait plus conciliante, elle dirait à Mai, sur ce ton enjoué qui était le sien lorsqu'elle s'adressait à Vincent, ce n'est rien, un petit incident, c'est tout, n'y pensons plus, ce serait une belle journée, et Mai irait jouer avec Emilio sur la plage, en maillot, comme Emilio, afin que le soleil soit toujours brûlant sur sa poitrine, oui, le pyjama serait rangé dans la buanderie, et Marie-Sylvie dirait, comme si elle avait parlé à Vincent, n'y pensons plus, je n'en dirai rien à ta maman, va jouer maintenant, ton papa t'attend dans sa voiture, pour t'amener près de l'océan où tu retrouveras Emilio, non, pensait Tchouan, elle n'aurait pas aimé que son fils soit toujours dans les avions, comme le fils de Nora, ni qu'il apprenne à piloter comme l'un de ces jeunes gens prenant les commandes de son avion léger, quelques places, longeant la côte du Connecticut, dans une brume qui va en s'épaississant, perdant soudain le contrôle, s'écrasant dans la mer, l'avion léger et sa précieuse humaine cargaison, dispersés dans les eaux, fussent-ils des princes, des enfants adulés par la gloire, chacun de ces jeunes gens serait soudain le plus pauvre de tous, un noyé ayant perdu toute fortune et tout bagage, dont la chair neuve mais soudain corruptible serait mise en lambeaux par les requins, il était heureux que Jermaine soit pratique, qu'il ait les pieds sur terre, pensait Tchouan, quand on sait combien surviennent vite dans nos vies les drames, on ne peut prévoir lequel, avant la naissance de Tchouan, combien de mères, de parents aimants, comme eux, Tchouan, Olivier, avaient attendu le retour de l'école de leurs filles, de leurs fils à Hiroshima, se disant, reviendra-t-il vivant, dans cette chaleur d'août, cette chaleur d'étuve, quand s'élève jusqu'au ciel une brume noire dans laquelle s'enlisent les corps, reviendra-t-il, Jermaine, vivant, mais imaginer ces horreurs là-bas, qui avaient eu lieu avant la naissance de Tchouan, c'était se pencher du côté des choses détruites, ne plus jamais rétablir le calme, ne plus être paisible ni pacifiée, et Tchouan revendiquait pour elle-même, et toutes les victimes de ce jour d'août, dans ce qui était hier son pays, le Japon, une paix, une pacification, pour elle-même ou Olivier, non, pensait-elle, c'était pour Jermaine, tout pour le présent de sa vie, cette vie, Jermaine, le seul lien pacificateur, quand on osait regarder l'étendue des choses détruites, mais Tchouan n'osait plus regarder, se réjouissait seulement de ce que la fête de la nuit soit un tel succès, Esther n'avait-elle pas dit, une splendide réussite, et Tchouan souriait de joie, de satisfaction, dans sa robe rouge, il fallait maintenant espérer qu'Olivier était d'humeur agréable, qu'il n'était pas trop inquiet ni angoissé, sans doute cet arrangement de pommes vertes, dans un vase de cristal, lui ferait-il plaisir, ainsi ornerait-elle son bureau de quelques orchidées, lorsqu'elle lui dirait, Olivier, ne serait-ce pas une bonne idée de rejoindre nos amis sur la plage, ce sera bientôt la parade des bateaux, oui, une splendeur, n'as-tu pas trop travaillé déjà, toute la nuit, tu sais que ce fut réussi, oui très réussi, cette fête pour les quatre-vingts ans d'Esther, et lui allait grommeler, oui c'était bien, très bien, d'une voix neutre car son esprit serait ailleurs, et Tchouan serait un peu déçue mais ne dirait rien, toute au joli arrangement des pommes vertes et des orchidées dont elle embellirait le bureau de son mari, et sur le quai, des silhouettes de flâneurs, de cyclistes bougeaient à peine, si on les observait de loin, de cette position sur la plage où déambulait Mère aux côtés de Nora, ces silhouettes, dans la lumière distillée de l'aube, sur l'eau, semblaient presque sans mouvement, je ne suis pas l'homme qu'il te faut, disait Timo à Petites Cendres, je consomme mais surtout pour plaire aux clients, c'est à la mode chez les riches, tu ferais mieux de partir pour Bogotá, il n'y a pas de survie pour toi rue Bahama, et puis tu es si mal accoutré, cette gaine par-dessus le jeans, c'est très laid, je t'ai déjà dit que pour les clients tout est dans l'apparence, Ashley, c'est mon corsage, dit Petites Cendres, tu sais bien que je ne peux pas en sortir, moi, de la rue Bahama, pas d'autre choix, pensait Petites Cendres, dans une heure j'irai à mon rendez-vous avec l'homme, le vieux sadique, il dira, fais le chien, Petites Cendres, étends-toi à mes pieds, et prends quelques coups, cela m'excite de voir souffrir ta race, pouilleux, tout ce que tu ne ferais pas pour un peu de poudre, un homme vil, une brute, Timo fumait, sa cigarette entre les lèvres, tu as l'air d'un banquier, dit Petites Cendres tristement, moi je suis ce que le créateur a fait de moi, même si les filles de la rue se moquent de moi, la nuit, les divas sur leurs hauts talons, dit Petites Cendres, toi tu ne fréquentes pas ces gens-là, je sais, d'autant plus qu'avec la parade des bateaux, elles vont se déguiser en fla-mants roses et en cygnes, dit Timo, méprisant, moi c'est accidentel si je suis aussi avec les hommes, et je choisis, pas n'importe qui, hein, j'ai vu la révérende Ézéchielle dans son église, dit Petites Cendres, et elle a dit, prie, petit homme, car tu seras sauvé, j'ai entendu sa voix chantante me disant, je te porte dans la foi de mon cœur, si on te bafoue, si tu n'es le fils de personne, pense à Ézéchielle, la révérende de ton église qui porte dans la foi de son cœur le misérable que tu es, prends la main de celui qui est à ta droite, et de celui qui est à ta gauche, car dans mon église vous êtes tous égaux, et nous avons chanté des hymnes, Ézéchielle a dit, soyez bénis, n'entendez-vous pas le son des trompettes dans le ciel, n'entendez-vous pas la voix des anges car je suis venue dans cette église vous parler de la terre des béatitudes d'où toute souffrance est bannie, et elle m'a pressé sur son cœur qui est vaste, dit Petites Cendres, et elle a dit, bienheureux ceux qui sont comme toi, Petites Cendres, les oubliés de ce monde, car bien avant moi, la révérende Ézéchielle, tu verras Dieu, car qui sait si le péché d'orgueil n'est pas en moi qui dois prêcher partout, qui sait si ton âme n'est pas plus humble que la mienne, car tu es chaque jour dans la fange et je suis la pasteure honorée de mon église où vous venez tous, qui que vous soyez, sois béni, Petites Cendres, toi que les hommes ont rejeté, comment peux-tu croire en ces bêtises, dit Timo d'un ton supérieur, la religion, c'est de la fraude, j'ai toujours pensé cela, je vais tous les dimanches au temple de la Cité du Corail, et je prie, et je danse avec la révérende Ézéchielle, c'est ainsi que l'on endort la misère des misérables, dit Timo, tu ferais mieux d'aller rejoindre ton client de l'hôtel, j'attends quelqu'un ici, un autre fournisseur, personne ne doit nous voir, tu ferais mieux de filer, Petites Cendres, dit Timo, sa cigarette entre les lèvres, je ne veux pas faire le chien pour cet homme vil, pensait Petites Cendres, je ne veux pas qu'il m'ordonne, laisse-moi te monter comme un cheval, le Nègre, je t'ai ramassé dans cet hôtel autrefois, tu déplaçais dans les corridors ton chariot de draps souillés, j'ai dit, entre un instant dans ma chambre, enlève les draps de mon lit, et je t'ai saisi presque à la gorge pour t'embrasser, minable employé de cet hôtel tu n'avais droit qu'à des tâches subalternes, comme on le disait, tu étais hiérarchiquement inférieur, toi et les autres Nègres, je t'ai dit, renonce à ta dignité et je te donnerai tout l'argent que tu veux, et tu as obéi, car tu savais que j'étais le plus fort, et tu m'as dit cette phrase qui te valut une gifle, je crois que ceux qui ont lancé des croix en flammes devant les maisons des Noirs, leurs cabanes dans le Sud d'où je viens, n'ont pas tous été emprisonnés, que comme vous, ces hommes du Ku Klux Klan sont encore libres, oui, vous êtes toujours libres avec vos torches et vos fusils, j'abdique, je renonce, mais un jour vous aurez le châtiment, tu osais me parler ainsi, Ashley, Petites Cendres, et je t'ai dit, tu le regretteras, je peux te tordre les boyaux si je veux, je suscite ton mépris, hein, fais attention, je pourrais t'offrir en sacrifice et te mettre ensuite dans un sac qui ira dans les poubelles, car pour moi ta vie n'est rien, je peux te saboter, alors tu ferais mieux de te soumettre, je ne veux pas voir cet homme qui m'humiliera, pensait Petites Cendres, il sera abject, je le sais, et soudain Petites Cendres s'apaisa en pensant au garçon aux joues rondes, c'était la vision du paradis, ce garçon, même entre deux policiers, il était digne, sa casquette jaune sur le front, se tenant droit, dissimulant les menottes à ses poignets, sous sa chemise de coton, digne et fier, et on l'avait libéré si vite, il était déjà dans les bras d'un amant, repartait pour New York ou partirait ce matin, il était l'immersion de l'amour et avait souri à Petites Cendres comme s'il avait dit, patience, mon ami, je reviendrai, patience, je pense à toi, une vision du paradis, dans cette pâle lumière du jour sur l'eau, en pensant à lui, Petites

Cendres s'émerveillait, je t'ai dit de me laisser seul, dit Timo, c'était ainsi, Timo le tapait dans le dos, Petites Cendres n'avait plus qu'à se rendre à l'hôtel où l'attendait l'homme, traîner les pieds sur les semelles de ses sandales, c'était un hôtel d'architecture mauresque, parmi les cocotiers et les palmiers, Petites Cendres en connaissait bien les caves sous l'imposante façade, longtemps son ombre avait habité ces souterrains, parmi les draps et garnitures de lit, et leur transport d'un étage à l'autre, dans des chariots contenant de lourds sacs en toile grise, c'est ainsi, pensait Petites Cendres, qu'il avait rencontré l'inconnu, le pervers, et qu'il avait commencé à perdre son âme, car esclave d'un maître et de ses perversités, on perdait son âme, pensait Petites Cendres, parfois, il n'y avait pas d'autre choix, sans sa poudre du matin, ne périrait-il pas, et je fis aussi ce rêve, dit Caroline, debout sur un rocher, dans l'océan je vis Charly qui allumait de son cigarillo la lettre que je lui avais confiée pour Jean-Mathieu avant son départ pour l'Italie, ce n'était qu'un rêve, mais précis et fantasque, si précis qu'on aurait dit que c'était vrai, je pouvais sentir la fumée du cigarillo pendant que grillaient le papier, les mots, ces mots où je disais à Jean-Mathieu, je vous en prie, mon ami, revenez me voir, l'aveu de mes sentiments envers lui, tout était là, maté par une flamme, et j'éprouvais moi-même une sensation de brûlure, j'étais moi aussi endommagée et altérée par ce feu de la lettre, c'était un supplice, cela pourrait-il être vrai que ce crime soit commis contre Jean-Mathieu et moi, que Charly soit assez folle pour brûler cette lettre que je lui avais confiée, dans mon rêve, je posais la question à Charly qui me répondait avec insolence, je n'avais pas le choix, c'était Jean-Mathieu ou moi, ce que j'ai fait est fait, et hier dans le courrier que vous posiez sur ma table, il y avait cette lettre de Cyril, me disant, si Charles a pris la décision de retourner auprès de Frédéric, c'est à cause de vous, vous et vos amis êtes la cause de notre rupture, car vous vous sentiez le droit d'intervenir entre nous pour nous séparer, car que pensez-vous comprendre à notre relation, dans votre cercle, c'est ce cercle d'esprits hautains, dédaignant tout ce qui ne lui appartient pas, que Charles fuyait avec moi, Charles dont vous connaissez l'excessive sensibilité aurait aimé votre approbation, mais cette approbation, nous ne l'avions pas, pour vous j'étais indigne de Charles, de son génie, de son aristocratie, je n'étais qu'un acteur, et qui sait, un acteur médiocre car vous ne m'aviez jamais vu jouer au théâtre, en lisant cette lettre de Cyril, je me sentais précipitée sur la terre de conflits des mots, là où nul ne peut avoir tort ou raison, Cyril, ce jeune homme en colère, me confondait avec quelqu'un parmi mes amis, Adrien, peut-être, qui l'avait blessé par quelque remarque malencontreuse, Adrien n'avait-il pas dit à Charles, vous n'écrirez plus en présence de ce garçon, ou savez-vous seulement qui il est, soyez prudent, mon cher Charles, mais moi je savais qui était Cyril, je l'avais vu jouer au théâtre où il pouvait être acteur, metteur en scène, mais on aurait dit que longtemps j'avais hésité à le voir aussi vulnérable que moi, depuis qu'il aimait Charles, que Charly avait fait de moi un être vulnérable, je me le reprochais, c'était le temps, la vieillesse jouant contre moi de façon malhonnête, me disais-je, pourquoi cet ardent jeune homme aux arrogances malhabiles aurait-il, lui, connu ces affronts à la dignité? Et pourtant c'était vrai, on le persécutait dans ce fameux cercle de mes amis, le traitant subtilement avec distance, c'était imperceptible peut-être, mais Cyril se sentit vite rudoyé, qui sait si je n'étais pas la seule à les recevoir dans ma villa, Cyril et Charles, ce nouveau couple incompris sur le point de subir comme moi la dévastation du cœur, qui tenta de les aimer autant que moi, mais je ne savais comment le faire, toutes mes actions n'étaient-elles pas maladroites, car je pensais aussi à Frédéric, Frédéric à qui je devais ma fidélité, nous entrions, Cyril et moi, dans cette boue de conflits des mots, dans des lieux singuliers, et souvent des scènes de théâtre sans confort, Cyril avait mis en scène *Phèdre,* c'était un *Phèdre* de rue, créé comme une comédie musicale où la musique, les chants auraient été exécutés par des gens aussi frustes que des motards, surgissant de la noirceur des ruelles, du métro, c'était l'invention de Cyril, rustre et belle, comme s'il avait dit, cet Hippolyte blindé de cuir, c'est moi, voici ce que je suis, je ne comprends rien à ces grossièretés, avait annoncé Adrien, d'autres critiques s'unissant à sa voix avaient sans doute anéanti le jeune homme désormais si en colère que Charles ne le raisonnait plus, c'était là la faute dont m'accusait Cyril, qu'Adrien soit mon ami, et un ami traître de Charles, nous n'avions donc rien compris, nous tous, dans notre brillant cercle bourgeois, m'écrivait Cyril, de la fulgurance de ce couple, Charles, Cyril, nous étions narcissiques et épris de nous-mêmes, il y avait le couple Adrien et Suzanne, se dorant à d'anciennes gloires, Jean-Mathieu et moi, aussi complaisant et tourné vers le passé, c'est en pleurant que je lisais ces mots de la lettre de Cyril, me disant que cet Hippolyte blindé de cuir me lacérait de tous ces mots sans nuances, ce rustre, non, je devais l'admettre, il n'était ni rustre ni grossier comme le voyaient les autres, il était comme moi vulnérable et déchiré, en quittant Cyril, Charles l'avait mis en pièces, il était le recommencement de la vie, s'emportait à nous le crier à nous tous qui en étions la fin, oui c'était cela, la fin, et lui seul comme aurait dit Charles, parce qu'il était jeune lui seul avait raison, oui c'est ce que nous refusions tous d'admettre, dans nos peurs jalouses. Vous abordez des sujets tabous, disait Adrien à Daniel, pendant qu'ils marchaient vers la plage, Suzanne flânant derrière eux, et fredonnant pour elle-même, comme si elle s'était détachée de la lourdeur des deux hommes, dans leurs débats d'intellectuels, que l'air de cette aube splendide me donne le goût de vivre, semblait-elle murmurer en chantonnant, délivrant ses cheveux de leur turban, je veux dire le goût de vivre longtemps, très longtemps, n'écoutez pas ma femme, dit soudain Adrien, elle nie que la mort existe, ces sujets sont souvent parfois très déplaisants dans votre livre *Les Étranges Années,* reprit Adrien, imperturbable, vous savez ce que je veux dire, lorsque vous écrivez longuement sur ce que vous appelez l'art scatologique, ou ne serait-ce pas plus conforme de dire scatophile, de notre temps, c'est ainsi, dit Daniel, c'est une forme d'art commercial, ressentant le souffle, la voix embarrassée d'Adrien, tout près de lui, je ne parle que de ce que je vois, dit Daniel, j'avoue que cela me gêne, ces propos et ces images qui sont les vôtres, dit Adrien en regrettant que Daniel ait le pas si leste et qu'il ait du mal à le suivre, avez-vous vraiment à écrire tout ce que vous voyez ou ressentez, ainsi l'histoire de ce jeune artiste anglais que vous avez rencontré dans votre monastère en Espagne et dont les performances consistaient à produire des borborygmes de son estomac, oui toute une gamme de sons tirés de son tube digestif, sons causés par le déplacement des gaz, n'est-ce pas inconvenant qu'on permette à cet artiste, s'il mérite encore ce nom, de vivre des exploits de son estomac et de ses intestins, en l'invitant à jouer dans plusieurs pays, avez-vous vraiment à écrire tous ces événements de ce que vous appelez l'art scatologique, vous dites même que cette forme d'art est partout, ce que je ne comprends pas, c'est que vous ne condamniez pas cette sorte d'aberrations, vous en décrivez au contraire avec exactitude toutes les manifestations, c'est qu'elles sont là constamment sous nos yeux, dit Daniel, qui pensait aux vers élevés qu'écrivait le vieil homme, quel contraste en effet avec l'étudiant anglais et ses borborygmes, tout le gazouillis de ses tripes, il était bien naturel qu'Adrien en soit perturbé, choqué, pensait Daniel, mais plus scatologique était cette page d'une revue publicitaire définissant le couple, l'homme et la femme, par leur proximité dans une salle de bains, lui, à gauche corporellement invisible, mais représenté par des w.-c. au siège relevé, contre un propret carrelage, de grosses bottes brunes aux lacets dénoués sous le siège, les w.-c., signifiant la femme dont le siège était rabaissé, portaient la marque de coquetterie d'un bouquet de roses écrasées, fanées, et des armoires ouvertes déployant tout un éventail de chaussures et d'accessoires, ainsi vivaient côte à côte l'homme et la femme dans ces intimes rapports exposés à tous, eh bien, je ne veux rien savoir de tout cela, dit Adrien, parlez-moi plutôt de Rembrandt, de ses eaux-fortes, comme vous savez aussi le faire, dans vos livres, et que l'homme et la femme restent ce qu'ils sont, Adrien s'embrouillait soudain dans ses mots, ne sachant plus expliquer ce qu'il éprouvait si vivement, pas des créatures de salle de bains, des objets primaires, non, ce qu'ils sont, l'homme et la femme, quelque chose de sacré, d'indestructible, voilà, dit Adrien, on ne peut comparer ce couple, homme et femme, à rien d'autre, mais Suzanne survint et se mit à rire, que racontes-tu à Daniel, mon chéri, demanda-t-elle, de quoi veux-tu encore l'instruire, mais de la vérité, dit Adrien, ce n'est que la vérité, nous avons dans cette ville toutes sortes de couples assortis, et autant de sortes de mariages, tu connais ma tolérance à ce sujet, et même parmi nos amis, nos proches, mais ce couple solennel que forment l'homme et la femme, la célébration de cette union par le mariage, n'est-ce pas la relation la plus fortement établie, inébranlable, l'union la plus naturellement convaincante, dit Adrien, en écoutant le discours emphatique de son mari, Suzanne ne pouvait réprimer un rire railleur, il lui semblait soudain inadmissible qu'ils aient si peu vu et reçu à la maison Charles et Cyril, ce couple qui paraissait exceptionnel, Charles fût-il encore attaché par d'inaltérables liens à Frédéric, comme Suzanne l'était depuis des années à Adrien, elle songeait qu'elle aurait aimé avoir un amant tel que Cyril, même si Adrien était là, ce n'était pas que la lassitude de la moralisation d'Adrien, sur ce sujet de l'amour, vingt ans plus tôt, lorsqu'ils n'étaient pas mariés, n'avait-il pas dit le contraire, n'avait-il pas proclamé alors la liberté de leur concubinage, se ralliant ainsi à tous les couples marginaux, c'était, pensait Suzanne, que l'amour était une inspiration aussi subite que l'inspiration poétique, un état d'éveil à la connaissance auquel on ne devait pas résister, et comment Charles aurait-il refusé Cyril, qui était cette double inspiration et fécondité, celle du poète et de ses amis ranimant leurs flammes inextinguibles, comme est inextinguible la soif, vivre en sol infécond était l'anomalie, oui, ne pas avoir soif d'un être comme Cyril, intelligent et doué, posant sur vous le pénétrant regard de ses yeux couleur d'azur, même s'il était anarchiste, comme le disait Adrien, et l'anarchie est une chose inflammable, combustible, ajoutait Adrien, voyez ce ravage dans la vie du pauvre Frédéric, et ce que fait Cyril au théâtre, avec sa Phèdre qu'il fait jouer par un homme d'une insidieuse ambiguïté, femme ou homme c'est une Phèdre vêtue en soldat que nous voyons, or, cela est incontestable, Phèdre, j'ai traduit Euripide, je le sais, Phèdre est l'épouse de Thésée et fille de Minos, cela me gêne beaucoup, cet acteur qui n'en fait qu'à ses caprices, pour sa propre vanité, aimant surtout attirer à lui la provocation de tous, ne pas succomber à la soif d'étreindre Cyril, de voyager à ses côtés, d'autant que Cyril pouvait réciter de mémoire des fragments de l'œuvre de Charles, ce refus était abominable, pensait Suzanne, oui, pourquoi n'avaient-ils pas reçu Cyril et Charles à la maison, par quel acte de méfiance, de la part d'Adrien, Suzanne avait plusieurs fois invité Cyril à déjeuner avec elle sur une terrasse, près de la mer, mais elle se souvenait maintenant qu'il avait poliment décliné l'invitation, sans doute à cause d'Adrien, de sa critique dans un journal de la ville, oui c'est inadmissible, dit soudain Suzanne à Adrien, nous n'avons pas reçu Cyril et Charles à la maison, cet été, mais, ma chérie, dit Adrien, c'est qu'ils ne cessaient jamais de voyager, on pouvait à peine les voir, tous ces voyages, je craignais pour la santé de Charles, ce n'est plus un homme jeune comme l'est Cyril, on aurait dit que Charles avait oublié l'état précaire de sa santé en partant avec Cyril pour l'Inde, et Suzanne dit encore, mais ce fut une erreur, une erreur irrécupérable, qui sait ce qui arrivera maintenant, quand nous les reverrons, de ne pas les recevoir chez nous, allons, allons, dit Adrien, rien n'est aussi irrécupérable, Cyril et Charles seront bientôt de retour et Charles toujours aussi épris d'un garçon qu'il connaît à peine, quand nous, il nous connaît depuis sa jeunesse, mais Adrien ne pensait déjà plus à Charles ni à ce couple Cyril et Charles qui l'avait tant hanté, il observait Daniel en se demandant pourquoi l'écrivain se permettait cette allure délabrée, tout en conservant son style courtois, Daniel avait retroussé le bas de son jeans, de même que roulé les manches de sa chemise ouverte sur un torse vigoureux, Adrien voyait briller ses yeux de charbon sous ses lunettes d'un bleu-gris reflétant la couleur de la mer, cet écrivain qui n'était ni prétentieux ni suffisant, mais d'un naturel qui déconcertait, avait une façon de vexer, contrarier Adrien, il ne savait pourquoi il en était ainsi, sans doute n'était-ce pas lui, Daniel, longeant la mer de son pas serein, qui l'irritait, mais son livre *Les Étranges Années,* qui heurtait l'amour-propre d'Adrien, je ressens une sorte de vexation en vous lisant, dit Adrien, enfonçant son chapeau contre les effets du soleil jusqu'à son nez, bien que si tôt, au lever du jour, il y eût peu de soleil, on se perd dans votre livre labyrinthique comme dans les dédales des églises du Moyen Âge, on ne peut trouver d'issue, vous sautez d'un sujet à l'autre au point que l'on ne peut plus s'orienter, comme dans ces constructions tout en méandres, en chemins qui s'entrelacent, tout est là et on ne sait pourquoi, la musique du Viennois Alban Berg, la peinture du peintre français Georges Seurat et l'angoisse du temps arrêté qui se dissout lentement dans une bruine rousse, dans son tableau *Un dimanche à la Grande Jatte,* dans cette même dissolution du temps que nous ressentons ce matin, tous ensemble bientôt près de la mer, aube ou matin le temps déjà nous devance, telles des taches d'huile sur le canevas, nous apparaissons puis disparaissons, écrivez-vous, ne vous êtes-vous pas inspiré de Charles et de son sel corrosif en écrivant cela, ce sel de la dissolution, de la disparition, ou de cette pensée que je sens dans la peinture de Seurat, plutôt ironique, comme si une promenade sur la plage, un piquenique étaient le prélude d'un voyage sans retour vers l'éternité, et soudain vous nous accablez de vos réflexions juridiques, politiques, comme si nous n'avions pas déjà réfléchi à tout cela, et la peinture de Kandinsky, vous la mentionnez aussi, après avoir admis vos craintes devant des dictateurs qui n'en sont qu'à leurs premières préparations, à leurs premiers arrangements, avant de déclarer que la torture est une institution constitutionnelle, une nécessité permise, enfin que ne nous laissez-vous pas croire dans ce livre, et bien sûr, parfois vous ne vous trompez pas, il est sans doute vrai, hélas, que plus de quatre mille hommes ont été exécutés en Iran à cause de leur orientation sexuelle, chaque jour on exécute des gens pour ces délits d'être, ces délits de différences, dans quel monde vivons-nous, soupira enfin Adrien, mais n'allez pas écrire que cela peut se produire ici, dans notre société, non, la sonnerie musicale du téléphone de Daniel avait retenti, et Adrien se tourna vers Suzanne, comme si elle l'avait secouru des méandres et labyrinthes du livre de Daniel, attendri qu'elle soit encore près de lui à écouter, il prit sa main, puis appliqua son mouchoir sur les gouttes de sueur

perlant à son front, quelle chaleur, ma chérie, dit-il, et
Daniel entendit cette voix grêle de Vincent qui lui disait,
papa, il faut venir me chercher, quand te reverrai-je, mon
papa, te souviens-tu de ce dimanche dans le voilier quand
le ciel est devenu noir et que j'ai été secoué d'une si
méchante toux, c'est toi qui m'as sauvé, juste à temps,
papa, me portant vers l'hôpital dans tes bras, tu es un
héros, papa, pour avoir sauvé ton enfant juste à temps, une
seconde de plus, et le temps d'amarrer le bateau a été si
long, et toi tu me disais, papa, respire, mon petit, ne cesse
pas de respirer, nous serons bientôt à l'hôpital, une
seconde de plus, je le sentais bien que tu serais un héros et
me sauverais, pendant cette seconde qui a été très très
longue car il fallait amarrer le bateau dans le roulement des
vagues, tu me disais, surtout, Vincent, ne cesse pas de respirer, il ne faut pas se méprendre, dit Daniel, ce qui t'a
sauvé, mon fils, c'est l'oxygène, le ballon d'oxygène qu'a
tendu vers toi le médecin, ce qui t'a sauvé, ce n'est pas moi,
c'est la vie qui était là, entre les mains du médecin, Daniel
n'aimait pas que la voix de son fils soit presque un gémis-
sement, papa, où es-tu, où est maman, Marie-Sylvie,
quand la reverrai-je, et le bateau de Samuel, *Lumière du*
Sud, Will est en fauteuil roulant, était content, des comédiens sont venus nous voir, il y avait même un petit sur une
civière parce qu'il avait eu une mauvaise crise pendant la
nuit, une crise à mourir, comme moi sur le bateau, quand
tu m'as sauvé, papa, on dit que c'est un théâtre indépendant dont les comédiens viennent de partout pour distraire les enfants malades, mais moi je me sens mieux,
papa, je ne veux plus vivre ici, c'est amusant parce qu'on
peut jouer des rôles, chanter, danser, et comme j'étais assez

bien pour danser, avec un musicien noir dont les colliers multicolores à son cou tintaient gaiement à mon oreille, j'ai pensé, papa, que sans doute j'étais guéri, viendras-tu me chercher si loin dans ces montagnes du Vermont, papa, la voix s'éteignait en clochette d'argent sur ce refrain nostalgique de Vincent à son père, Marie-Sylvie, papa, *Lumière du Sud,* le téléphone avait-il sonné, Daniel avait-il entendu la voix de son fils, les vagues de la mer recouvraient-elles déjà cette voix hésitante de Vincent, ses pleurs contenus, sa toux, qu'il devait être dur, impensable même d'entendre que votre fille, votre fils de vingt ans, était-ce la police militaire qui vous apprenait alors la nouvelle, quelle suspecte voix que nul parent n'aurait voulu entendre, que votre fille, votre fils ou les deux à la fois avaient été tués dans la tourelle de leur Hummer blindé, un drapeau allant recouvrir leurs dépouilles, en quelque mois meurtrier et quelque combat meurtrier, d'apprendre par une voix suspecte que vous n'alliez plus les revoir, ni la fille ni le garçon, ils s'étaient engagés, vous ne pouviez pas dire non, autrefois ces mêmes fille et garçon s'engageaient, pour payer les frais de leurs études, à lutter contre les incendies de forêt, soudain ils étaient, se croyaient-ils, à l'abri dans leur Hummer blindé, s'engageant à tomber au combat, on les avait tués dans une embuscade, qu'aurait-il fait, lui, Daniel, si une voix suspecte lui avait dit, nous regrettons beaucoup de vous apprendre que Vincent, Samuel, Vincent le plus chétif, oui, nous regrettons beaucoup de vous apprendre que dans cette tourelle de leur Hummer blindé, vos enfants, ces gardiens de la paix, ont succombé à leurs blessures, ils partaient, ces gamins, pensait Daniel, de leur famille unie, du monde des écoliers modèles, de leurs jeux dans la cour avec leur labrador blond en espérant un jour pouvoir s'inscrire à l'université, car ils étaient souvent pauvres ou fils d'ouvriers, des gamines, des gamins, ils partaient pour l'horreur, se raidissant dans des uniformes dans lesquels ils seraient enterrés demain, rompus à leurs tâches guerrières, après avoir servi, mais ils ne savaient trop à qui et pourquoi en mourant, sinon qu'il leur avait semblé sentir dans leurs membres fragiles, à leur nuque, dans la tourelle de leur Hummer blindé, qu'ils s'écroulaient sous le feu de l'ennemi, aucune foule ne les accompagnerait, une mère, un père, dans la stupeur, une sœur jumelle survivra peut-être, se voyant soudain privée de l'identité de l'autre comme si elle était invalide d'un bras, d'une jambe, on lui dirait, elle était la centième, la deux centième à mourir, jamais autant de filles depuis la Deuxième Guerre mondiale, jamais autant, les quinze ans, les seize ans des jumeaux, jumelles étaient encore tout près, flirts et folies, mais soudain on ne riait plus avec sa sœur, son frère, on ne flirtait plus, ne se soûlait plus, l'une d'elles écrivait à son père, papa, il fera bientôt nuit sur le Tigre, oublie la légèreté de mes quinze ans quand je voulais sortir tous les soirs, et chaque soir avec un garçon différent, j'ai peur, mon cher papa, mais j'ai un idéal, et mon idéal me dit qu'il y a des choses qui valent assez pour que l'on meure pour elles, si je devais avoir quelque accident en patrouille, surtout pense alors à ces mots de mon courriel, je t'écrirai demain, mon cher papa, car j'entends des crépitements d'armes à feu, tout près, il faut penser, papa, que tous les convois sont attaqués, mais pas toutes les nuits, ni tous les jours, n'oublie pas que je veux m'inscrire à l'université, cela est aussi mon idéal plus que tout, et comme tu me l'as dit souvent, nous n'avons pas d'autre choix dans une famille où il y a plusieurs enfants, je ne suis pas un soldat, mais une gardienne de la paix, dis à ma sœur jumelle qu'elle me manque beaucoup, je n'ai jamais pu vivre sans elle, même si nous nous querellons sans cesse, elle me manque car nous dormions ensemble la nuit, je veux pouvoir m'inscrire avec ma sœur à l'Université de Madison, Julie m'a écrit qu'elle voulait venir me rejoindre, qu'il n'y aurait aucun danger, croyant que nous serions ensemble sur l'arrière-front, dis à Julie, chère sœur jumelle, je t'en prie, ne viens pas ici, ce n'est pas un lieu pour toi, il y a trop de déflagrations près de ce poste comme maintenant, et d'attentats-suicides, je t'envoie une photo, Julie, cette personne que vous avez tous vue à la télévision qui avait été blessée, ciblée, tirée à son poste, ce n'était pas moi, encore ces crépitements, je vous quitte, chère famille, en attendant ma permission de Pâques, que pensait une mère, un père en relisant ces mots, sachant désormais que cette permission de Pâques n'avait jamais eu lieu, qu'ils n'avaient jamais revu leurs enfants, fallait-il que recommence sans cesse, comme en cet hiver 1942, la fusillade des cousins de Pologne, là où avait péri le grand-oncle Samuel dont Samuel portait le nom, dans ce village de Lukow, dans le district de Lublin, avec celle qui tombait, loin de sa sœur, dans la tourelle de son Hummer blindé, sous le feu de l'ennemi, et pourquoi y avait-il toujours feu et ennemi, avec la jeune garde, son involontaire reddition, sa mort, se prosternaient encore et encore les rabbins, et près d'eux, le grand-oncle Samuel sous les balles, si de la mort renaissait la vie, pourquoi la refusillait-on sans cesse, jusqu'à extirper la semence, pensait Daniel, la racine, ce qui la fixait encore solidement au sol, quand on ne pouvait extirper la vie toujours vivante, et Suzanne pensait qu'elle écrirait ce soir à ses filles, ce serait derrière le paravent chinois afin qu'Adrien ne la voie pas de sa pièce de travail où il lui demandait souvent conseil dans ses travaux de traduction, mes chères filles, écrirait-elle, vos parents sont en excellente santé, ma fracture à la hanche a cessé de me donner des soucis, et nous allons au court de tennis tous les jours, mais je pense souvent à Jean-Mathieu, à Caroline, j'aime trop la vie et votre père pour, non, elle écrirait plutôt ceci, vous vous souvenez de cette lettre que je vous écrivais il y a quelques années dans laquelle je vous faisais part de ma décision, était-ce notre décision, alors, je ne sais plus, car je n'ai jamais pu en discuter clairement avec votre père, je dis donc aujourd'hui, ma décision, souvenez-vous que la fin d'une vie belle et éclairée que l'on choisit pour soi-même n'est pas un suicide. Daleth, porte, ouverture sur une mer lumineuse, c'est un mot hébreu qui s'ouvre sur la lumière, même si sa prononciation est sombre, définitive, il n'en est rien, croyez-moi, aussi quand vous lirez cette lettre, ce dessin du lotus blanc sur mon papier à lettres représente la philosophie bouddhiste chinoise, mais Suzanne n'avait-elle pas dit il y a quelques instants à Adrien et à Daniel dans un rayonnant élan de sincérité, quelle aube splendide, cela donne le goût de vivre, et de vivre longtemps, très longtemps, et ses amis ne s'étaient-ils pas réjouis avec elle de cette bonne humeur qui chez elle semblait toujours stable, non pas encore, l'une de ses filles était en Angleterre, l'autre en Allemagne, quant à leur fils toujours un peu égaré et rêveur, et sans profession, ce qui atterrait son père, non, Suzanne se sentait incapable de les affliger tous,

qu'elle ait à envisager cette solution ou non, ce n'était pas
le moment de leur écrire quand ils étaient tous dispersés,
et ses filles journalistes avaient tant de succès, non, ce
n'était ni le moment ni le jour qu'elle aurait fixé, pour,
pour, et voici que chantaient les oiseaux, que son mari la
regardait avec tendresse, oui, je le répète, une aube, une
journée splendide, dit Suzanne, mais il nous faudra faire
une sieste avant d'aller au court de tennis, Adrien, qui avait
semblé remarquer l'intonation singulière de sa voix, répéta
avec Suzanne, oui, une journée splendide, et ce qui est toujours étonnant, une de plus, s'écria Adrien, décontracté
par l'air de la mer, soudain, chaque instant, lorsqu'on y
réfléchissait bien, n'était-il pas miraculeux, même si
Adrien regrettait de ne pas être déjà depuis plusieurs
heures à sa table de travail, penché sur ses dictionnaires,
chacun de ces enfants, me disais-je, son apparition fût-elle
si courte dans ma vie, disait Nora à Mère, n'était-il pas
comme un petit soleil, on aurait dit qu'il n'y avait là aucun
rayon, aucune lumière gravitant à l'intérieur de ces têtes, et
parfois aucune faculté, comme Thérèse, quatre ans, qui ne
marchait pas, ne parlait pas, pendant plusieurs mois, et
que l'on croyait autiste, mais c'était faux, la berciez-vous
un peu qu'elle pouvait chanter, oui, un soir, nous étions
assises, des infirmières et moi, avec des bébés sur les
genoux, nous étions sur le pas de la porte, aspirant un air
moins suffocant, quand nous l'avons entendue chanter, il
y avait des patients, les lieux sont si étroits pour les recevoir, parfois ils doivent s'asseoir dans la paillote ou par
terre, tous nous avons entendu Thérèse qui chantait, le
chant d'un ruisseau dans la nuit, d'une rivière, à cet instant, quand la petite chantait, pourquoi n'ai-je pas eu

davantage foi en moi-même, en ce minime effort mais qui n'était pas stérile devant le sort désespéré de ce qui avait été mon pays, non, car je savais que c'est ma vie entière que j'aurais dû leur consacrer à tous, quand en même temps Greta me suppliait de revenir avant la naissance de son bébé, je savais que je n'aurais jamais assez de temps, il aurait fallu continuer de bercer Thérèse nuit et jour, tenter de la tenir debout quelques secondes chaque matin afin que ses petites jambes ne fléchissent plus, la guérir de sa scoliose, et qu'elle soit opérée, mais déjà elle était plus heureuse de vivre, notre petit soleil, le temps j'en aurais si peu, un soir j'eus soudain plus de quarante de fièvre, un début de malaria, j'étais à la buanderie, me disant que nous aurions besoin de plus de cent couches par jour, on me reprochait de les gaspiller, mais sans arrêt il y avait ces diarrhées des enfants malades, il le fallait bien, le moindre reproche de ceux qui m'entouraient et je m'effondrais, j'avais moi-même acheté ces couches en ville, et soudain, pendant que je repassais dans la buanderie, cette fièvre, je sentais aussi qu'il y avait peu d'entraide, peu d'organisation, souvent par exemple, dans la cuisine, les deux plaques chauffantes pour les biberons étaient défectueuses, les biberons ou la semoule dans une casserole trop usée où tout brûlait, lorsque j'achetais une casserole en ville, on me le reprochait aussi, ce qui était plus défectueux encore, me disais-je, n'était-ce pas moi, je parlais d'acheter une casserole en ville, quand dans ce pays un père gagnait soixante-cinq dollars pour faire vivre six personnes, pourtant, sans doute parce que je suis mère, les enfants les plus atteints, près de moi, éprouvaient quelque chose comme une envie de vivre, certains même survivaient très longtemps, je n'étais là que pour ce peu de vaillance de vies prématurément étiolées, ce grand courage de leurs efforts qui serait vaincu, mais vous étiez là, dit Mère, voilà tout ce qui compte, vous étiez là, ce n'était peut-être au début que trente-sept de fièvre, dit Nora, mais avec une vilaine toux, je pensais, ce n'est rien, les enfants enrhumés m'ont passé leurs germes, demain j'irai mieux, j'avais si peu de patience, lorsque le prêtre italien m'appelait pour aller chercher de l'eau, c'était pour le baptême de l'un de mes mourants, je lui disais, vous ne pourriez pas le soigner plutôt que de lui imposer ces bêtises, le baptême à un enfant de deux ans, il ira au paradis disait le prêtre ahuri par ma fureur, non, ce n'était pas ma patience qui était manquante, mais ma pitié, j'aurais dû avoir pitié de ce prêtre si éprouvé par le malheur qu'il voyait autour de lui, il disait, vous avez travaillé depuis l'aube, allez vous reposer, il avait Dieu, je n'avais rien, pas même des sentiments de pitié, j'avais assisté, impuissante, au baptême du petit, à l'eau du baptême coulant sur ses plaies, il allait mourir dans mes bras cet après-midi-là, vous ne pouvez imaginer combien est longue l'agonie d'un enfant qui est dans vos bras, l'eau du baptême ou le secours du sorcier, l'agonie n'en fut que plus longue, le lendemain il y eut cet autre petit soleil qui m'aida à oublier, Jérôme, à qui j'offrais en secret parfois une boîte de sardines, et un morceau de pain dans l'espoir d'améliorer son régime alimentaire, tout en disant à Jérôme qu'il me réchauffait le cœur, je me sentais privée de tout, de la voix de mes enfants, de musique, de beauté, de culture, n'est-ce pas honteux d'éprouver cela, comme l'aurait fait la Nora d'Ibsen, loin des siens, captive de mon espace où les odeurs étaient nauséabondes, même un ventilateur n'aurait pas diminué l'odeur du lait caillé, des couches salies, et surtout, persistait ma fièvre, et je ne tenais plus debout avec ces vertiges, je n'osais en parler à personne, je demandais au prêtre comme dans un brouillard, j'ai si soif, le camion-citerne est-il venu, allez vous reposer, me disait-il, non sans bienveillance, nous aurons de l'eau demain, le gros camion ne parvenait pas à descendre sur la route, le chauffeur a dit qu'il était en vacances, que ce serait demain, reposez-vous, ainsi vous n'aurez pas à penser au bain des enfants, nous n'avons pas d'eau, vous voyez, c'est cela l'enfer, disais-je au prêtre, n'avoir qu'un pot de chambre rempli d'eau mais pour neuf bébés, non, il y a pire, dit le prêtre, avoir à couper comme je l'ai fait hier avec la lame d'un rasoir soixante vers de Cayor sur les pieds du petit Daniel, ou voir ceux dont la peau tombe en lambeaux comme des écailles de poisson, mais ce n'est pas l'enfer, mais une déficience alimentaire que l'on peut soulager, dit le prêtre, et la peau enduite de tétracycline peut être rafraîchie, ne pas oublier la mousti- quaire contre les mouches, j'écoutais, fiévreuse, me sentant croupir au fond de moi-même, comment en arriver là, me disais-je, à une telle inutilité de tout mon corps quand on avait besoin de moi, comment, pourquoi, il me faudrait parler à Christiensen, tout lui expliquer, je connaissais la compréhension presque maternelle que savait exprimer mon mari, compréhension dont bénéficiaient aussi mes amies, je me souvenais de Valérie allant voir Christiensen à son bureau à New York et le consultant comme un ami dont le passé aurait été pour elle un apaisant appui, je n'étais pas au monde quand tu étais un enfant résistant en Norvège, disait Valérie à Christiensen, mais ce qui me trouble, c'est ce temps de paix qui n'en était pas un, la maison de campagne avait été bombardée avec les petites sœurs et le père, seule avec ma mère, on me destinait malgré tout à une vie confortable, maman me disait, tu as l'avenir devant toi, ne te retourne pas vers le passé, car tu n'y trouveras que de la peine, ressaisis-toi, mais je me disais, révoltée, ceux qui m'ont précédée sont responsables de l'état dans lequel ils m'ont laissé ce monde, où tout n'est que destruction, quel sinistre héritage, et je crains que cet héritage, si rien ne change dans la politique des hommes, soit aussi lourd pour mes enfants, n'héritons-nous pas de cette entaille dans la chair qu'est notre responsabilité à chacun, demandait Valérie à Christiensen, si ce temps de paix avait vraiment existé, il n'y aurait pas eu de tels effondrements autour de moi, car la vie qui est fauchée, n'est-ce pas un crime, que seraient devenus mes sœurs et mon père si le nœud de leurs vies n'avait pas été tranché, les assiettes, les verres de cristal étaient encore sur la table du dîner, un seul mur fut lézardé, prit feu, là où ils étaient tous, ma mère était à Paris, il fallut que ce mur devînt un cratère, ce lien entre toi et moi, Christiensen, est un lien enseveli pendant ces années où tu étais un petit garçon combattant, enseveli parmi ces décombres sous lesquels gît ma famille d'hier, celle d'aujourd'hui, Bernard qui n'a rien connu de tout cela, nos enfants, est le résultat de ce temps de paix si peu sûr, menaçant, malgré tout une famille très heureuse, oui, mais si s'ouvrait la brèche d'où ceux qui ne reconnaissent pas aujourd'hui leur culpabilité pourraient surgir, ne serions-nous pas anéantis comme l'ont été les miens, nous laissant orphelines, ma mère et moi, Christiensen écoutait Valérie, lui dont l'expérience du passé n'était jamais vaine mais, s'il le pouvait, un peu secourable, ne pouvait que dire toutefois, Valérie, nous vivons dans le présent, et c'est dans le présent que tu es écrivain, mais avec cette peine d'autrefois, son mystère qui sont tes outils de clarté, quand pour ceux qui héritent d'un coin de ciel bleu, à quelques pas de ceux qui ont sombré, tu as raison, il y a bien peu de paix, ainsi je savais que je pouvais expliquer à Christiensen, comme l'avait fait Valérie, mes sentiments de défaite et mon désir de tranquillité et d'un coin de ciel bleu, un lieu pour guérir puisque j'étais malade, il fallait en convenir maintenant, Christiensen me dit simplement, reviens, ma chérie, mais Greta, tous les enfants s'alarmèrent, nous l'avions bien dit, maman, que c'était trop pour toi, tu penses donc avoir toujours vingt ans, Christiensen viendrait me rejoindre en Europe, je serais tout de suite hospitalisée, mon Dieu, quel dégât, me disais-je, je quittais ma seconde famille, mes seconds vrais enfants, Garcia, Jérôme, tous les autres, morts ou vivants, j'étais une personne infectée par la malaria et par quoi encore, je ressemblais soudain aux lépreux de mon père, j'éviterais trop d'effusions tendres, où est l'Afrique maintenant, y retournerai-je bientôt même si je me sens si incompétente, j'oubliais de vous dire, Esther, que je suis maintenant grandmère d'un garçon, aucune réelle difficulté avec la grossesse de Greta, j'ai retrouvé mon univers bien en ordre, et soudain Mère dit à Nora, ne pourrions-nous pas nous arrêter pour regarder le ciel, tout est si beau et paisible quand les gens dorment encore dans la ville, mais il semblait à Mère qu'elle devait poser cette main droite tremblante, Nora n'en remarquerait rien, sur l'épaule de Nora, cette épaule amaigrie sous la dentelle de la robe, ou la dentelle qui était la robe flottant autour du corps de Nora, ce corps qui avait beaucoup changé, quand, comme le disait Christiensen, Nora elle aussi n'était plus la même, et la réconforter en lui disant, mais, ma chère Nora, croyez-moi, je suis intuitive, vous retournerez bientôt en Afrique là où vous croyez que le travail n'est pas terminé, et Nora était si ravie d'entendre ces paroles qu'elle embrassa Mère, se demandant pourquoi Esther, était-ce l'émotion de la fête, semblait trembler un peu, comme si elle avait pris froid dans cette chaleur, ou était-ce cette fièvre qui brûlait encore aux tempes de Nora, sortirait-elle de ce brouillard pour se sentir vivre comme autrefois, courant sans cesse et d'une inépuisable énergie, et Mélanie entendit la voix de Marie-Sylvie, jaillissant du minuscule appareil téléphonique aux vertes phosphorescences, à son oreille, Mai n'était plus dans son lit ni dans sa chambre, Mai, où était Mai, demandait Marie-Sylvie, la gouvernante, Mélanie allait se joindre au groupe sur la plage, mais Daniel, Adrien, Suzanne, Tchouan, Olivier étaient si loin déjà, fondant leurs ombres dans les premiers rayons du soleil encore brumeux, si loin le long de la mer qu'elle ferait mieux de rentrer vite à la maison, car si cela était vrai cette fois que Mai avait disparu, n'était pas seulement blottie sous les amandiers noirs avec ses chats, ou dans un arbre à manger des fruits, Marie-Sylvie n'avait-elle pas dit, je ne la vois ni dans la maison, ni dans l'arrière-cour près de la piscine, ni dans le jardin, et pourtant, elle était là à son réveil, j'ai dû enlever son pyjama, car, mais la faute de Mai serait omise par Marie-Sylvie, je ne l'ai pas vue depuis son réveil, dirait Marie-Sylvie, vite Mélanie allait démarrer la jeep, appuyer sur l'accélérateur, vite, vite, une circulation fluide à cette heure, peu de voitures et de piétons, on sait comment cela se passe, ils sont là à leur réveil, puis disparaissent on ne sait comment, on les voit qui jouent à un tourniquet dans un jardin d'enfants, la cour d'une maternelle, et soudain plus rien, dommage qu'il n'y ait aucun passant, à chacun Mélanie aurait demandé, vous ne l'avez pas vue, c'est ma fille, peut-être n'est-ce qu'une fugue, est-elle encore partie pour le stade où l'on peut faire de mauvaises rencontres, c'est arrivé déjà, que oui, non puisque je lui ai tellement interdit, pensait Mélanie, alors où est-elle, on sait comment cela se passe, on ne voit personne venir, puis quelqu'un apparaît dans sa voiture dont il ouvre la portière, le pire ne serait-ce pas quelque rendez-vous clandestin à l'intérieur du stade qui est énorme, d'une telle longueur que Mai pourrait facilement s'y perdre, où était Mai, comme ce jour-là à l'Île qui n'appartient à personne, elle dormait sous les pins australiens, mais que s'était-il passé avant cette heure où son père l'avait trouvée, de cela on ne savait rien, même avec l'aide du pédiatre et d'un psychologue, rien, on ne savait toujours rien de Mai, de ce jour-là, à l'Île qui n'appartient à personne, surtout ne pas prévenir encore Mère et Daniel, qui sait si ce n'était pas encore l'un des jeux de Mai, il y avait aussi le frère de Marie-Sylvie qu'on avait vu rôder près du portail sous son chapeau mexicain, Celui qui ne dort jamais, bien que Mélanie ne fût pas méfiante de lui, non, ils allaient chercher partout sous les arbres avec Augustino se frottant les yeux car il n'avait pas dormi, et les chiens, oui, que rien de tout cela ne soit vrai, Mai n'était sans doute pas loin et sa mère la couvrirait de baisers en disant, je sais, mon ange, que ce fut pour toi une nuit très longue, mais c'était la nuit de joie, de bonheur de ta grand-mère, tu crois que demain et toujours ta grand-mère sera là pour toi, Augustino, et Vincent, mais ce n'est pas vrai, pourquoi ne dormais-tu pas, Mai, je t'avais mise moi-même dans ton lit, je t'avais lu une histoire, ce n'était peut-être rien, pensait Mélanie, un moment de frayeur, quand on pense à nos enfants parfois, un sentiment de danger imminent, Mai, où était Mai? Mama, j'ai fait tout ce que j'ai pu, écrivait Vénus à sa mère, j'ai défendu mon frère comme tu me l'avais demandé, dès que je l'ai vu, sa tête hirsute dans les mangroves, dès que j'ai vu mon frère, je lui ai dit, que Dieu ait pitié de toi, Carlos, même en te cachant dans le bateau du capitaine, je crains pour ta vie, car il y a ici un traître, un délateur, et c'est Richard, Rick, Mama, toi tu ne connais pas cet homme méprisable, et c'est lui, Rick, celui qui était l'intendant jadis du domaine de mon dévoué mari Williams mort en mer, c'est lui qui a dénoncé Carlos, Perdue Baltimore qui travaille au Bureau de la correction et de la probation, et moi, la sœur de Carlos, nous ferons tout, Mama, pour défendre Carlos, en ce moment au Centre de détention juvénile, où il est souvent battu et maltraité, Perdue Baltimore dit qu'il faut tout faire, Mama, afin que Carlos ne soit pas transféré, lors de sa vingt et unième année, dans cette prison pour adultes criminels en Louisiane, car alors tout serait perdu, il ne serait pas un délinquant accusé d'homicide involontaire, enfermé parmi d'autres délinquants souvent plus jeunes que lui, certains n'ont que douze ou treize ans, mais dans une prison pour adultes criminels dont il ne pourrait plus sortir, tu te souviens, Mama, de Perdue Baltimore, née dans les Bahamas, fille de Georges et Rita Baltimore, diplômée de l'université, elle dit qu'elle pourra intervenir pour Carlos, au Bureau de la correction et de la probation, déjà elle a beaucoup défendu Carlos pour qu'il n'ait pas à subir tant de mauvais traitements de la part du personnel de la prison, une fois, un officier a essayé de l'étrangler parce qu'il refusait de lui obéir, on ne peut pas dompter Carlos avec des coups, comme toi tu le sais, Mama, déjà le Centre correctionnel, même si ce n'est qu'une prison pour les jeunes détenus en attendant leur vingt et unième année, est un lieu infâme, les cellules sont en béton, et sans air, les corridors sont obscurs et puants, on entend jour et nuit l'eau s'écoulant des douches, et quel vacarme sans cesse des cris des gardiens, cris des bagarres des prisonniers aussi, on se bat à coups de bâtons, et Carlos se bat comme les autres, il a fallu le mettre dans la cellule de pénitence pour vingt-quatre heures, afin qu'il se calme, tu sais, Mama, combien il y a eu de bagarres l'an dernier entre les garçons et les officiers, les gardiens, près de quatre cents, Mama, non, ce n'est pas humain, Carlos ne doit pas non plus s'attaquer aux gardiens, ce qu'il a déjà fait aussi, Mama, pour se venger, ils appellent le Trou dans le Rocher la cellule de pénitence de vingt-quatre heures, et Carlos est souvent incarcéré dans le Trou du Rocher, Perdue Baltimore dit que Carlos ne peut pas être réhabilité si les geôliers sont violents avec lui, que dans la violence il n'y aura pour Carlos encore si jeune que de la peur, Mama, et aucun avenir, et surtout que lorsque Carlos aura vingt et un ans, il ne doit pas être transféré dans cette prison pour adultes criminels en Louisiane, car ce serait alors sans espoir, Mama, j'ai fait tout ce que j'ai pu, Mama, tu te souviens, il y a longtemps, j'avais fait une fête de charité, un bazar, et maintenant, rue Bahama, les enfants sont immunisés contre la variole, la méningite quand ils vont à l'école, pour Carlos j'ai vendu ma maison, ce qui était hier la résidence de mon mari le capitaine Williams, j'ai vendu le bateau de mon mari, son yacht, mais je suis encore très endettée, même si Perdue Baltimore me fait crédit, sans elle je ne sais pas ce que deviendrait mon frère, ton enfant, Mama, car je ne trouvais personne pour nous aider, tout le monde disait de mon frère qu'il n'était qu'un criminel méritant la prison, ignorant que Carlos était innocent, croyant que son fusil offert par le cuisinier cubain ne contenait pas de balles, mais personne ne me croyait non plus quand je disais que mon frère était innocent à cause de tous les déboires de Carlos avec la justice par le passé, et de ses histoires avec les gangs de la rue Bahama, de la rue Esmeralda, quand il était messager ou livreur de drogues pour les uns et les autres, tu te souviens, Mama, tu n'en dormais pas la nuit, tu disais, le pasteur Jérémy et moi sommes des parents très pieux et toujours au service du Seigneur, comment cela peut-il se passer dans notre maison, ce n'est pas comme si nous étions à Chicago, où ils perdent tant de jeunes Noirs dans les émeutes, et pour les interner si tôt dans des prisons et des centres correctionnels qui sont aussi des prisons, les juges ne sont-ils pas indifférents à notre sort, Perdue Baltimore dit, Mama, qu'il y a tant d'activités criminelles dans nos gangs, rue Bahama, rue Esmeralda, qu'il est difficile de tout savoir, il y a parfois de bons shérifs qui évitent à des adolescents la prison, quelques-uns, oui, dit Perdue Baltimore, et qui font bien leur devoir, mais il y a aussi beaucoup de pères chômeurs rue Bahama, rue Esmeralda, qui ne sont pas de bons exemples pour leurs fils, nous ne sommes pas à Los Angeles, m'as-tu dit, Mama, où quelqu'un est tué par un bandit de la rue pendant qu'il prépare son arbre de Noël, mais quand ils ont capturé Carlos, ils l'ont couché sur l'herbe devant la maison, c'était une honte, Mama, ont mis les menottes à ses poignets dans son dos, pendant que mon frère, ton enfant, Mama, était toujours prostré, un policier était à genoux sur lui, il levait la tête vers moi, me disant, aide-moi, Vénus, sa bouche était entrouverte et il avait si peur, ton fils, mon frère Carlos, je me souviens du tatouage à son bras, c'était un dessin de son chien Polly, sur l'autre bras on voyait des flèches, des couteaux, je fais tout ce que je peux pour aider mon frère, comme tu me l'as demandé, je n'ai plus de maison, je sais maintenant que mon mari le capitaine Williams est mort en défendant mon honneur, quand on se moquait de lui, en mer, parce qu'il avait épousé une escorte noire de quinze ans, Rick dit que ce fut une affaire de drogues et de règlement de comptes de capitaines qui étaient ses adversaires, moi je sais que nous nous aimions, qu'il était un mari et un capitaine valeureux, Perdue Baltimore dit que je dois étudier comme elle l'a fait, travailler le jour et étudier le soir au Collège de la Trinité, je peux vivre avec mon teckel et mes iguanes dans une péniche près de la mer, j'ai vendu tous les tableaux du capitaine à l'exception d'un seul, sa réputation de peintre était respectée dans l'Île, mais plusieurs beaux objets de la maison ont été volés et je sais que c'est Rick qui s'est emparé de ce qui ne lui appartient pas, car c'est un homme vil et un malfaiteur, je ne peux te dire tout ce qu'il m'a fait, mais j'étais toujours harcelée par lui, je ne pouvais fuir nulle part, sauf en bateau ou en barque sur le canal, tu ne peux pas savoir, Mama, papa a dit que je ne pourrais plus franchir le seuil de votre maison, tant mon mariage avec le capitaine lui a déplu, et aussi ma vie de fille escorte, quand je chantais avec l'oncle Cornélius au Club mixte, mais je ne pouvais faire autrement, Mama, j'aimerais, si papa y consentait, chanter encore le dimanche dans le temple de la Cité du Corail, où prêche papa, pour tous il est le pasteur Jérémy qui dit ramener au bercail la brebis égarée, pour moi c'est papa et le père de Carlos, ton fils, Mama, qui est en prison et qui n'a dans son malheur que nous tous, sa famille, pourquoi l'avez-vous abandonné, tu m'as demandé d'aider mon frère Carlos et je l'ai fait, Mama, et la justice étant une chose coûteuse, je n'ai plus de maison, plus rien, si je pouvais encore chanter à la synagogue, à l'église baptiste, ou dans le temple de la Cité du Corail, qui est l'église du pasteur Jérémy, qui est mon père et le père de Carlos, je n'ai vu personne de la famille depuis longtemps, ni le Toqué, ni Deandra et Tiffany, les jumelles qui doivent être grandes, je ne suis pas une pécheresse comme le dit mon père, mais votre fille, vous qui vivez entassés, je vous avais dit de venir vivre ici dans le domaine de mon mari, quand j'avais encore une maison, près du canal, parmi les lianes et les couleuvres aquatiques, quand le capitaine Williams était vivant et qu'il nourrissait avec moi, le matin, dans sa main, les colibris et les passereaux, quand c'était un paradis, ici, c'était un paradis, avant que mon mari soit tué en mer, que son bateau me revienne avec un drapeau noir à son mât, au port, et que Richard, Rick, le fourbe intendant de mon mari, celui en qui Williams avait mis sa confiance, fasse de notre villa un nid de serpents, où nuit et jour il me harcela, même si j'avais une arme sous mon oreiller, le soir, comme me l'avait ordonné le capitaine, je ne voulais pas m'en servir, je pensais souvent que je pouvais le faire et ainsi chasser pour toujours Rick de la maison, mais je ne l'ai jamais fait, et Mama avait écrit à Vénus qu'il était vrai, oui, que le pasteur Jérémy jugeait sa fille Vénus telle une pécheresse, il avait oublié qu'elle était escorte au Club mixte, et ne savait trop ce que le mot escorte signifiait pourvu que sa fille soit décente, non, en épousant le capitaine Williams, Vénus était devenue complice de ses illégaux commerces de cocaïne et de crack, ne le savait-elle pas, et tout de même le capitaine était un vieil homme pour une fille jeune et c'était insensé, le péché était là dans ce mariage auquel Vénus n'aurait pas dû céder, le pasteur avouait sa peine de voir Carlos en prison, mais sa famille ne l'avait pas abandonné, ils iraient tous le visiter bientôt au Centre de détention, le Toqué qui avait fait des progrès à l'école malgré le défaut de naissance de sa jambe infirme, et les jumelles Deandra et Tiffany, tous, ils iraient bientôt et apporteraient des colis de vêtements et des cigarettes à Carlos, ils ne pouvaient amener avec eux Polly qu'il aurait aimé revoir, ni Oreilles Coupées, le dernier chien rescapé par Deandra de bourreaux d'animaux de l'Île, mais ils iraient le voir, c'était intolérable, oui, de le voir à cause de ce qui était écrit sur sa chemise râpée bleue, numéro 340, Correctionnel 3, voir son fils derrière les grilles pour le pasteur Jérémy, c'était intolérable, tous les dimanches il priait pour lui au temple, tous les dimanches, et pendant la semaine aussi, bien que le pasteur fût très déçu d'avoir une fille pécheresse, le seuil de sa maison lui était de nouveau ouvert, elle pourrait revenir si elle en éprouvait le désir, revoir les siens, et chanter le dimanche au temple de la Cité du Corail, car nos enfants sont aussi les enfants de Dieu, disait le pasteur Jérémy, oui, Vénus pourrait chanter à l'église, le pasteur Jérémy recommandait qu'elle soit plus décente qu'autrefois dans ses vêtements trop transparents car tout n'était que vanité et Vénus devait être décente pour chanter les psaumes, Carlos était une épine dans le cœur de son père, une affliction dans l'âme de sa mère, ces seringues, ces drogues, c'était très mal, disait le pasteur Jérémy, mais le plus triste, c'était qu'il avait failli tuer Lazaro ce jour-là à midi, même si c'était un jeu de vengeance entre les deux garçons de bandes rivales, Carlos payait maintenant pour ses bêtises, une épine dans le cœur de son père, une affliction dans l'âme de sa mère, à moins que Perdue Baltimore n'accomplisse un miracle, on enverrait Carlos dans une maison pour adultes, l'an prochain, il fallait écrire au gouverneur et au Bureau de la correction et de la probation, quand on pense qu'avant ces batailles des gangs Carlos et Lazaro étaient de vrais amis, allaient boxer ensemble le samedi, le pasteur Jérémy prierait au temple pour que le gouverneur ait pitié de son fils, que Carlos ait encore une chance d'être réhabilité, la mère de Lazaro avait aussi une affliction dans l'âme quant à son fils, car ce fils jamais ne pardonnerait à Carlos et parlait à tous de se venger, qu'arrivait-il à nos enfants, rue Bahama, rue Esmeralda, mais Perdue Baltimore peut accomplir des miracles, pensait Vénus, puisqu'elle va intervenir auprès du Bureau de la correction et de la probation pour Carlos, implorant de ses juges la clémence, on n'enverrait pas Carlos dans cette prison pour des détenus meurtriers en Louisiane, non, et Vénus se souvint qu'elle avait vendu tous les tableaux de son mari, à l'exception d'un seul qu'elle emporterait avec le teckel et les iguanes, car dans quelques heures elle partirait, dirait adieu au domaine près du canal, n'ayant plus rien ou peu de choses, mais ce tableau serait partout avec elle, ce tableau qu'avait peint pour elle son sensuel mari, et si aimant que toute sa passion, son amour s'exprimait fièrement dans ce tableau, c'était le tableau que le capitaine avait peint le jour de leur mariage, on pouvait y voir Williams et Vénus qui s'étreignaient, Williams avait prêté au corps offert de Vénus la couleur rose de son teint lorsqu'il était en mer, le capitaine s'était attribué à lui-même la peau noire de Vénus, montrant ainsi à Vénus qu'ils étaient inexplicablement liés, que c'était là, dans ce tableau, le signe de la permanence de leur couple, l'un était l'autre, et l'autre était l'un, à bas les préjugés, oui, j'ai fait tout ce que j'ai pu et ferai plus encore, avait écrit Vénus à Mama, et le pasteur Jérémy avait dit à sa femme, si je demande au gouverneur de pardonner à mon fils ses offenses, il faut que je pardonne à mon tour, que Vé-nus revienne à la maison parmi ses frères et sœurs, et Vénus pensa qu'elle reverrait enfin, après toutes ces années, la maison basse sous les palmiers dont jamais personne ne coupait les branches, la glacière qui n'avait pas encore été déménagée ailleurs, bien qu'il en fût question depuis longtemps, quant aux sapins de Noël jaunis, presque calcinés par le soleil, ils seraient toujours là, de même que le parasol au-dessus de la table pour le jeu de dés, et les dés polis par les orages, et sous le parasol pico-reraient les poules et les poussins, car le pasteur Jérémy avait prêché à tous dans son sermon au temple de la Cité du Corail qu'il était temps, oui, que rentre au bercail la bre-bis égarée, même s'il enfonçait dans son cœur une épine lorsqu'il pensait à Carlos, et que Mama quant à elle ait une affliction dans l'âme, que serait donc l'avenir de nos enfants, répétait-il, rue Bahama, rue Esmeralda, y aurait-il un jour une fin à tous ces gangs, rue Bahama, rue Esmeralda, et ces capitaines millionnaires qui ont envahi la ville, pour la parade des bateaux, pensait Lazaro, ramant dans son embarcation motorisée, dont il avait arrêté le moteur, car la mer semblait lisse, presque sans plis, et il n'avait qu'à manœuvrer ses rames dans un flottement doux, dans quelques jours il serait sur un crevettier avec les hommes, avec leurs filets, leurs grossièretés, mais ce ne serait que pour quelque temps, sa vie ne serait pas ici dans cette île où vivait sa mère Caridad qu'il ne voulait plus voir, dont il ne voulait plus entendre les plaintes, sa mère convertie à la liberté, aux déviations morales des autres femmes, les imitant, quand elle aurait dû se couvrir la tête, le visage, elle disait comme ces femmes que les droits des femmes avaient été si souvent bafoués dans les pays musulmans, elle participait aux conférences de ces femmes, les écoutait, elle disait fini le temps de l'Inquisition, c'était désormais répugnant de l'entendre, quant à Carlos, qui sait quand il sortirait de prison, mais Lazaro reviendrait pour se venger, il aurait aimé s'insérer dans sa cellule et le tuer par surprise, oui, mais il attendrait, l'heure viendrait, et c'est là où sa mère Caridad s'offensait encore, car, disait-elle, Lazaro était comme son père Mohammed, il ne savait pas pardonner, il était irréductible, brutal, comme l'était son père en Égypte, ces capitaines millionnaires, venus d'Europe, de Scandinavie, avec leurs rassemblements de voiliers, l'Île leur appartenant soudain, comme si c'était leur lieu de villégiature, c'était répugnant, oui, pensait Lazaro, il aurait mieux valu des sous-marins nucléaires que ces bateaux,

ces ports de plaisance, pendant quelques jours, et ces navigateurs ivres de bière toutes les nuits, se gorgeant de rhum
et de femmes, tous ils mettraient les voiles, se livraient à
leurs préparatifs à l'horizon, leurs bateaux se nommaient
Ancre, Le Conquérant, Pionnier sur mer, avec leurs Path
Finders, leur Pelican, leur Hydra, leurs modèles Yamaha, la
vitesse de leurs moteurs, c'était outrageant qu'ils soient
dans la ville, c'était ce monde d'usurpateurs qu'aimait sa
mère, matériel et riche, elle se plaignait encore que des
musées archéologiques soient détruits, les trésors, les statuettes, là-bas, dans ces pays qui avaient été les nôtres jadis,
elle disait, ils vont détruire toutes les splendeurs de l'Anti-
quité, et ce fut ainsi à Sarajevo, les œuvres antiques sont
tuées comme ils tuent les chevaux, rien, rien ne subsistera,
et comment l'humanité pourra-t-elle se souvenir, aucun
souvenir des vases ni des statuettes, rien, quand ce ne sont
pas les bibliothèques, ce sont les monuments, aucun souvenir demain de la Mésopotamie, rien, ce que je crains le
plus, dit-elle, ce sont les pillards, mais Lazaro pensait que
ce souvenir de l'humanité devait se perdre, être incendié
lui aussi, il n'aimait que les oiseaux, les pélicans et les
mouettes, volant au-dessus des bateaux des pêcheurs, mais
cette société occidentale qu'avait choisie sa mère, il ne l'aimait pas, c'était répugnant que Caridad, sa mère, ne soit
pas consciente que les lois de son père Mohammed étaient
les seules lois justes, elle ne portait plus le foulard, s'ha-
billait comme toutes les autres femmes, c'était une femme
en plein délit, elle ne serait plus jamais purifiée, et toutes
ces lois édictées pour la liberté des plus pervertis, c'était un
crime qu'elle se mette à les défendre, ce n'était plus sa
mère, la femme de son père Mohammed, dans notre

société, celle de mon père et de mes cousins, les éléments nocifs sont éliminés, ce n'est qu'une loi juste, Lazaro serait un combattant pour toute loi d'épuration de ce qui était nocif, dégénéré, dans ce monde que sa mère avait choisi, où elle avait renié les siens, et voici que sur les plages apparaissaient ces groupes de flâneurs, nonchalants personnages, pensait Lazaro, sans doute ces gens qui avaient fait la fête toute la nuit, rassasiés après leurs banquets, à toutes les tables, avec quel dédain Lazaro devait les servir dans son tablier blanc, disant aux maîtres de maison, je vous apporte les fruits de mer que vous avez commandés, quand il aurait voulu jeter le plateau à leurs pieds, et leur fils qui le toisait de cet air faussement candide, sournois, sans doute sous ses paupières bridées, que savait-il, ce fils adulé, des sépultures d'enfants, dans ces quartiers situés près de la ligne de front, de ces gamins armés dans des villes assiégées, rien, il ne savait rien, c'était au loin, dans quelque lieu sale et diffus abandonné aux meutes de chiens errants, ces chiens avaient si faim qu'ils auraient dévoré, on savait qu'ils dévoraient des restes de projectiles, il n'y avait plus de fenêtres aux maisons, sinon des rideaux de fer, des barreaux, laissant entrevoir d'autres meutes, tous des enfants maniant des armes, jouant des armes comme d'autres de la guitare, les déployant ainsi le long de leurs corps, que savait-il de tout cela, ce fils de famille, lui et ses amis riant près des piscines, sur leurs planches à voile dès l'après-midi quand Lazaro partirait sur un crevettier, avec des hommes grossiers, aucune trêve dans ces villes capturées, le son cinglant des haut-parleurs dans la nuit, ne plus appartenir à cette race, les fuir, eux, leur nonchalance sur les plages, au bord de l'eau, voici qu'ils apparaissaient for-

mant leurs groupes, bientôt spectateurs de la parade des
bateaux, mais ailleurs se formaient aussi d'autres groupes
et leurs tactiques de guérilla, dans des montagnes ou tout
près de la ligne de front, et bientôt ils entendraient tout
près de leurs maisons les cris de l'attaque, allons, frappons
car la joie est dans le sang, mais dans leurs piscines, sur la
mer, dans leurs jardins aux tables abondantes, ils ne voulaient rien entendre de ces cris, et voici qu'ils se rappro-
chaient les uns des autres, espérant ainsi se protéger, créer
quelque abri, là-bas, des camps dans la montagne étaient
prêts à recevoir Lazaro, ce serait à la frontière turque et ira-
nienne, la marche serait longue et dure, dans le brouillard
et la neige, la joie pour quelques-uns est dans le sang pensait Lazaro, dans son embarcation, le bruit de l'eau s'accor-
dant avec le mouvement des rames, c'est la réalisation
pour chacun d'un tribal besoin de vengeance, ils se sentent
glorieux, ceux qui peuvent humilier quelque prisonnier de
combat, en le tirant par les pieds sur un chemin boueux,
toi tu as empoisonné des puits avec des cadavres de
chèvres, tu n'es qu'un taliban, eux ne voient pas le visage
suppliant levé vers eux mendiant sa vie, aveuglés par cette
joie dans le sang, ils forcent l'homme à enlever son pantalon, avant de l'assassiner plusieurs fois, les jambes ensan-
glantées sont là inertes sur le chemin de boue, le prisonnier
a eu la poitrine trouée plusieurs fois, c'est une terre d'in-
justes souffrances, c'est la mienne, des combattants déses-
pérés qui ont la couleur de mes yeux, de ma peau, les
mains brunes de Lazaro ramaient à un rythme calme, pendant qu'il fixait le rivage, de ses yeux dont le regard était
renfermé, fuyant ces ombres là-bas, ces personnages qui
attendent, sur la grève, comme ces prostitués qui rôdent

sur les quais depuis le commencement de la nuit, étalant bientôt leur disgrâce au soleil, nul d'entre eux, pensait Lazaro, ne méritait vraiment de vivre, et Tchouan, qui avait pu convaincre son mari de venir avec elle sur la plage, disait, allons retrouver nos amis, sachant bien qu'Olivier pensait encore à l'article qu'il avait écrit sur les années cinquante et la longue lutte pour l'égalité raciale, ne disait-on pas en ces temps-là, séparés mais égaux, c'était avant l'intégration des écoles à Boston, on ne pouvait donc jamais distraire Olivier de la gravité de ses pensées, même un jour de fête, il était de ceux qui ne pouvaient oublier et Tchouan croyait que l'oubli était une faculté plus noble, d'où pouvait resurgir quelque sentiment compatissant, et même une forme de générosité, de magnanimité, qu'en savions-nous, disait-elle à Olivier, dont elle avait pris la main, tu sais ce que j'aimerais encore dans le jardin, ajoutait-elle, sachant qu'il ne l'écoutait pas, mais tout enthousiaste en évoquant ces arrangements floraux, ces compositions de fleurs dont elle voyait tous les détails, une cascade d'images qui la réjouissaient, ce serait, près de la fontaine, disposer harmonieusement ces marguerites qu'on appelle cygnes blancs et ces potentilles dont on dit qu'elles ressemblent aux oreilles ou aux lobes des oreilles des agneaux, n'est-ce pas charmant, nous aurions aussi des tulipes, dans la nuit ces fleurs blanches toutes brilleraient comme la lune, tout en parfumant l'air, nous aurions des bordures de trompettes des anges, et Olivier pensait que les anges, pour lui, étaient ces anges noirs, victimes d'un incendie criminel dans la nuit d'un 16 octobre à Baltimore, dans leur maison, mais qu'aurait-il fait sans les compositions florales de Tchouan, sa patience, sa gentillesse, qu'aurait-il fait, lui,

l'homme toujours dans la fureur du passé, ou son incapacité à demeurer furieux toute une vie, sans Tchouan et Jermaine, tout ce qu'il possédait après ce que Tchouan appelait l'existence des choses détruites, bien sûr, dit-il, toutes
ces fleurs seraient brillantes et parfumées dans la nuit, tu as
raison, Tchouan, il y aura aussi un buisson de roses roses
près de la table extérieure, du côté où brillent aussi jusqu'au soir les fleurs jaunes du frangipanier, c'est là où nous
prendrons nos cocktails, où tu feras ta dégustation d'af-
freux cigares avec Bernard et Christiensen, après le dîner,
quand nos amis nous rendront visite pendant l'automne,
et notre hiver toujours si lumineux, c'est qu'il y a l'avenir,
pensait Olivier en écoutant sa femme, il y a toujours un
avenir, pendant que nous vivons, dommage que nous
ayons si peu de foi, oui, tu as tout à fait raison pour ces
fleurs blanches, Tchouan, répéta Olivier en respirant l'air
de la mer, et tu sais, je crois que ce fut une nuit très réussie,
une très belle fête que notre amie Esther ne pourra jamais
oublier, car Olivier éprouvait une sorte de contentement
de vivre, oui c'était bien cela, sans que ce soit de l'oubli ou
un effacement de la mémoire, la bonté de Tchouan était
vivifiante, pensa-t-il, et après avoir dit qu'il irait voir le
médecin, ce ne serait qu'une brève consultation pour ses
yeux, avait dit le professeur de Samuel, il serait de retour
pour la répétition du soir, Samuel ne savait plus où était
Arnie Graal, ni dans la salle de dépôt des décors ni dans les
dessous de la scène du théâtre où Samuel avait l'habitude
de le voir, il n'était nulle part, ce qui nous annonçait
aujourd'hui une soudaine absence, une séparation, pensait
Samuel, c'était à un écran coloré d'un téléphone un diver-
tissant menu pointant au-dessus d'un appareil photo

numérique intégré la carte des messages, cette éclatante technologie se mêlait soudain de noir, quand Arnie écrivait à Samuel son élève, ne cherche plus où je suis, mais n'annule pas la représentation de ma chorégraphie *Matinée d'un survivant* à Berlin, à l'automne, car tu es mon successeur, maintenant, je t'avais dit qu'un jour se crèverait l'abcès, qu'il se viderait, voici que cela se fait et que je deviens aveugle et ne peux plus danser, je t'ai déjà dit aussi que ma *Matinée d'un survivant* avait été conçue pour ceux qui partent, mais je ne veux pas partir comme ceux que j'ai accompagnés dans mes représentations avec mes vingt danseurs, mon chœur de femmes et d'enfants, je ne veux pas car ma vie à moi fut comme un chant, même lorsque je travaillais dans la buanderie d'un hôpital la nuit, un chant car je dansais tout le jour d'Amsterdam à San Francisco comme plus tard tu le feras toi-même, sois vaillant et ne cesse de danser, Petite Graine, tu as dit que comme tu as perdu un ami de ta famille, Tanjou, comme se perdaient mes danseurs dans ma dernière chorégraphie lorsque les murs, les fenêtres dans ces tours que j'avais élevées anéantissaient peu à peu les silhouettes, ne nous laissant à voir que leurs ombres taillées, découpées, tu préfères ne plus aimer, ni Veronica, ni une autre femme, redoutant qu'un visage aimé ait à être ensoufré là par quelque malheur demain ou plus tard, tels ces murs d'icônes, dis-tu, tous incinérés, avec Tanjou, tu as tort, Petite Graine, tu dois encore beaucoup grandir, car dans notre vie les persécutions vivent avec nous et tu ne sais pas toi-même si tu es du côté de ceux qui persécutent ou de ceux qui pourraient être persécutés pour les crimes commis par d'autres générations, comme tu me l'as dit aussi, tes parents t'ont mis au

monde pour le bonheur, ne cesse pas d'aimer, Petite
Graine, ni de danser, ne cherche pas à savoir où je suis, je
ne veux pas tomber comme ceux que j'ai accompagnés si
loin dans cette chorégraphie *Matinée d'un survivant*, avec
un chœur de femmes et d'enfants, je veux être seul, et
écouter quelques œuvres majeures sur lesquelles j'ai travaillé, Stravinski, Prokofiev, tu peux corriger vers plus
d'apesanteur la représentation pour Berlin de *Matinée
d'un survivant* afin qu'il n'y ait aucun tâtonnement, sois
donc très vaillant, Petite Graine, Petite Graine d'homme,
va, sois persistant, tenace, serait-ce vrai, pensait Samuel,
comme il ne reverrait plus l'étudiant Tanjou, l'itinérante
la Vierge aux sacs, il ne reverrait plus peut-être son ami le
danseur noir Arnie Graal, Arnie n'avait-il pas toujours dit
qu'il n'aimait pas être seul, une consultation chez le médecin pour ses yeux, disait-on, et Samuel ne reverrait plus au
théâtre, pas même dans la salle de dépôt des décors où
s'isolait Arnie ou dans les dessous glauques de la scène,
où il dessinait ses chorégraphies, concevait ses spectacles,
ne reverrait plus l'artiste flamboyant, n'entendrait plus sa
voix de baryton, ou était-ce celle d'un prêcheur dont la
prédication aurait été trop directe, dérangeante, l'amulette
d'os scintillant sur sa chemise noire, où s'en irait-il, quand
tous l'attendaient chaque soir, comment persister, aimer,
quand le souffle qui vous était donné, avec l'amour, la
danse, vous quittait, comment Samuel transposerait-il un
art qui n'était pas le sien, mais celui d'Arnie qui lui avait
tout appris, l'altitude vertigineuse de ses pas lorsqu'il dansait, chorégraphiait, et la chute, de si haut, le long de ces
murs où réapparaissaient des visages, des corps, la chute
d'Arnie aveugle, jusqu'au ciment des rues, à qui Samuel

expliquerait-il désormais que des corps attachés, ficelés, dont les visages avaient été couverts, dormaient avec lui, la nuit, ils étaient tous vivants, on avait lié leurs mains, Samuel pouvait les entendre respirer sous la rude étoffe dont leurs visages avaient été recouverts, s'ils dormaient et respiraient, pensait Samuel, c'était d'un sommeil convulsif, étaient-ils des prévenus attendant un interrogatoire, n'ayant pu loger ailleurs, ou des fantômes détenus dans des chambres où ils seraient fouettés, torturés, à leur réveil, ils ne savaient pas eux-mêmes pourquoi ils étaient là, mais sans un mot ils suppliaient tous Samuel de leur prêter son lit, ses couvertures, le verre d'eau posé sur la table de chevet, car ils avaient soif sans pouvoir boire, ils avaient faim sans avoir le droit de déjeuner avec lui le matin, comment persister, pensait Samuel, quand dans vos draps, quand vous vous croyiez endormi, rêvant que vous marchiez sur l'eau, sans pesanteur ou à peine, l'eau traçant sa route fluide, sans vacillements sous vos pieds, et soudain ces têtes tombaient du mur dans les draps, les corps erraient plus loin, attachés, ficelés, ou parfois assis, les jambes devant eux, surveillés de près par des ombres noires, on les avait sans doute photographiés ainsi, ou filmés, si les yeux de ces têtes s'éteignaient, les bouches criaient, je ne veux pas, non je ne veux pas, appelez quelqu'un, je ne veux pas, appelez ma mère, mon fils, n'y a-t-il pas quelqu'un qui commande ici, comment persister, avec ces roulements, ces frottements de toutes ces têtes dans les draps, et même lorsque Samuel sortait de son appartement pour descendre en courant les escaliers vers la rue, ils étaient toujours là, tous ces corps nus qui semblaient cloués aux portes des maisons, comme si la ville était un archipel de prisonniers, il pleuvait et neigeait sur ces corps transis, qu'ils soient seuls ou englués ensemble dans quelque obscène position qu'ils refusaient, un même frisson de peur les parcourait tous, contre les embrasures des portes, des fenêtres, et c'était si scandaleux de les voir ainsi, les uns rattachés aux autres par les fils d'un conducteur électrique, si pitoyable, et lorsque Samuel s'éveillait et que tous avaient disparu, Samuel fouillait ses draps, n'y avait-il pas là encore quelque tête décollée de son corps, dont les yeux auraient encore sup- plié Samuel de leur laisser la vie, mais ouvrant les volets vers la rue, Samuel constatait que c'était un beau matin d'été, que Veronica lui avait écrit, reviens, sa mère le priait de rentrer à la maison pour quelques jours, afin de voir Vincent qui serait bientôt de retour, et presque guéri, écri- vait sa mère, il vaut mieux, Samuel, compter les jours où Vincent se sent mieux que les autres, ainsi il pourra réagir, depuis qu'il est dans la montagne, Vincent tousse un peu moins, il peut nager maintenant, comme tous les garçons de son âge, je ne lui permettrai pas encore toutefois de sor- tir en mer avec Marie-Sylvie, il est sans doute trop tôt, sa dernière crise nous ayant tant effrayés tous, dans le bateau de papa, et en marchant dans la ville, si Samuel n'allait plus revoir Tanjou ni peut-être jamais la Vierge aux sacs qui avait été remplacée par une autre, une fille sans douceur qui l'avait écarté de quelques mots exécrables à la sortie d'un magasin, sur quelque avenue où triomphait l'opu- lence, disait-elle, mais c'était vrai, pourquoi lui en vouloir de dire ce qu'elle pensait, elle qui dormait dans des cartons, dans la saleté des ruelles, Samuel passait la saluer chaque jour, celle qui était engloutie avec Tanjou sous les pierres, la Vierge aux sacs, et soudain avec la floraison des lilas, des

tulipes et des roses dans les parcs, qui sait ce qui était hier
un échafaudage de tombes ou qui se présentait ici dans ses
ruines fumantes, avec tous ses morts, ne pourrait-il être
une forteresse ou fortification où ne s'élèveraient vers le
ciel, non une citadelle de verre provoquant des atteintes,
que des arbres, des jardins, la floraison constante de lilas,
tulipes et roses, afin que rien ne soit désormais bastionné
et dévasté, que cette géométrie serait souriante, dominant
la ville, verdoyante dans la lumière, pensait Samuel, et
Petites Cendres revint sur ses pas, débraillé et triste, et toujours à sec de poudre, pensait-il, jusqu'au Vendredi Décadent où le bar était désert, bien qu'on entendît encore de la
musique dans la rue, quelques notes de piano et un
homme qui chantait dans une taverne enfumée où il n'y
avait personne, c'était un balayeur qui jouait ces quelques
notes, tu n'as rien pour moi, lui cria Petites Cendres, non,
rien, dit le balayeur, écoute cette chanson, fils, *Unchain My
Heart*, que mon cœur ne soit plus enchaîné, que ton cœur
ne soit plus enchaîné, fils, où vas-tu comme ça, ce sera
bientôt l'heure où s'ouvriront les églises et les temples, tu
ferais mieux d'aller prier, fils, je ne touche plus à la coke
depuis que je suis vieux, ce n'est plus comme au temps où
j'étais dans la bande de musiciens de Cornélius au Club
mixte, regarde l'épouvantail que je suis devenu avec la
poudre, ne fais pas comme moi, Petites Cendres, partout,
même du Club mixte, ils m'ont mis à la porte, il ne me
reste plus qu'à balayer les ordures des autres, que ton cœur
ne soit pas enchaîné, fils, la poudre, c'est le diable, j'en
aurai avant onze heures ce matin, dit Petites Cendres, j'ai
un client, il m'attend à l'hôtel, un colosse, un monstre qui
appartient à une association de sadomasos, qui se mas-

turbe seul devant ses vidéos porno en m'attendant, quand j'arriverai il sera prêt, ce qui l'excite, c'est nous, les Noirs, nous insulter, nous tarabuster de ses demandes sardoniques, voilà ce qu'il veut, que ton cœur ne soit pas enchaîné, répéta le balayeur, je voulais être Ray Charles, et regarde ce que je suis devenu, avec la poudre, la peau, les os, la poudre a tout avalé de moi, fils, ne fais pas comme moi, c'est à peine si je peux jouer encore ces quelques notes, écoute, *Unchain My Heart,* tu vas revenir de ce carnage avec l'homme, tout en sang, que Dieu te protège, fils, va ton chemin, je dois balayer maintenant, et lorsqu'il fut tout près de l'hôtel à l'imposante façade rose, Petites Cendres sentit les larmes couler sur ses joues, comment encore faire le chien pour ce salaud, pensait-il, comment subir ses crachats sur sa dignité, où était donc la vision du paradis, le garçon aux joues rondes qui lui avait souri, que n'aurait-il donné pour le revoir, lui qui n'avait rien, pas même une cigarette de cet égoïste Timo, oui, mais n'était-ce pas aujourd'hui qu'entrait au port le bateau de croisière et ses mille cinq cents marins, matelots, hommes d'équipage, toute une pluie de visiteurs sur la ville, dans un lâcher de ballons rouges et jaunes, ils venaient d'Allemagne et des pays scandinaves, du monde entier, beaux, musclés, le torse nu sous les colliers, et au temple, la révérende pasteure Ézéchielle n'avait-elle pas dit à Ashley Petites Cendres, alléluia, les pauvres comme toi, Ashley, battu et opprimé, auront pour eux l'éternité, car près de Dieu, tu ne seras plus jamais seul, Petites Cendres, et ce sera une éternité où il y aura toujours de la poudre, pensait Petites Cendres, et j'aurai mon garçon, il n'ira plus rejoindre son négociant en soies à New York, ce sera bientôt l'heure où

s'ouvriraient les temples et les églises, les larmes coulaient
sur les joues de Petites Cendres qui marchait en traînant
les pieds dans ses sandales, vers l'hôtel, son imposante
façade rose, venez, avait écrit Mère à Renata, nous aimerions tant vous revoir, et c'était à bord d'un avion comme
celui-ci, pensait Renata, ce néfaste vol 491, après son escale
à New York, que toutes ces élèves de la classe de français
avaient péri dans une montagne du Honduras, sans pitié,
on ne savait pourquoi des fillettes dans leurs robes de taf-
fetas, qu'attendaient leurs parents à l'aéroport, avaient à
disparaître dans une brume compacte au-dessus des cimes
des arbres, ce jour-là, quand Renata, elle, s'arrêtant à New
York pour une conférence internationale sur la peine de
mort, serait dispensée des cruautés de leurs destins à
toutes, ne serait ni évincée d'un avion qui s'écrase ni
dépossédée de sa vie, elle dont la vie lui semblait déjà
longue, quand les fillettes n'avaient pas encore atteint leur
dixième année, même si on savait que rien n'était équi-
table, pensait Renata, ceux que l'on épargnait se sentaient
souvent incrédules quant au fait que cette même vie préle-
vée d'êtres jeunes et pleins de fraîcheur leur soit vraiment
restituée pour quelque temps de sursis, était-ce bien réel
ou quelque tragédie ultérieure ne surviendrait-elle pas,
celle qui se disait une lointaine cousine de Renata, Esther,
ni Mélanie, sa fille, ni les enfants qui avaient grandi, et la
dernière parmi eux, Mai, que Renata ne connaissait pas
encore, eux tous ne savaient pas que Renata leur ren-
drait bientôt visite, annonçant à Esther qu'elle avait voulu
la surprendre pour son quatre-vingtième anniversaire, la
famille était si réduite, le prétexte serait ces vacances de
Renata avec son mari près de la mer, ou il n'y aurait aucun

prétexte, le désir de les revoir tous, très brièvement, ne plus rentrer par la grande porte comme autrefois dans une veste de satin dégageant la peau nue et bronzée, n'être que cette lointaine parente leur tendant discrètement la main avant de les embrasser tous, se confondant presque avec la timide silhouette d'Esther parmi les lauriers roses du portail, lui disant, me voici, Esther, je sais que vous ne m'attendiez pas, je veux vous revoir, car avec vous je vénère le passé, je me souviens des cousins de Pologne, de Joseph, le père de Daniel, n'est-ce pas l'heure de se souvenir de chacun d'entre vous, votre sang n'est-il pas le mien, bien que j'estime n'appartenir à personne, que vous voyiez en moi cette rudesse, et un peu de hauteur, je sais, je sais, vous n'aimiez pas que Mélanie, votre fille, me soit si attachée, il y a tant d'affinités entre nous, ou Renata ne dirait rien, ils remarqueraient tous que Renata avait recommencé à fumer, mais si peu, ils observeraient ce geste ancien d'extraire de l'étui d'or la cigarette, avec toutefois moins d'ostentation qu'autrefois, mais une semblable défiance dans le regard, ils seraient indignés, surtout Esther qui avait peu de tolérance, je ne suis plus convalescente, dirait Renata, j'ai droit aux plaisirs de la vie, maintenant, même si j'ai appris à en maîtriser la fréquence, et surtout c'est à Mélanie que Renata voulait parler, souhaitant s'alléger de responsabilités juridiques qui lui étaient lourdes, Mélanie était une femme leader influente, œuvrant dans le domaine de la justice, surtout pour les femmes et les enfants, mais il y avait les autres, Nathanaël échappant de justesse à une condamnation à vie, Nathanaël qui avait quinze ans et qui avait été condamné pour le meurtre d'un petit garçon, quand il n'en avait que onze, si la pitié d'un gouverneur qui avait lui-même un fils délinquant à qui il avait fallu éviter la prison intervenait ici pour sauver Nathanaël d'une trop implacable sentence, lui permettant un séjour surveillé dans un centre de détention juvénile, qu'en serait-il de l'avenir de Nathanaël demain, et de tous ceux qui, comme lui, étaient mineurs et accusés de délits, et que les juges d'enfants, chargés de tout ce qui concerne leur assistance éducative, estimaient incorrigibles en appliquant la loi, les incriminant de leurs actes blâmables tels des adultes, ces actes étaient blâmables, pensait Renata, mais ceux qui les avaient commis étaient des enfants dont l'esprit n'était pas encore formé, Nathanaël n'avait-il pas sangloté lorsque le juge lui avait dit que ses actes n'étaient pas les erreurs d'un enfant jouant avec trop de vigueur avec une enfant plus jeune et plus fragile que lui, une petite fille sans défense devant la force d'un adolescent, mais des actes indescriptiblement cyniques et brutaux, quand Nathanaël avait agi sans trop savoir ce qu'il avait fait, avec toutes les forces décuplées d'un garçon de sa taille, Nathanaël, les parents de Nathanaël, tous avaient pleuré, sachant que Nathanaël avait tué par accident, dans cet excès de forces dont soudain il n'avait plus eu le contrôle, oui, demain qu'adviendrait-il de Nathanaël dont nul gouverneur n'aurait pitié, de ses frères, de ceux qui comme lui ne seraient que des enfants tenant tête aux juges dans les tribunaux, Mélanie, dont l'âme était si délicate, aurait compris que Renata soit l'un de ces juges harassés et scrupuleux, qui ait recours à elle pour l'éclairer, qu'aurait-elle fait, elle qui était une femme et une mère, comment aurait-elle jugé Nathanaël et les autres issus de milieux défavorisés, nés dans l'oppression et la misère des ghettos, et plus tard, lorsque la fenêtre de sa chambre s'ouvrirait sur la mer des Caraïbes, Renata se souviendrait de l'exécution d'un Noir par injection létale dans une prison du Texas, c'était il y a si longtemps, mais n'avait-elle pas toujours eu la conviction de l'innocence de cet homme, et n'était-il pas prouvé maintenant par le recours à l'ADN qu'elle ne s'était pas trompée, qu'on avait ainsi exécuté par injection comme par la chaise électrique des milliers d'innocents, elle avait su ce jour-là qu'aucun tribunal ne parviendrait au nettoiement de ces crimes de la négligence, ces crimes d'une justice organisée afin de ne rien voir, que de pleurs demain pour les parents de Nathanaël, pensait Renata, que de condamnés à la peine capitale qui ne seraient que de pauvres gens n'ayant jamais commis de crimes, que de pleurs, pensait Renata, et Caroline demanda que sa chaise soit rapprochée encore de la fenêtre, afin qu'elle voie se lever le soleil sur l'eau, non, ce ne serait jamais la nuit, dit-elle, et je ne veux pas porter ces habits noirs que vous avez repassés ce matin, vous savez, Harriett, nous serons supplantés par d'autres, Jean-Mathieu et moi, c'est ainsi, mes amis que j'ai accueillis chez moi, Bernard, Valérie, Christiensen, sa charmante femme Nora, et lui, Christiensen, un dieu nordique, j'ai eu tant de plaisir à les avoir près de moi, tous, écrivains, humanistes, Valérie surtout, cette romancière philosophe qui sait tout du drame de vivre, Nora qui est un peintre mystérieux, caché, Bernard, Christiensen, leur vaste savoir, leur humanisme à eux aussi, et cette amitié qui les lie tous, leur vie, l'amitié, l'ensoleillement dans leurs pénibles travaux, ils vont nous supplanter, Jean-Mathieu et moi, et c'est bien ainsi, s'il me faut aller sur le pont maintenant, me tenir droite devant la traversée, s'il me faut, oui, partir, je veux bien qu'ils viennent tous vivre ici dans ma villa, qu'ils écrivent et mangent à ma table, et que vous soyez toujours prête à les recevoir, Harriett, quant à Frédéric, Charles et moi, où irons-nous, que deviendra Charles sans Cyril dont il s'est séparé, où irons-nous tous, dites-moi, nous serons supplantés, mais croyez que c'est bien ainsi, tout est bien ainsi, mais une seule fois, dites-moi la vérité, Charly est dans la maison, n'est-ce pas, vous n'avez pas permis qu'elle vienne jusqu'à moi, mais elle est là, n'est-ce pas, tout contre la porte, dites-moi la vérité car j'ai entendu sa voix, ses pas, elle disait, Caroline, maintenant que nous sommes quittes, libérées de nos dettes l'une envers l'autre, laissez-moi rentrer et prendre soin de vous, poser ma tête sur vos genoux comme lorsque je feignais de vous servir, ce qui était faux, car je ne cessais de vous mentir, et cette lettre de Jean-Mathieu, c'est vrai que je l'ai brûlée comme vous l'avez vu en rêve, je vous en prie, que je puisse revenir vers vous, Caroline, je l'ai entendue, elle était là, dit Caroline, et vous avez dit, taisez-vous, menteuse, partez, on ne veut plus vous voir ici, où est mon chapeau, où sont mes gants, je dois sortir, ils m'attendent tous, Adrien, Suzanne, Frédéric, quant à mon cher Charles, à quoi bon lui arracher Cyril, sa vie, le voici seul qui écrit cette aube, qui la décrit comme il la vit, l'aube et ses fontaines étanchant toute soif, au-delà de cette Porte de l'Enfer que le peintre Botticelli sut peindre comme s'il avait été parmi nous, vivants de l'immense chute, tombant les uns sur les autres des murs dont nous nous croyions abrités, jusqu'à notre mort dont ils ne savent rien, et Charles écrira, écrira, le cœur étreint de ces tourments spirituels qui furent ceux de Dante, de Botticelli, peintre d'une violente poésie, celle de Dante, il écrira, à quoi bon lui arracher Cyril, l'aube, les fleuves étanchant toute soif, et je sais comment Charly était vêtue, dit Caroline, même si vous refusez de me le dire, Harriett, elle était comme ces personnages de Newton, impénétrable, d'une paresse sophistiquée, est-elle venue dans son smoking noir avec ses ongles pourpres, comme lorsqu'elle allait danser avec ses amis à ces raves tant et tant de nuits jusqu'à l'épuisement, dites-moi, c'est bien ainsi que vous l'avez vue, Harriett, et Harriett, Miss Désirée répondit avec une prudente lenteur, oui, je l'ai vue dans son smoking noir, elle est venue, je ne l'ai pas laissée entrer, non, elle vous ferait trop de mal, je l'ai même reconduite à la rue, et vous savez ce que j'ai vu aussi, elle m'a dit qu'elle était de nouveau chauffeur, il y avait une belle voiture et un frêle vieillard qui attendait Charly dans sa voiture, et j'ai pensé que cette fille était le mal, oui, le mal, dit Miss Désirée, qu'elle allait abuser de ce vieil homme comme de vous, Caroline, qui étiez si bonne pour elle, oh non, je n'étais pas bonne, dit Caroline, maintenant peut-être pourrais-je le devenir, si Charly daignait me voir, je serais une autre femme, mais je dois passer mes plus beaux vêtements, quelqu'un m'attend sur le pont, qui sait si ce n'est pas Charly plutôt que cette vieille femme sordide, la boiteuse qui me fait signe, comment ose-t-elle m'appeler, et ils viendront tous vivre dans ma maison, et vous les accueillerez bien, n'est-ce pas, vous choisirez pour Bernard et Valérie les meilleurs vins, car il faudra satisfaire toutes les soifs, et ce sera votre rôle, Harriett, quand je ne serai plus là, je dois sans doute me diriger vers le pont pendant que la lumière du soleil peut guider mes pas, et avec la nuit, souvenez-vous, reviendront les oiseaux de proie, est-ce déjà l'heure des grands carnassiers, Harriett, Miss Désirée, quand nul alors, pas même vous, Harriett si fidèle, ma nourrice, ne pourrez plus veiller sur moi qui suis votre enfant, est-ce déjà l'heure blanche où il faut aller vers le pont? Là, ma chère Harriett, Miss Désirée, même vous, la plus fidèle ne pouvez me suivre, et la tête brûlant sous son chapeau, agacé qu'il y ait tout ce sable dans ses souliers, Adrien disait à Daniel, vraiment vous marchez très vite, je sais que vous avez l'habitude de courir plusieurs heures tous les jours, j'ai déjà fait cela moi aussi, n'est-ce pas ici devant ce quai que votre femme doit nous rencontrer, ah oui, pour vos *Étranges Années,* je voulais encore vous dire ceci, croyez-moi, c'est l'ami qui ose s'ex-primer avec une telle franchise, qui vous parle, il y a peu de résonance d'espoir dans tout ce fourmillement illuminé qu'est votre livre, vous dites qu'Andy Warhol, dans son obsédante multiplication de portraits et d'autoportraits, est l'un des plus étonnants portraitistes de notre temps, pourquoi, à quoi servent ses boîtes de soupe et son auto-portrait en femme bourgeoise, je veux bien admettre que c'est un plasticien connaisseur, mais cet artiste du pop art pourrait bien avoir plus d'attitudes ou d'aptitudes à jouer sur ce théâtre de la contre-culture où il est si habile que de talent, ensuite, pourquoi devons-nous savoir que Staline avait un faible pour les films de gangsters et de cow-boys, sans doute par pruderie, évitant toute suggestion sexuelle, et qu'il parlait de littérature pendant ses banquets déca-dents avec ses amis tortionnaires, tous des monstres tout aussi sentimentaux que lui, vous vous souvenez de ce que Dostoïevski a écrit sur cette sentimentalité des plus méchants de notre espèce, enfin, que voulez-vous dire, que même ceux qui engendrent les Grandes Terreurs en ce monde peuvent succomber à cette écœurante sentimentalité qui les fait pleurer pendant qu'ils regardent un film de gangsters alors qu'ils ont tué dans une famine dix millions d'Ukrainiens sans verser une seule larme, oui, c'est un peu cela, dit Daniel, comme s'il était soudain impersonnel sous ses lunettes reflétant la mer, car il n'écoutait plus Adrien depuis quelques secondes, où est donc Mélanie, demanda Daniel, inquiet, n'allions-nous pas nous retrouver devant ce quai, je la vois là-bas, dit Suzanne, c'est une journée qui sera magnifique, et voyez, les bateaux sont tous alignés à l'horizon, mais c'est bien dommage que Caroline ne puisse sortir pour être avec nous, quant à Jean-Mathieu, je pense encore à lui chaque matin, en relisant ses livres, l'essentiel est que nous pensions les uns aux autres, n'est-ce pas cela l'éternité, mon petit Daniel, c'est ainsi que personne ne meurt, car je l'ai toujours dit à Adrien, je suis l'une de ces incroyantes en la mort, Daleth, porte ouverte sur la baie, et cette lumière, comme ce matin, et Mère dit à Nora, je me souviens maintenant de ce qu'Augustino a écrit, c'est au tout début de son livre, du moins il nous dit que ce sera un livre, souvent il écrit toute la nuit, ce qui exaspère ses parents, moi non, cela ne m'exaspère pas, il a écrit, nous pourrions bien nous lever, un jour, et ne plus rien reconnaître autour de nous, ni notre île ni les villes voisines, non, rien, ne plus rien reconnaître autour de nous, nous demander si notre pays est encore le nôtre, et même s'il est encore là, oui, un matin en nous levant, nous pourrions bien penser, où sont nos territoires familiers, où sont Cleveland, Cincinnati, où sont nos villes près de l'océan Pacifique et du golfe du Mexique, où irons-nous si nous n'avons plus de villes, aucune maison, aucun feu, aucun pain, où irons-nous et qui nous ouvrira sa porte, un matin en nous levant, nous pourrions bien découvrir que nous n'avons rien, et dire à ceux qui sont autour de nous, pouvez-vous nous ouvrir votre porte, alors si personne n'ouvre sa porte, craignant que nous leur volions le peu de villes qui leur restent, le peu de maisons, le peu de pain et de feu, oui alors, que nous arrivera-t-il, et Mère se tut, car le ciel était chaud et rayonnant, il lui semblait si doux de vivre qu'elle en avait oublié le tremblement accru de sa main droite, Nora était à genoux près de la mer, c'était une sublime journée d'été et Nora avait dit, j'y retournerai bientôt, oui, en Afrique, posant sa main dans l'eau verte et se rafraîchissant le front, les paupières, une vie réussie, pensait Mère, c'est une vie où l'on doute comme Nora et Marie Curie, une aventure devant soi dont on ne sait rien, ou est-ce une existence dans l'incertitude et l'espoir du bonheur, ou tout cela à la fois, ce serait bientôt l'heure de rentrer à la maison auprès de Marie-Sylvie, Augustino, Mai, ce serait bientôt l'heure, pensait Mère, et Mélanie démarrait la jeep, appuyait sur l'accélérateur, Mai, où était Mai, mais pourquoi tant de nervosité, avait dit Marie-Sylvie, elle est dans la balançoire du jardin avec ses chats, je l'ai un peu grondée, la voici, pas encore lavée ni peignée, elle me boude, et Mélanie avait embrassé Mai en disant, pourquoi toujours me faire peur, tu n'es pas encore allée au stade, n'est-ce pas, tu sais que papa et moi te le défendons, je ne veux pas qu'il revienne, dit Mai avec assurance, bien que sa mine fût piteuse et renfrognée, Vincent, je ne veux pas qu'il revienne, vous ne parlez tous que de lui, le bébé, c'est moi, ce n'est pas Vincent, et Marie-Sylvie va encore le cajoler, mais papa et moi nous t'aimons tout autant que Vincent, dit Mélanie, désorientée par les réflexions de Mai, ce n'est pas vrai, avait répondu Mai avec la même assurance qui désarmait sa mère, ce n'est pas vrai, vous mentez tous, sauf Augustino, il ne ment pas, mais il dit que je suis trop petite pour être son amie, que je pourrais briser ses livres, Mélanie avait pris sa fille dans ses bras, allons, allons, lui avait-elle dit en lui caressant les cheveux, tu iras jouer avec Emilio sur la plage, et tu oublieras tout cela, veux-tu que je t'amène tout de suite chez Emilio même s'il est un peu tôt, et maintenant Mélanie et sa fille se dirigeaient vers la plage, dans la jeep, on entendait à la radio le *Requiem de guerre* de Britten, Mélanie dit à Mai que c'était leur ami Franz qui était le chef d'orchestre, Mai se souvenait-elle de Franz, écoute bien les chœurs et les solistes, disait Mélanie à Mai qui paraissait endormie sur son siège et ne répondait pas, c'est une œuvre si déchirante, dit Mélanie, Franz, c'est un musicien qui a traversé toutes les âmes afin de jouer pour nous cette musique que nous entendons, on dit que dans la plus belle des musiques, comme celle-ci, il manque parfois une note, moi je pense qu'il n'en manque aucune, dit Mélanie, il arrive que de grands musiciens comme Franz soient assassinés tant ils mènent des vies folles, ou qu'ils meurent dans une extrême pauvreté, la note qui manque, c'est parce qu'ils ont donné leur vie à la musique, mais se réveillant dans un sursaut de joie, Mai criait déjà, ouvre la portière, maman, je le vois près du filet de volley-ball, c'est lui, c'est Emilio, et lorsque Mai fut près d'Emilio, rieuse et enjouée soudain, Mélanie se sentit plus apaisée, elle savait maintenant où était Mai, dans ce cercle de sable qu'elle traçait

autour d'Emilio, de son corps que le soleil avait tant bruni
que les dents d'Emilio étincelaient plus encore dans son fin
visage, regarde comme il est beau, maman, disait Mai à sa
mère, dans ce cercle il est tout à moi, regarde, maman,
enfin, Mélanie ne craignait pas que Mai soit ailleurs, au
stade ou se promenant seule dans les rues en disant aux
passants qu'elle n'avait pas de maman ni de papa, et Mélanie pensait qu'elle verrait Renata ce soir, n'était-il pas
inconcevable que des enfants de seize ans soient exécutés,
eux qui avaient des parents comme Daniel et Mélanie, des
parents qui longtemps ne sauraient pas quand ils reverraient leurs enfants ou ne les reverraient plus, les verraient
mourir stoïques dans la chambre de verre des condamnés,
la chambre des brasiers et des flammes dans les corps élec-
trocutés de leurs fils, et qui sait de leurs filles, demain,
maman, regarde, c'est la parade des bateaux, criait Mai,
regarde, maman, et levant la tête vers le soleil, Mélanie
pensa à sa vie de luttes qui ne faisait que commencer,
c'était un bonheur d'être encore jeune, volontaire, décidée,
dans un monde aussi virulent, et Ari disait à Lou qu'il
tenait sur ses genoux, n'es-tu pas contente d'être avec papa
dans ton bateau, c'est ton bateau, et je vais t'apprendre
à naviguer, Le Chausson de Lou, écoute les vagues, tu
entends, Lou portait le maillot qui était son habillement
pour la gymnastique, où l'amenait Ari tous les matins,
ma maman, dit Lou, je veux voir ma maman, mais tu la
verras jeudi, dit Ari, tu la vois toujours, ta maman, du jeudi
au dimanche, mais aujourd'hui et demain tu es avec moi,
ton papa, maman, ma maman, pleurnichait Lou en tendant les bras vers la marina où elle avait vu sa mère repartir vers sa voiture, je veux voir maman, il y avait sur les

quais, pensait Lou, de gros oiseaux, des chatons parmi lesquels la fille d'Ari avait couru en tapant de ses pieds nus sur les planches du quai, les quais, la marina, la voiture de maman, la chevelure rousse de maman, la portée de chatons, tout le paysage reculait, pendant que l'embarcation d'Ari, ce qui serait le bateau de Lou, avançait vers le centre de la mer, de l'océan où l'on ne se sentait nulle part, vers ce lieu gigantesque où Lou ne voulait pas aller, même sur les genoux de son père, puis Lou ne pleura plus, son père avait peut-être raison lorsqu'il lui disait qu'elle serait avec maman jeudi, et son frère Jules, son père qui ne cessait de lui répéter, regarde bien, tout est si beau, tout est si beau, et devant la maison plate du pasteur Jérémy dans l'herbe jaunie que picoraient les coqs, les poules et leurs poussins, Deandra et Tiffany photographiaient les chiens Polly et Oreilles Coupées, c'était pour Carlos, et que les chiens ne remuent plus la queue, et que Polly se souvienne, c'était cette photo que prenaient Deandra et Tiffany pour leur frère Carlos qui était en prison, et qu'elles verraient dimanche.